合格のLEC

これだけ覚える

教員採用試験
小学校全科

LEC東京リーガルマインド 著

'26年版

成美堂出版

小学校全科

出題傾向と対策

Ⅰ 出題パターンを知ろう！

●学習指導要領を中心とした学習を

平成29年3月に現行の学習指導要領が公示されました。小学校学習指導要領については、平成30～令和元年度は先行実施でしたが、令和2年度からは完全実施となりました。学校では旧学習指導要領に現行の学習指導要領の内容を加えて指導が行われることになります。そのため、採用試験でも学習指導要領に重点を置いた出題が想定されます。

ただし、旧学習指導要領と現行の学習指導要領の相違点について問われることもありえますから、「小学校学習指導要領　比較対照表」を手元に常備しておくとよいでしょう。また、平成29年7月には「小学校学習指導要領解説」も公開されています。平成20年度の「小学校学習指導要領解説」と比較してみると、すべての内容が一から全く新しくなったのではなく、改訂のポイントを踏まえて、旧学習指導要領の内容を引き継いでいるところ、それに新たな内容が加えられたところ、変更されたところがあることが分かるでしょう。これらの資料は文部科学省のホームページで閲覧することができます。

○文部科学省内の関連アドレス
　https://www.mext.go.jp/a_menu/shotou/new-cs/1384661.htm

●効率的な学習方法

「小学校全科」というと、試験を実施するどの自治体においても、学校教育法施行規則第50条に規定されている全領域が出題されると考えている人が多いようです。しかし「Ⅱ」に示すように、全科を出題する自治体は、実は、試験実施自治体の半数にも満たないのです。そこで、自分が受験しようとする自治体の出題パターンをおさえ、それに沿った学習をすることが、効率的な学習方法ということになります。

また、出題パターンをおさえることは、効率的な併願を考える際のポイントにもなります。つまり、実施日が異なるからというだけで、メインの志願先である5教科出題型の自治体の併願先として10教科出題型の自治体を選択することは、併願のためにプラス5教科の学習をしなければならず、効率的とはいいにくいです。メインの志願先が5教科出題型の自治体であるのならば、同じ5教科型の自治体を併願先として検討してみるべきです。

Ⅱ 小学校全科の自治体別出題パターン

＊令和6（2024）年度試験による。「科目以外の出題」は、各教科の内容に加えて出題されたもの。なお、教科内容の他に、道徳科、総合的な学習の時間、特別活動の内容を加えて出題する自治体もある。
＊政令指定都市は、この表に記載がない限り、その自治体がある都道府県と同一試験である。

出題タイプ	科目以外の出題	自治体
10教科型（国・社・算・理・生・音・図工・家・体・外）	学習指導要領＋指導法	北海道、青森県、岩手県、群馬県、福井県、名古屋市、京都市、島根県、岡山市、広島県、愛媛県、大分県、宮崎県、沖縄県
	学習指導要領	埼玉県、山梨県、滋賀県、岡山県、徳島県、高知県、福岡県、熊本市
9教科型（10教科型から生活を除く）	学習指導要領＋指導法	宮城県、東京都、石川県、神戸市、熊本県
	学習指導要領	山形県、福島県、茨城県、栃木県、神奈川県、長野県、岐阜県、愛知県、三重県、長崎県
8教科型（10教科型から体育と他1教科を除く）	学習指導要領＋指導法	山口県（音楽・体育なし）、鹿児島県（生活・体育なし）
6教科型（国・社・算・理・生・外）	学習指導要領＋指導法	秋田県、静岡県（基本4教科＋音楽・図工・家庭・体育・外国語から2教科選択）
5教科型（国・社・算・理・外）	学習指導要領＋指導法	富山県、和歌山県、香川県、佐賀県
	学習指導要領	千葉県、京都府、大阪府、奈良県、鳥取県
	教科のみ	新潟県、兵庫県

出題内容のうち、「指導法」とあるのは、例えば次のような問題のことを示しています。

> **群馬県令和6年度採用試験問題・小学校全科**
> 小学校「体育」の学習について、次の(1)、(2)の問いに答えなさい。
> (1) 第3学年「水泳運動」の単元の導入で、水に浮かせたところ、水に対する恐怖心を抱いてすぐに立ってしまう児童が複数いた。そのような児童の恐怖心を和らげ、意欲的に取り組めるようにするため、教師はどのような指導の工夫をするとよいか。具体的に書きなさい。
> (2) (略)

Ⅲ 科目別出題傾向と対策

国　語

◎古典にかかわる出題に注意

「一般教養」試験とほぼ同じ内容ですが、「Ⅱ」で見た**学習指導要領関連を出題する自治体では、その分野を含む**ことが「一般教養」との違いといえます。**文章読解問題**とそれに関連させる形で、**漢字（読み・書き・部首・筆順など）や語句（意味・ことわざ・慣用句・対義語など）に関する出題が一般的**です。もちろん、漢字や語句は単独の問題としても出題されていますし、**文学史関連が問われる**こともあります。また、**古典にかかわる出題**がされることもあります。

中心となる文章読解問題は、題材となっている文章自体がさほど難しいものではない上に、問題もオーソドックスなものが多いようです。**小説の場合もありますが、評論・論説からの出題が多い**ので、まずはそれらの文章を読み慣れておくことが大切です。段落ごとに要約するつもりで読むとよいでしょう。

◎学習指導要領は暗記するくらい読み込む！

学習指導要領からの出題は、ほぼすべての範囲から、空欄補充問題や正誤問題として出題されています。対策は、「解説」を参考にしつつ（9ページ参照）、暗記するくらいに読み込むことといえますが、これもひねった問題は少なく、前後の関係から正誤が分かるものも多くあります。暗記を心がけつつ、いわんとすることの理解にも努めるようにしましょう。

社　会

◎日本史を重点的に学習する

問題は、**地理・歴史・公民の3分野**、**学習指導要領**、**時事**、そしてその自治体特有の**ローカル問題**から構成されています。3分野では、**地理・歴史各3に対して公民は2**といった出題比率で、学習指導要領も公民と同程度の出題比率となっています。つまり、時事、ローカルの出題比率は極めて低いといえます。また、**歴史の出題はその大半が「日本史」**からのものとなっています（ただし、**世界史と関連づけた問題**が出題されるようになっています）。

これらの出題に対応するためには、**高校での学習レベルの地歴公民の学習**をこなしておくことが必要となります。「日本史」は必修ではないのでやらなかった、という人は、猛勉強が必要となります。

◎各学年目標と内容はしっかりおさえておく

学習指導要領からの出題は、学年目標と各学年の内容の取扱いからの出題が多くなっています。「国語」同様に暗記するくらいの読み込みが必要となりますが、特に「解説」を熟読しておいて下さい。

なお、記述式の解答方法の自治体では実際に**地図記号**を書かせたりしています。特に新しく制定されたものなどを中心に、確実に覚えるようにしましょう。

算　数

◎問題集で確実に解けるように

基本的には**中学校「数学」の範囲**までの、**数と式・関数・図形・確率からの問題**に、**学習指導要領を加えた出題**といえるでしょう。数と式では、**四則混合計算や因数分解**、**連立方程式**など、**基礎的・基本的な問題が多く**、他の分野を含めてこうした傾向は長らく大きく変化はしていません。ただ、**新学習指導要領「算数科」の目標**で、「数学的活動の楽しさや数学のよさ」が強調され、学びに向かう力・人間性等が明記されていることにより、それらを意識した出題が見られるようになっていることも確かです。

これらへの対応は、まずは**中学校「数学」レベルを確実にこなせるようにすること**につきます。教科書（または参考書）で記憶を確認し、知識の補充を済ませたら、問題集に取り組んで下さい。その問題集の問題が、短時間で間違いなく解けるようになれば､小学校全科の｢算数｣の教科内容としての対策はクリアーできたことになります。

◎用語・記号なども含めて理解する

学習指導要領対策は、教科目標・学年目標などに加えて、**何学年で何を扱うのか**を､**用語･記号**を含めてしっかりと覚えておくことが大切です。他教科と同じく､「解説」と読み合わせながらの確実な理解が必要となります。指導法についても、さまざまな場面を想定して、対応できるようにしておきたいものです。

理　科

◎各分野で頻出の項目は必ずおさえておく

理科は、**物理・化学・生物・地学の各分野**、さらには**環境問題などからも、まんべんなく出題**されており、しかも、近年、**問題の難度が上昇**している傾向にあります。実験器具の取扱いなども含めた指導法にかかわる問題が、大きなウエートをしめることも珍しくありません。

物理では電流・電磁石・仕事量など、**化学では化学反応・水溶液・気体・実験器具（物理でも扱われる）や薬品の取扱い**など、**生物では血液の循環・植物（構造・分類・光合成など）・遺伝**など、**地学では月と地球の関係といった天体・地層などからの出題が多くなっています。**先に触れた環境関連では、**外来種**などが問題となっています。

◎過去問分析で出題傾向をつかむ

学習指導要領関連では、教科目標の他に、**学年ごとの目標や内容にもかかわる、かなり細かな問題**も出されています。相当な読み込みと理解が必要となってきます。

ただ、問題数との関連で、毎年、すべての自治体ですべての分野から出題されるわけではありません。過去問で出題傾向をしっかりと確かめて、それに対応した学習をすることを心がけましょう。

生　活

◎学習指導要領は内容のキーワードを理解する

出題傾向は、大きく2つに分けられますが、その1つが、**学習指導要領からの出題**です。教科目標はもちろん、「指導計画の作成と内容の取扱い」の空欄補充問題なども多く出題されています。

また、「解説」からの出題も多く見受けられ、「第3章第1節　3　内容の構成要素と階層性」からの出題は頻出となっています。こうした**「解説」を含めての学習指導要領の学習は、「生活科」対策としては絶対に外すことはできません。**それぞれの内容の**キーワードを確実におさえること**も重要です。

◎指導場面を想定した学習をする

もう1つの出題傾向が**実際の学習指導にかかわる設問**です。「はなをさかせよう」「こうえんであそぼう」などのそれぞれの指導における配慮事項の正誤問題や、飼育・栽培活動における正しい留意点の選択などの問題で、レベル的には決して難しいものではありませんが、**指導場面を想定した学習が重要**となります。また、幼児教育との関連を問う問題や「小1プロブレム」を答えさせる問題も見られます。

音　楽

◎「解説」を熟読する

学習指導要領関連からの出題が多いのが特徴です。また、「解説」の記述を踏まえての解答を求める問題もあり、**学習指導要領の熟読・理解にあわせて「解説」の熟読も求められている**といえるでしょう。また、**我が国の伝統・文化の尊重という方針に沿って、日本の伝統音楽で用いられる篳篥（ひちりき）・笙（しょう）・琴・三味線・尺八などの楽器についての問題（絵と結びつける）も見られます。**

◎共通教材を中心に学習する

各学年で指定してある**「共通教材」を取り上げる自治体が非常に多く**、楽譜を読ませて曲名や調名、作曲・作詞者を問う問題、さらにはその指導に関する留意点などを問う問題が頻出しています。「共通教材」については、どの曲が示されても、たちどころに譜面、作曲・作詞者が分かり、さらにはその指導法などもいえるような学習が必要となります。

この他に、**音符・記号の種類や意味、旋律補充、和音、鍵盤の位置、などに関する問題も出題**されています。

図画工作

◎実技にまつわる問題に注意！

学習指導要領からの出題が中心となっています。正誤、空欄補充、用語・文の適切な組み合わせなどの問題が出題されています。

実技の問題が出題される自治体もあるので、注意が必要です。デッサンを課すところなどもありますので、やはり、**描き方の練習**をしておく必要があるでしょう。

木版画で使用する彫刻刀の種類（名称）、のこぎりの使用法、材料とその性質、色の三原色、混色・補色などに関する出題は、定番といえます。

◎受験する自治体と関連のある作品などはおさえておく

鑑賞と関連づけた美術史も頻出です。**著名なものは鑑賞図鑑などで実際の絵や彫像などを知っておくことも大切**です。なお、その**自治体と関連の深い美術家やその作品が扱われることもある**ので、あらかじめ調査をしておくことも必要です。

対策の一環として、「音楽」もそうですが、**実際の小学校の教科書を熟読**しておくことをお勧めします。

家　庭

◎最頻出の項目から学習していく

「家庭科」は、**学習指導要領ではその指導内容が「A家族・家庭生活」「B衣食住の生活」「C消費生活・環境」と区分されており、試験での出題もその区分に沿っ**

て考えることができます。その場合、最も多く出題されているのが「B」で、ついで「A」ということになります。

「B」では、**調理実習に関係する問題**が最も多く、その手順や注意事項についての問題が頻出となっています。また、栄養に関する問題も多く、食品に関する知識を問う問題が続きます。

また、**被服等の製作にかかわる問題も多く出題**されています。手縫いの縫い方とその名称、ミシンの使用法などが扱われています。また、洗い方（適切な温度や洗剤の選択）や干し方なども定番の出題です。住生活については快適な住み方の要件などを問う問題が中心です。

◎小学校の教科書を読みながら、実際に体験してみる

冒頭でも触れたように、学習指導要領との関連が深い出題が多いので、まずは、**学習指導要領とその「解説」の学習が重要**です。また、小学校の教科書を読みながら、教科書に従って実際に調理をしたり、ミシンを使ってみたりして、理解を深めることも大切です。

体　育

◎改訂点をしっかり学習しておく

指導内容が**「知識・技能」「思考力・判断力・表現力等」「学びに向かう力・人間性等」の３つの柱に沿って再編**されています。特に体育科においても**「表現する」ということが含まれている点に留意**しましょう。また、従前より心と体を一体としてとらえ、積極的・自主的・主体的に学習することや、仲間と対話し協力して課題を解決する学習等が重視されてきましたが、改訂により**運動が苦手な児童や運動に意欲的でない児童の指導等のあり方**について、**具体的な指導方法**が解説に盛り込まれています。特にクラブチームなどで運動をしている児童等、体育の授業がつまらない、と**意欲的でない児童への指導は新たに盛り込まれたもの**です。さらに、**オリンピック・パラリンピックに関する指導の充実**や、障がいの有無等にかかわらず、運動の多様な楽しみ方を共有することができるよう、**共生の視点が盛り込まれた**ことも重要です。

◎技能の指導についてしっかり理解しておく

近年は、学習指導要領からの出題に加えて、**小学校段階で身に付けたい具体的な技能について、適切な指導方法や技能習得のためのポイントなどが問われる傾向が強まっています**。また、特に**児童のつまずきについて、どのような場の工夫をすることが必要なのか、といった視点の問題**も見られます。それぞれの技能については、本冊子、また、本試験でも文章で記述がなされていますが、実際にそれぞれの技能について、どのように体を動かすのかを、字面だけでなく、映像等で確認して自分のものにしておきましょう。

外国語

◎指導場面を想定しながら学習指導要領を読み込む

外国語科の目標の全文と「資質・能力の３つの柱」に沿った具体目標を暗記しておきましょう。また**聞くこと、読むこと、話すこと、書くことの領域別の目標**をおさえておくことも必要です。特に「話すこと」は［やり取り］と［発表］の２方向からのアプローチが示されています。**「第２　各言語の目標及び内容等」**を読み、**言語材料と言語活動を効果的に関連付けた、英語学習への意欲につなげるための具体的な指導法**をまとめておくことをお勧めします。

◎英語運用力を身に付ける

出題形式は、**文法や語法の正しい理解を問う並べ替えや、語句補充、文章補充、文章整序**などがあります。仮定法、関係代名詞や時制など**重要文法事項**を確認し意味内容を把握することや、**読解問題**に対応するため、短時間で長文を読みこなす力を身に付けることが求められます。多くの自治体で**会話文**が出題されますが、中でもＡＬＴなどネイティブ・スピーカーとのティームティーチングを想定したものが多く、その際教師が心がけるべきポイントや、児童へのアドバイスなどが問われることもあります。**場面に沿った適切な応答を英語で確かめておく**ことが大切です。また指導案の一部を示し、その目標や評価規準などを読み取る問題もあります。

自治体によってはリスニングを課すところや、一般の教員とは別に「小学校（英語）」の採用枠を設けているところが増えていますので、受験予定の自治体の出題傾向を分析し、それに応じた対策をしておきましょう。

【学習指導要領と「解説」を使いながら学習しよう！】

- 本書で「解説」という場合、特に断りがない限り、文部科学省『小学校学習指導要領解説』（平成29年7月）を指します。
- この「解説」は、平成29年3月に改訂告示された「小学校学習指導要領」について、文部科学省が「記述の意味や解釈などの詳細について説明」（「まえがき」）するために作成したもので、「総則編」「特別の教科　道徳編」「総合的な学習の時間編」「特別活動編」の他、「国語編」などの各教科編があります。
- 「小学校学習指導要領」とその「解説」は、下記に掲載した文部科学省のホームページで閲覧、ダウンロードできます（印刷用のファイルも用意されています）が、少なくとも学習指導要領の本文は書店で購入し、常に携帯して熟読、暗記に努めたいものです。白書などを扱っているような大きめの書店に行けば、『小学校学習指導要領』と、先に述べたその各解説編の冊子を販売しています。いずれも、文部科学省の著作ということで、安価で購入できます。
- 実際の試験では、「Ⅲ 科目別出題傾向と対策」でも触れたように、「解説」から、その本文の空欄補充や正誤を問う問題が出題されています。「解説」を十分に読みこなしておくことも大切です。
- 文部科学省の「小学校学習指導要領」関連のアドレス
https://www.mext.go.jp/a_menu/shotou/new-cs/1384661.htm

本書の見方・使い方

タイトル
教科名と教科内の項目を示しています。学習した日付を書く欄も活用しましょう。

暗記 暗記が必要な項目を示しているので、内容を理解しつつ、覚えましょう。

各テーマの頻出度が分かる!
過去の出題機会をもとに出された頻出度です。各項目ごとに頻出度A～Cであらわし、**Aが高、Bが中、Cが低**に該当します。出題ポイントも具体的に示しているので参考に。

各項目と重要度、出題自治体
項目を分けたもので、重要度を★1～3であらわし、★3つが高、★2つが中、★1つが低ですが、おさえておきたい内容に該当しています。特によく出題される自治体名を示すとともに、多くの自治体で出題されている場合は ●頻出● ★超頻出★ のアイコンを入れています。

学習指導要領

01 学習指導要領① 改訂の重点・総則 日付 ／

頻出度 **A**

●平成29年3月に新学習指導要領が公示された。
●新学習指導要領の基本方針・ポイントはしっかりおさえたい。

1 学習指導要領の基本的考え方 ●頻出● 重要度 ★★

学習指導要領の改訂

平成29年3月31日に学校教育法施行規則が改正されるとともに、幼稚園教育要領、小学校学習指導要領及び中学校学習指導要領が公示された。この新学習指導要領は、平成28年12月21日の**中央教育審議会「幼稚園、小学校、中学校、高等学校及び特別支援学校の学習指導要領等の改善及び必要な方策等について(答申)」**を踏まえたものである。**30年度から先行実施**、**令和2年度から全面実施**となる。

新学習指導要領のポイント

□**改訂の基本方針** ➡ **教育基本法**、**学校教育法**などを踏まえ、これまでの我が国の学校教育の実践や蓄積を活かし、**子供たちが未来社会において自立的に生き、社会の形成に参画するための資質・能力を一層確実に育成**。その際、子供たちに求められる資質・能力とは何かを社会と共有し、連携する「**社会に開かれた教育課程**」を重視。／知識及び技能の習得と思考力、判断力、表現力等の育成のバランスを重視する現行学習指導要領の枠組みや教育内容を維持した上で、知識の理解の質をさらに高め、確かな学力を育成。／先行する特別教科化など**道徳教育の充実**や**体験活動の重視**、**体育・健康に関する指導の充実**により、**豊かな心**や**健やかな体**を育成。

□**育成を目指す資質・能力の明確化** ➡ 知・徳・体にわたる「生きる力」を子供たちに育むため、「何のために学ぶのか」という学習の意義を共有しながら、授業の創意工夫や教科書等の教材の改善を引き出していけるよう、すべての教科等を、❶**知識及び技能**、❷**思考力**、**判断力**、**表現力等**、❸**学びに向かう力**、**人間性等**の3つの柱で再整理。

□**「主体的・対話的で深い学び」の実現に向けた授業改善の推進** ➡ 我が国のこれまでの教育実践の蓄積に基づく授業改善の活性化により、子供たちの

16

本書は、広範囲な教員採用試験「小学校全科」の内容を確実に理解し、問題に対応できるようにまとめた一冊です。この一冊を確実にマスターし、試験合格を目指しましょう。

チェック欄

きちんと内容を把握したところが分かるようにチェック欄を用意。すべてのチェック欄が埋まるようにひとつずつ確実におさえていきましょう。

試験に出る単語は隠して覚える!

赤字は必須単語

赤シートで隠せる赤字の単語は暗記すべき必須単語。前後の文をよく読んで内容を理解し、どのような問題形式でも答えられるように暗記しましょう。

黒太字は重要単語

赤字の次に重要な単語を黒太字にしてあります。赤字のチェックが終わったら、こちらも暗記しましょう。

学習指導要領

A 学習指導要領① 改訂の重点・総則

知識の理解の質の向上を図り、これからの時代に求められる資質・能力を育んでいくことが重要。

□**各学校におけるカリキュラム・マネジメントの推進** ➡ 学校全体として、教育内容や時間の適切な配分、必要な人的・物的体制の確保、実施状況に基づく改善などを通して、教育課程に基づく教育活動の質を向上させ、学習の効果の最大化を図る。

□**教育内容の主な改善事項** ➡ **言語能力の確実な育成、理数教育の充実、伝統や文化に関する教育の充実、体験活動の充実、外国語教育の充実。**

【参考】平成29年度公示版の各教科等の授業時数〈( )内は平成20年公示版〉

区分		第1学年	第2学年	第3学年	第4学年	第5学年	第6学年	総授業時数
各教科	国語	306(306)	315(315)	245(245)	245(245)	175(175)	175(175)	1461(1461)
	社会			70(70)	90(90)	100(100)	105(105)	365(365)
	算数	136(136)	175(175)	175(175)	175(175)	175(175)	175(175)	1011(1011)
	理科			90(90)	105(105)	105(105)	105(105)	405(405)
	生活	102(102)	105(105)					207(207)
	音楽	68(68)	70(70)	60(60)	60(60)	50(50)	50(50)	358(358)
	図画工作	68(68)	70(70)	60(60)	60(60)	50(50)	50(50)	358(358)
	家庭					60(60)	55(55)	115(115)
	体育	102(102)	105(105)	105(105)	105(105)	90(90)	90(90)	597(597)
特別の教科道徳		34(34)	35(35)	35(35)	35(35)	35(35)	35(35)	209(209)
外国語活動				35(0)	35(0)	0(35)	0(35)	70(70)
外国語						70(0)	70(0)	140(0)
総合的な学習の時間				70(70)	70(70)	70(70)	70(70)	280(280)
特別活動		34(34)	35(35)	35(35)	35(35)	35(35)	35(35)	209(209)
総授業時数		850(850)	910(910)	980(945)	1015(980)	1015(980)	1015(980)	5785(5645)

＊学校教育法施行規則第51条(別表第1)による。表中の1単位時間は45分である。

2 前文

•頻出• 重要度 ★★

□新学習指導要領では、先に述べた「**改訂の基本方針**」のもとに、その理念を明確にし、社会で広く共有されるよう新たに**前文**が設けられた。前文の要点は下記のとおりである。

①**教育基本法に規定する教育の目的や目標**と、これからの学校に求められることを明記

②「**社会に開かれた教育課程**」の実現を目指すこと

③**学習指導要領を踏まえた**創意工夫に基づく教育活動の充実

ポイント 総則第1の1は穴埋め問題でよく出題される

17

学習指導要領と解説

┈┈┈┈で囲んでいる部分は、小学校学習指導要領(平成29年3月)からの引用であることを示しています。

また、本書における「解説」とは、文部科学省『小学校学習指導要領解説』(平成29年7月)を指します。

ワンポイント

要点を覚えるポイントを紹介。使いやすいものはどんどん利用していきましょう。

ポイント …ポイント

マメ …豆知識

覚 …覚え方

用語解説

本文中に出てきた難しい用語の解説をしています。分からない用語は必ずチェックしましょう。

●本試験対策　実力チェック問題

一番最後に本試験対策のために、本書オリジナルの厳選した実力チェック問題を用意。選択問題、穴埋め問題、記述問題、計算問題など、さまざまなパターンの問題があるので、どのような形式で問われても答えられるように内容をしっかり理解しましょう。また、間違えてしまった部分に関しては、繰り返し暗記して問題を解き、しっかり身に付けましょう。何度も繰り返し行うことで、確実な知識に結びつくので、頑張ってください。

これだけ覚える 教員採用試験 小学校全科

目次

本書は原則2024年7月1日時点の情報に基づいています。

小学校全科

- 学習指導要領
- 国語
- 社会
- 算数
- 理科
- 生活
- 音楽
- 図画工作
- 家庭
- 体育
- 外国語
- 外国語活動
- 道徳
- 総合学習
- 特別活動

01 学習指導要領① 改訂の重点・総則

日付 ／

頻出度 A

●平成29年3月に学習指導要領が公示された。
●学習指導要領の基本方針・ポイントはしっかりおさえたい。

1 学習指導要領の基本的考え方

●頻出● 重要度 ★★

学習指導要領の改訂

平成29年3月31日に学校教育法施行規則が改正されるとともに、幼稚園教育要領、小学校学習指導要領及び中学校学習指導要領が公示された。この学習指導要領は、平成28年12月21日の**中央教育審議会「幼稚園、小学校、中学校、高等学校及び特別支援学校の学習指導要領等の改善及び必要な方策等について(答申)」**を踏まえたものである。**30年度から先行実施、令和2年度から全面実施**となった。

学習指導要領のポイント

□**改訂の基本方針** ➡ **教育基本法、学校教育法**などを踏まえ、これまでの我が国の学校教育の実践や蓄積を活かし、**子供たちが未来社会において自立的に生き、社会の形成に参画するための資質・能力を一層確実に育成**。その際、子供たちに求められる資質・能力とは何かを社会と共有し、連携する「**社会に開かれた教育課程**」を重視。／知識及び技能の習得と思考力、判断力、表現力等の育成のバランスを重視する旧学習指導要領の枠組みや教育内容を維持した上で、知識の理解の質をさらに高め、確かな学力を育成。／先行する特別教科化など**道徳教育の充実**や**体験活動の重視**、**体育・健康に関する指導の充実**により、**豊かな心**や**健やかな体**を育成。

□**育成を目指す資質・能力の明確化** ➡ 知・徳・体にわたる「生きる力」を子供たちに育むため、「何のために学ぶのか」という学習の意義を共有しながら、授業の創意工夫や教科書等の教材の改善を引き出していけるよう、すべての教科等を、❶**知識及び技能**、❷**思考力**、**判断力**、**表現力等**、❸**学びに向かう力**、**人間性等**の３つの柱で再整理。

□「**主体的・対話的で深い学び**」**の実現に向けた授業改善の推進** ➡ 我が国のこれまでの教育実践の蓄積に基づく授業改善の活性化により、子供たちの知識の理解の質の向上を図り、これからの時代に求められる資質・能力を育んでいくことが重要。

□**各学校におけるカリキュラム・マネジメントの推進** ➡ 学校全体として、教育内容や時間の適切な配分、必要な人的・物的体制の確保、実施状況に基づく改善などを通して、教育課程に基づく教育活動の質を向上させ、学習の効果の最大化を図る。

□**教育内容の主な改善事項** ➡ **言語能力の確実な育成、理数教育の充実、伝統や文化に関する教育の充実、体験活動の充実、外国語教育の充実。**

【参考】平成29年度公示版の各教科等の授業時数〈( )内は平成20年公示版〉

区分		第1学年	第2学年	第3学年	第4学年	第5学年	第6学年	総授業時数
各教科	国語	306(306)	315(315)	245(245)	245(245)	175(175)	175(175)	1461(1461)
	社会			70(70)	90(90)	100(100)	105(105)	365(365)
	算数	136(136)	175(175)	175(175)	175(175)	175(175)	175(175)	1011(1011)
	理科			90(90)	105(105)	105(105)	105(105)	405(405)
	生活	102(102)	105(105)					207(207)
	音楽	68(68)	70(70)	60(60)	60(60)	50(50)	50(50)	358(358)
	図画工作	68(68)	70(70)	60(60)	60(60)	50(50)	50(50)	358(358)
	家庭					60(60)	55(55)	115(115)
	体育	102(102)	105(105)	105(105)	105(105)	90(90)	90(90)	597(597)
特別の教科道徳		34(34)	35(35)	35(35)	35(35)	35(35)	35(35)	209(209)
外国語活動				35(0)	35(0)	0(35)	0(35)	70(70)
外国語						70(0)	70(0)	140(0)
総合的な学習の時間				70(70)	70(70)	70(70)	70(70)	280(280)
特別活動		34(34)	35(35)	35(35)	35(35)	35(35)	35(35)	209(209)
総授業時数		850(850)	910(910)	980(945)	1015(980)	1015(980)	1015(980)	5785(5645)

＊学校教育法施行規則第51条(別表第1)による。表中の1単位時間は45分である。

2 前文

●頻出● 重要度 ★★

□学習指導要領では、先に述べた「**改訂の基本方針**」のもとに、その理念を明確にし、社会で広く共有されるよう**前文**が設けられている。前文の要点は下記のとおりである。

①**教育基本法に規定する教育の目的や目標**と、これからの学校に求められることを明記

②「**社会に開かれた教育課程**」の実現を目指すこと

③**学習指導要領を踏まえた**創意工夫に基づく教育活動の充実

ポイント 総則第1の1は穴埋め問題でよく出題される

02 学習指導要領② 総則

日付 ／

頻出度 A

●学習指導要領「総則」は頻出事項。
●特に「第1　小学校教育の基本と教育課程の役割」は細かい部分まで確実に理解しよう。

1 総則「第1　小学校教育の基本と教育課程の役割」 ●頻出● 重要度 ★★★

□**概説** ➡ **教育課程編成の基本**と**教育課程の役割**について記述。

1　各学校※1においては、教育基本法及び学校教育法※2その他の法令並びにこの章以下に示すところに従い、児童の人間として調和のとれた育成を目指し、**児童の心身の発達の段階や特性及び学校や地域の実態を十分考慮して、適切な教育課程を編成する**※1ものとし、これらに掲げる目標を達成するよう教育を行うものとする。

2　学校の教育活動を進めるに当たっては、各学校において、第3の1に示す主体的・対話的で深い学びの実現に向けた授業改善を通して、**創意工夫を生かした特色ある教育活動を展開**※1する中で、次の(1)から(3)までに掲げる事項の実現を図り、児童に生きる力を育むことを目指すものとする。

□※1 ➡ 教育課程編成の主体が「**各学校**」にあることを明示。「校務をつかさどる」(学教法37④)校長を中心に、全教員の協力のもとに、「**創意工夫を生かした特色ある教育活動を展開**」できる教育課程を編成する。

□※2 ➡ **教育基本法**及び**学校教育法**という、公教育の根本法を明示。

□**概説** ➡ **知育の指導**に関する方針について記述。

(1)**基礎的・基本的な知識及び技能を確実に習得させ、これらを活用して課題を解決するために必要な思考力、判断力、表現力等を育む**※1とともに、主体的に学習に取り組む態度を養い、**個性を生かし多様な人々との協働を促す**教育の充実に努めること。その際、児童の発達の段階を考慮して、**児童の言語活動**など、学習の基盤をつくる活動を充実するとともに、家庭との連携を図りながら、**児童の学習習慣が確立**※1するよう配慮すること。

□※1 ➡ これらは平成20年の学習指導要領で明示され、平成29年の学習指導要領でも引き継がれた。

□概説 ➡ 特に学校の教育活動全体を通じて行う道徳教育について記述。

（2）道徳教育や体験活動、多様な表現や鑑賞の活動等を通して、**豊かな心や創造性の涵養を目指した教育**※1の充実に努めること。／学校における**道徳教育は、特別の教科である道徳**（以下「道徳科」という。）**を要として学校の教育活動全体を通じて行う**※2ものであり、**道徳科**はもとより、各教科、外国語活動、総合的な学習の時間及び特別活動の**それぞれの特質に応じて**、児童の発達の段階を考慮して、**適切な指導**を行うこと。／道徳教育は、教育基本法及び学校教育法に定められた教育の根本精神に基づき、**自己の生き方を考え、主体的な判断の下に行動し、自立した人間として他者と共によりよく生きる**ための**基盤となる道徳性を養うことを目標**とすること。／道徳教育を進めるに当たっては、**人間尊重の精神と生命に対する畏敬の念**を家庭、学校、その他社会における具体的な生活の中に生かし、豊かな心をもち、**伝統と文化**を尊重し、**それらを育んできた我が国と郷土を愛し**※3、個性豊かな文化の創造を図るとともに、**平和で民主的な国家及び社会の形成者として、公共の精神**※3**を尊び**、社会及び国家の発展に努め、**他国を尊重**※3し、**国際社会の平和と発展や環境の保全に貢献**※3し未来を拓く**主体性のある日本人の育成**に資することとなるよう特に留意すること。

□※1 ➡ 教育基本法第2条第1号の「教育の目的」を踏まえての表現。

□※2 ➡ 道徳教育は**学校の教育活動全体**を通じて行うものであり、その「**要**」として道徳教育を束ねるのが「**特別の教科　道徳（道徳科）**」であるとする。

□※3 ➡ 教育基本法に対応。

□概説 ➡ **体育・健康**に関する指導についての記述。

（3）学校における**体育・健康に関する指導**を、児童の発達の段階を考慮して、**学校の教育活動全体を通じて適切に行う**※1ことにより、**健康で安全な生活と豊かなスポーツライフの実現**を目指した教育の充実に努めること。特に、学校における**食育の推進**並びに**体力の向上に関する指導、安全に関する指導**及び**心身の健康の保持増進**に関する指導については、**体育科、家庭科**※1**及び特別活動の時間はもとより、各教科、道徳科、外国語活動及び総合的な学習の時間**などにおいてもそれぞれの特質に応じて適切に行うよう努めること。また、それらの指導を通して、家庭や地域社会との連携を図りながら、**日常生活において適切な体育・健康に関する活動の実践を促し、生涯を通じて健康・安全で活力ある生活を送るための基礎**が培われるよう配慮すること。

□※1 ➡ 道徳教育と同様に**学校の教育活動全体**を通じて行うものであることを明記。特に、指導の内容に**食育**が含まれていることと関連して、**家庭科**でも扱うことを明示。

ポイント 学習指導要領の改訂のポイントと照らし合わせて理解しよう

2 総則「第2　教育課程の編成」 ●頻出● 重要度 ★★

□1　**各学校の教育目標と教育課程の編成** ➡ 新設の項目。**育成を目指す資質・能力**を踏まえること、**各学校の教育目標**を明確にすること、**教育課程の編成方針が家庭や地域と共有**されること、が掲げられている。

□2　**教科等横断的な視点に立った資質・能力の育成** ➡ 新設の項目。**言語能力**や**情報活用能力**、**問題発見・解決能力**といった学習の基礎となる資質・能力、現代的な諸課題に対応して求められる資質・能力の育成を目指す。

□4　**学校段階等間の接続** ➡ 新設の項目。**幼児期教育との接続**、**中学校教育及びその後の教育との接続**が円滑に図られるよう工夫すること。

内容の取扱い（第2の3「教育課程の編成における共通的事項」の（1））

□**内容等の取扱いの原則**（3の（1）のア・イ）➡ 学習指導要領の内容は特に示している場合を除き必ず取り扱われなければならない。ただし**学習指導要領に示していない内容を加えて指導**することはできる。

□**指導の順序**（3の（1）のウ〜オ）➡ 各教科等の内容の掲載事項は**指導の順序**ではなく、適宜**工夫**が可能。**2学年まとめて示した教科等**では、2学年に**分けたり**2学年の**両方**での指導などの**弾力的指導**ができる。**複式学級**では、各教科等の**学年別の順序**によらない指導ができる。

□**道徳教育の内容**（3の（1）のカ）➡ **学校の教育活動全体を通じて行う道徳教育**の内容は学習指導要領第3章第2を踏まえること。

授業時数等の取扱い（第2の3の（2））

□ア ➡ **年間授業週数**は**35**週（第1学年は**34**週）以上。教科等の特質により、**夏季休暇等の休業日**を含めて**特定の時間に集中**して行うことも可能。

□イ ➡ **児童会活動・クラブ活動・学校行事**は適切な授業時数を充てる。

□ウ ➡ **年間授業時数**は**学校教育法施行規則第51条（別表第1）**による（17ページ参照）。

□エ ➡ **総合的な学習の時間の実施による特別活動の代替**。

指導計画の作成等に当たっての配慮事項（第2の3の（3））

□ア ➡ **主体的・対話的で深い学び**の実現に向けた授業改善を通して**資質・能力を育む効果的な指導**ができるようにすること。

□イ ➡ **各教科等及び各学年相互間の関連**を図ること。

□エ ➡ **合科的・関連的な指導**を進めること。

3 総則　第3〜6

●頻出●　重要度 ★★

総則「第３　教育課程の実施と学習評価」	
1−(1)	主体的・対話的で深い学びの実現に向けた授業改善
1−(2)	言語環境の整備と言語活動の充実
1−(3)	コンピュータ等や教材・教具の活用、コンピュータの基本的な操作やプログラミングの体験
1−(4)	見通しを立てたり、振り返りをしたりする学習活動
1−(5)	体験活動
1−(6)	課題選択及び自主的、自発的な学習の促進
1−(7)	学校図書館、地域の公共施設の利活用
2−(1)	指導の評価と改善
2−(2)	学習評価に関する工夫
総則「第４　児童の発達の支援」	
1−(1)	学級経営、児童の発達の支援
1−(2)	生徒指導の充実
1−(3)	キャリア教育の充実
1−(4)	指導方法や指導体制の工夫改善など個に応じた指導の充実
2−(1)	障がいのある児童などへの指導→児童の障がいの状態等に応じた指導の工夫／特別支援学級における特別の教育課程／通級による指導における特別の教育課程／個別の教育支援計画や個別の指導計画の作成と活用
2−(2)	海外から帰国した児童や外国人の児童の指導→学校生活への適応等／日本語の習得に困難のある児童への通級による指導
2−(3)	不登校児童への配慮→個々の児童の実態に応じた支援／不登校児童の実態に配慮した教育課程の編成
総則「第５　学校運営上の留意事項」	
1−ア	カリキュラム・マネジメントの実施と学校評価との関連付け
1−イ	各分野における学校の全体計画等との関連付け
2−ア	家庭や地域社会との連携及び協働と世代を超えた交流の機会
2−イ	学校相互間の連携や交流
総則「第６　道徳教育に関する配慮事項」	
1	道徳教育の指導体制と全体計画
2	指導内容の重点化
3	豊かな体験活動の充実といじめの防止
4	家庭や地域社会との連携

（「解説」より）

ポイント 「総則」第1の1〜3は、知育・徳育・体育に対応していることを確認！

03 学習指導要領③ 道徳科・その他

日付
／

頻出度
A

●道徳教育の4つの視点は確実に理解しておくこと。
●総合的な学習の時間と特別活動については設定された目標を軸に理解していく。

1 特別の教科　道徳（第3章）

出題　茨城・京都市・島根・徳島　重要度 ★★★

目標（第1）

第1章総則の第1の2の(2)に示す道徳教育の目標に基づき、よりよく生きるための基盤となる道徳性を養うため、道徳的諸価値についての理解を基に、自己を見つめ、物事を多面的・多角的に考え、**自己の生き方についての考えを深める**学習を通して、**道徳的な判断力、心情、実践意欲と態度を育てる**。

□平成26(2014)年10月に出された中央教育審議会教育課程部会答申「道徳に係る教育課程の改善等について」に基づいて、平成27(2015)年3月に小学校学習指導要領の一部改正がなされ、「道徳の時間」に代わり、「**特別の教科　道徳（道徳科）**」**が新設**された。それに伴って小学校学習指導要領第3章「道徳」が「特別の教科　道徳」と変更され、内容も大幅に改訂された。なお、小学校での道徳科は**平成30(2018)年度から完全実施**されている。

内容（第2）

□**道徳教育の4つの視点**　＊(　)内は注記

A　**主として自分自身に関すること。（＝自己形成）**
B　**主として人との関わりに関すること。（＝人間関係）**
C　**主として集団や社会との関わりに関すること。（＝道徳性の育成）**
D　**主として生命や自然、崇高なものとの関わりに関すること。（＝人間の自覚）**

➡ それぞれについて**2学年ごとに具体的な指導内容**を列挙する。

指導計画の作成と内容の取扱い（第3）

道徳教育推進教師を中心とした指導体制の充実 ／ **道徳教育の全体計画と道徳科の年間指導計画を作成** ／ **体験活動の活用** ／ **充実した教材の開発や活用** ／ **数値などによる評価は行わない**

2 総合的な学習の時間（第5章）

出題 京都市・島根・岡山・熊本・沖縄　重要度 ★

目標（第1）

探究的な見方・考え方を働かせ、**横断的・総合的**な学習を行うことを通して、よりよく**課題**を解決し、**自己の生き方を考えていく**ための資質・能力を次のとおり※1育成することを目指す。

□※1 ➡ 「**知識及び技能**」「**思考力、判断力、表現力等**」「**学びに向かう力、人間性等**」の３つの柱に沿って（１）～（３）の目標が設定。

□**各学校において定める目標及び内容**（第２） ➡ この目標に基づき、**各学校において**総合的な学習の時間の**目標と内容**を定める。

指導計画の作成と内容の取扱い（第3） （主要項目）

全体計画と年間指導計画の作成 ／ **道徳科などとの関連**を考慮 ／ **コンピュータや情報通信ネットワークの活用** ／ **体験活動**等の積極的導入 ／ **学校図書館**の活用、他の学校との連携、公民館や**図書館**などの社会教育施設や社会教育関係団体等の**各種団体との連携、地域の教材や学習環境の積極的な活用**

3 特別活動（第６章）

出題 茨城・名古屋市・島根　重要度 ★

目標（第1）

集団や社会の形成者としての見方・考え方を働かせ、様々な集団活動に**自主的、実践的**に取り組み、**互いのよさや可能性**を発揮しながら**集団や自己の生活上の課題を解決**することを通して、次のとおり※1資質・能力を育成することを目指す。

□※1 ➡ 「**知識及び技能**」「**思考力、判断力、表現力等**」「**学びに向かう力、人間性等**」の３つの柱に沿って（１）～（３）の目標が設定。

領域

□**特別活動** ➡ **学級活動** ／ **児童会活動** ／ **クラブ活動** ／ **学校行事**

＊それぞれの領域に「**目標**」「**内容**」が設定されている。

□**学校行事** ➡ **儀式的行事** ／ **文化的行事** ／ **健康安全・体育的行事** ／ **遠足・集団宿泊的行事** ／ **勤労生産・奉仕的行事**

指導計画の作成と内容の取扱い（第3） （主要項目）

特別活動における**主体的・対話的で深い学び** ／ **全体計画と年間指導計画**の作成 ／ **幼児期の教育との接続** ／ 障がいのある児童などへの指導内容や指導方法の工夫 ／ **道徳科などとの関連**を考慮 ／ **入学式や卒業式などにおいては、その意義を踏まえ、国旗を掲揚するとともに、国歌を斉唱するよう指導**

ポイント 学習指導要領中、国旗・国歌の指導への言及は社会科と特別活動で

01 学習指導要領① 目標

日付 ／

頻出度 A

●国語科の目標は最頻出！　暗記しよう。
●前回の改訂から盛り込まれている「伝え合う力」は国語科教育の目玉！

1 国語科の目標 暗記 出題 北海道・埼玉・香川・愛媛 重要度 ★★★

言葉による見方・考え方を働かせ、言語活動を通して、**国語で正確に理解し適切に表現する資質・能力**※1を次のとおり育成することを目指す。
（1）日常生活に必要な国語について、その特質を理解し適切に使うことができるようにする。
（2）日常生活における人との関わりの中で**伝え合う力を高め、思考力や想像力を養う**。
（3）**言葉がもつよさを認識するとともに、言語感覚を養い、国語の大切さを自覚し、国語を尊重してその能力の向上を図る態度を養う**。

□※1 ➡ 国語科において育成を目指す資質・能力。国語科が**国語で理解し表現する言語能力を育成する教科**であることを示している。

□（1）は「**知識及び技能**」に関する目標。**日常生活において必要な国語の特質**について理解し、それを**適切に使う**ことができるようにする。

□（2）は「**思考力、判断力、表現力等**」に関する目標。**日常生活における人と人との関わりの中で、思いや考えを伝え合う力を高め、思考力や想像力を養う。**

□（3）は「**学びに向かう力、人間性等**」に関する目標。**言葉がもつよさを認識**するとともに、**言語感覚を養い、国語の大切さを自覚し、国語を尊重してその能力の向上を図る態度を養う**。

2 国語科の学年目標 出題 北海道・埼玉・香川・愛媛 重要度 ★★

各学年の目標は、教科の目標に示す（1）、（2）、（3）に対応して、2学年のまとまりごとに、次のように示している。

1　知識及び技能に関する目標

第1学年 第2学年	**日常生活に必要な国語の知識や技能を身に付ける**とともに、**我が国の言語文化に親しんだり理解したりすることができるようにする。**

第3学年 第4学年	日常生活に必要な国語の知識や技能を身に付けるとともに、我が国の言語文化に親しんだり理解したりすることができるようにする。
第5学年 第6学年	日常生活に必要な国語の知識や技能を身に付けるとともに、我が国の言語文化に親しんだり理解したりすることができるようにする。

□全学年同じ。小学校を通して、日常生活に必要な国語の知識や技能を身に付けること、我が国の言語文化に親しんだり理解したりすることができるようにすることを示している。

2　思考力、判断力、表現力等に関する目標

第1学年 第2学年	順序立てて考える力や感じたり想像したりする力を養い、日常生活における人との関わりの中で伝え合う力を高め、自分の思いや考えをもつことができるようにする。
第3学年 第4学年	筋道立てて考える力や豊かに感じたり想像したりする力を養い、日常生活における人との関わりの中で伝え合う力を高め、自分の思いや考えをまとめることができるようにする。
第5学年 第6学年	筋道立てて考える力や豊かに感じたり想像したりする力を養い、日常生活における人との関わりの中で伝え合う力を高め、自分の思いや考えを広げることができるようにする。

□考える力については、**第1学年・第2学年では**順序立てて考える力、**第3学年以降では**筋道立てて考える力の育成に重点。

□自分の思いや考えについては、**第1学年・第2学年では**もつこと、**第3学年・第4学年では**まとめること、**第5学年・第6学年では**広げることができるようにすることに重点。

3　学びに向かう力、人間性等に関する目標

第1学年 第2学年	言葉がもつよさを感じるとともに、楽しんで読書をし、国語を大切にして、思いや考えを伝え合おうとする態度を養う。
第3学年 第4学年	言葉がもつよさに気付くとともに、幅広く読書をし、国語を大切にして、思いや考えを伝え合おうとする態度を養う。
第5学年 第6学年	言葉がもつよさを認識するとともに、進んで読書をし、国語の大切さを自覚して思いや考えを伝え合おうとする態度を養う。

□言葉がもつよさについては、**第1学年・第2学年では**感じること、**第3学年・第4学年では**気付くこと、**第5学年・第6学年では**認識することに重点。

□読書については、**第1学年・第2学年では**楽しんで、**第3学年・第4学年では**幅広く、**第5学年・第6学年では**進んで**する**ことに重点を置いている。

ポイント 国語は全教科の根幹として筆頭教科として配置されている（特別支援小学部における知的障がい教育を除く）ことの意味を、教科目標から理解しよう

02 学習指導要領② 内容

日付 ／

頻出度 C

●国語科では出題頻度がそれほど高くない項目。
●キーワードと該当する学年を結び付けられるようにする。

1 国語科の内容の構造 出題 北海道・青森・茨城・島根・香川 重要度 ★

□**国語科の内容** ➡ 「**知識及び技能**」と「**思考力、判断力、表現力等**」から構成。
＊「**学びに向かう力、人間性等**」の内容については教科及び学年等の目標においてまとめて示してある。

□**「知識及び技能」の内容** ➡ （1）**言葉の特徴や使い方に関する事項**、（2）**情報の扱い方に関する事項**、（3）**我が国の言語文化に関する事項**

□**「思考力、判断力、表現力等」の内容** ➡ 「A **話すこと・聞くこと**」「B **書くこと**」「C **読むこと**」からなる3領域の構成を維持しながら、（1）に指導事項を、（2）に言語活動例を示す。

2 「知識及び技能」の指導内容 出題 北海道・青森・茨城・島根・香川 重要度 ★★

□**構成内容** ➡ 言葉の特徴や使い方に関する事項／話や文章に含まれている情報の扱い方に関する事項

1・2年 **長音、拗音、促音、撥音などの表記、助詞「は」「へ」「を」**の使い方、**句読点**の打ち方、**かぎ（「 」）**の使い方。**主語と述語**との関係。**敬体**で書かれた文章に慣れる。

3・4年 漢字と仮名を用いた表記、**送り仮名**の付け方、**改行**の仕方。**修飾と被修飾、指示する語句**と**接続する語句、段落**の役割。敬体と**常体**との違い。

5・6年 **話し言葉と書き言葉**。文や文章の中で漢字と仮名を適切に使い分け。語彙を豊かにする。文中での**語句の係り方や語順、文と文との接続関係**。**比喩や反復**。日常よく使われる**敬語**を理解。

□**文字に関する事項** ➡ 1・2年 **平仮名及び片仮名**。3年 簡単な単語について**ローマ字の読み書き**。3・4年 へんやつくりなど**漢字の構成**の理解。
5・6年 **仮名及び漢字の由来・特質**について理解。

□我が国の言語文化に関する事項 ➡ 1・2年 昔話や神話・伝承などの読み聞かせ。長く親しまれている言葉遊び。3・4年 易しい文語調の短歌や俳句。ことわざ・慣用句、故事成語等。5・6年 親しみやすい古文や漢文、近代以降の文語調の文章。時間の経過による言葉の変化や世代による言葉の違い。共通語と方言との違い。

□書写

学年	事項
1・2年	**姿勢や筆記具の持ち方**を正しくして書く。／点画の書き方や文字の形に注意しながら、筆順に従って丁寧に書く。／点画相互の接し方や交わり方、長短や方向などに注意して、文字を正しく書く。
3・4年	**文字の組立て方**を理解し、**形を整えて書く**。／漢字や仮名の大きさ、配列に注意して書く。／毛筆を使用して**点画の書き方への理解**を深め、**筆圧などに注意**して書く。
5・6年	**用紙全体との関係に注意**して、**文字の大きさや配列**などを決める。／毛筆を使用して、**穂先の動きと点画のつながりを意識**して書く。／**目的に応じて使用する筆記具を選び**、その特徴を生かして書く。

3 「思考力、判断力、表現力等」の指導内容

出題 北海道・青森・茨城・島根・香川　重要度 ★★

A「話すこと・聞くこと」の領域の指導内容

事項	1・2年	3・4年	5・6年
話題の設定、情報の収集、内容の検討	ア **身近**なことや**経験**したことなどから**話題**を決め、伝え合うために**必要な事柄を選ぶ**こと。	ア **目的**を意識して、**日常生活**の中から**話題**を決め、集めた材料を比較したり分類したりして、伝え合うために**必要な事柄を選ぶ**こと。	ア **目的や意図**に応じて、**日常生活**の中から**話題**を決め、集めた材料を分類したり関係付けたりして、**伝え合う内容を検討**すること。
構成の検討、考えの形成（話すこと）	イ **相手**に伝わるように、**行動**したことや**経験**したことに基づいて、**話す事柄の順序**を考えること。	イ **相手**に伝わるように、**理由や事例**などを挙げながら、**話の中心が明確**になるよう**話の構成**を考えること。	イ 話の内容が明確になるように、**事実と感想**、**意見**とを区別するなど、**話の構成**を考えること。
表現、共有（話すこと）	ウ **伝えたい事柄**や**相手**に応じて、**声の大きさ**や**速さ**などを工夫すること。	ウ **話の中心や話す場面**を意識して、**言葉の抑揚や強弱**、**間の取り方**などを工夫すること。	ウ **資料を活用**するなどして、自分の考えが伝わるように**表現を工夫**すること。
構造と内容の把握、精査・解釈、考えの形成、共有（聞くこと）	エ 話し手が**知らせたいこと**や自分が**聞きたいこと**を落とさないように集中して聞き、**話の内容を捉えて感想をもつ**こと。	エ 必要なことを**記録したり質問したり**しながら聞き、話し手が**伝えたいこと**や自分が**聞きたいこと**の中心を捉え、**自分の考えをもつ**こと。	エ **話し手の目的**や**自分が聞こうとする意図**に応じて、話の内容を捉え、**話し手の考えと比較**しながら、**自分の考えをまとめる**こと。

ポイント 意味を理解しながら覚えると間違いにくい

話し合いの進め方の検討、考えの形成、共有（話し合うこと）	オ　**互いの話に関心を**もち、**相手の発言を受けて話をつなぐ**こと。	オ　**目的や進め方を確**認し、司会などの役割を果たしながら話し合い、**互いの意見の共通点や相違点に着目**して、考えをまとめること。	オ　**互いの立場や意図**を明確にしながら**計画的に話し合い、考えを広げたりまとめたり**すること。

B「書くこと」の領域の指導内容

事項	1・2年	3・4年	5・6年
題材の設定、情報の収集、内容の検討	ア　経験したことや想像したことなどから書くことを見付け、**必要な事柄を集めたり確かめたり**して、**伝えたいことを明確にする**こと。	ア　**相手や目的**を意識して、**経験**したことや想像したことなどから書くことを選び、**集めた材料を比較したり分類したり**して、**伝えたいことを明確にする**こと。	ア　**目的や意図**に応じて、感じたことや考えたことなどから書くことを選び、**集めた材料を分類したり関係付けたり**して、**伝えたいことを明確にする**こと。
構成の検討	イ　**自分の思いや考え**が明確になるように、**事柄の順序**に沿って**簡単な構成を考える**こと。	イ　**書く内容の中心を明確**にし、内容のまとまりで**段落**をつくったり、**段落相互の関係**に注意したりして、**文章の構成を考える**こと。	イ　**筋道の通った文章**となるように、**文章全体の構成や展開を考える**こと。
考えの形成、記述	ウ　**語と語や文と文との続き方**に注意しながら、内容のまとまりが分かるように**書き表し方を工夫**すること。	ウ　**自分の考えとそれを支える理由や事例との関係**を明確にして、**書き表し方を工夫**すること。	ウ　**目的や意図に応じて簡単に書いたり詳しく書いたりする**とともに、**事実と感想、意見とを区別**して書いたりするなど、自分の考えが伝わるように**書き表し方を工夫**すること。 エ　**引用**したり、**図表やグラフ**などを用いたりして、自分の考えが伝わるように書き表し方を工夫すること。
推敲	エ　**文章を読み返す習慣**を付けるとともに、**間違いを正したり**、語と語や文と文との続き方を確かめたりすること。	エ　**間違いを正したり**、相手や目的を意識した表現になっているかを確かめたりして、文や文章を整えること。	オ　**文章全体の構成や書き表し方などに着目**して、文や文章を整えること。

共有	オ　**文章に対する感想**を伝え合い、自分の文章の内容や表現の**よいところを見付ける**こと。	オ　**書こうとしたことが明確になっているか**など、文章に対する感想や意見を伝え合い、自分の文章の**よいところを見付ける**こと。	カ　**文章全体の構成や展開が明確になっているか**など、文章に対する感想や意見を伝え合い、自分の文章の**よいところを見付ける**こと。

C「読むこと」の領域の指導内容

事項		1・2年	3・4年	5・6年
構造と内容の把握	説明的な文章	ア　**時間的な順序**や**事柄の順序**などを考えながら、**内容の大体を捉える**こと。	ア　**段落相互の関係に着目**しながら、考えとそれを支える理由や事例との関係などについて、**叙述を基に捉える**こと。	ア　**事実と感想、意見などとの関係**を叙述を基に押さえ、文章全体の構成を捉えて**要旨を把握**すること。
	文学的な文章	イ　**場面の様子**や**登場人物の行動**など、**内容の大体を捉える**こと。	イ　**登場人物の行動や気持ち**などについて、**叙述を基に捉える**こと。	イ　**登場人物の相互関係や心情**などについて、**描写を基に捉える**こと。
精査・解釈	説明的な文章	ウ　文章の中の**重要な語や文**を考えて**選び出す**こと。	ウ　目的を意識して、**中心となる語や文を見付けて要約**すること。	ウ　目的に応じて、**文章と図表などを結び付ける**などして**必要な情報を見付けたり、論の進め方について考えたり**すること。
	文学的な文章	エ　場面の様子に着目して、**登場人物の行動**を**具体的に想像**すること。	エ　**登場人物の気持ちの変化**や**性格、情景**について、**場面の移り変わり**と結び付けて**具体的に想像**すること。	エ　**人物像や物語などの全体像**を具体的に想像したり、**表現の効果を考えたり**すること。
考えの形成		オ　文章の内容と**自分の体験とを結び付け**て、**感想をもつ**こと。	オ　**文章を読んで理解したこと**に基づいて、**感想や考えをもつ**こと。	オ　**文章を読んで理解したこと**に基づいて、**自分の考えをまとめる**こと。
共有		カ　文章を読んで**感じたことや分かったことを共有**すること。	カ　文章を読んで**感じたことや考えたことを共有**し、**一人一人の感じ方などに違いがあることに気付く**こと。	カ　文章を読んで**まとめた意見や感想を共有**し、**自分の考えを広げる**こと。

ポイント A、B、Cの各領域の指導内容は、学年ごとの文言の違いを把握しよう

03 学習指導要領③ 指導計画の作成と内容の取扱い

日付 ／

頻出度 B

●漢字と書写の指導、特に毛筆の指導の開始時期はよく問われる事項。
●「話すこと・聞くこと」等の指導配当時間は暗記しよう。

1 指導計画の作成に当たっての配慮事項(第3の1) 出題 香川 重要度 ★★

□(2)各学年の内容の指導については、**弾力的に指導**すること。

□(4)「**A 話すこと・聞くこと**」に関する指導は、**第1・2学年で年間35単位時間程度**、**第3・4学年で年間30単位時間程度**、**第5・6学年で年間25単位時間程度**を配当し、**音声言語のための教材を活用**するなど**工夫**すること。

□(5)「**B 書くこと**」に関する指導は、**第1・2学年で年間100単位時間程度**、**第3・4学年で年間85単位時間程度**、**第5・6学年で年間55単位時間程度**を配当し、**実際に文章を書く活動**をなるべく多くすること。

□(6)「**C 読むこと**」に関する指導は、**読書意欲を高め**、日常生活において**読書活動を活発**に行うようにするとともに、**他教科等の学習における読書の指導や学校図書館における指導との関連を考えて行う**こと。

□(7)**低学年**においては、**幼稚園教育要領等に示す幼児期の終わりまでに育ってほしい姿との関連を考慮**すること。特に、小学校入学当初においては、**生活科を中心とした合科的・関連的な指導**や、**弾力的な時間割**の設定を行うなどの工夫をすること。

□(8)**言語能力の向上**を図る観点から、**外国語活動及び外国語科など他教科等との関連**を積極的に図り、指導の効果を高めるようにすること。

2 内容の取扱いについての配慮事項(第3の2) 出題 香川 重要度 ★★

□(1)〔知識及び技能〕に示す事項については、次のとおり取り扱うこと。

イ　**辞書や事典を利用して調べる活動**を取り入れるなど、**調べる習慣が身に付く**ようにすること。

ウ　**第3学年**の**ローマ字の指導**では、**コンピュータで文字を入力するなどの情報手段の基本的な操作を習得**し、**児童が情報や情報手段を主体的に選択し活用**できるよう配慮することとの関連が図られるようにすること。

エ　**漢字の指導**は、第2の内容に定めるほか、次のとおり取り扱うこと。

(ア)**学年配当漢字**は、**当該学年**の**以前**と**以後**の学年でも指導できること。

(イ)**当該学年より後の学年の配当漢字やそれ以外の漢字**は、**振り仮名**を付けるなど、児童の**学習負担に配慮しつつ提示**することができること。

(ウ)**他教科等の学習において必要となる漢字**は、**当該教科等と関連付けて指導**するなど、その確実な定着が図られるよう指導を工夫すること。

(エ)漢字の指導は、**学年別漢字配当表の漢字の字体を標準**とすること。

オ　各学年の(3)のア及びイに関する指導については、**各学年**で行い、**古典に親しめるよう配慮**すること。

カ　書写の指導は、第2の内容に定めるほか、次のとおり取り扱うこと。

(イ)**硬筆 → 各学年**。

(ウ)**毛筆 → 第3学年以上の各学年**で行い、**各学年年間30単位時間程度**配当。

□(2)児童が**コンピュータ**や**情報通信ネットワーク**を**活用**する機会を設ける。

□(3)**学校図書館**などを目的をもって計画的に利用すること。

3 教材についての配慮事項(第3の3)　出題 香川　重要度 ★★

□(1)教材は、第2の各学年の目標及び内容に示す**資質・能力を偏りなく養う**ことや**読書に親しむ態度の育成**を通して**読書習慣を形成**することをねらいとし、**児童の発達の段階**に即して適切な**話題や題材を精選**して**調和的**に取り上げること。また、第2の各学年の内容の〔思考力、判断力、表現力等〕のそれぞれの(2)に掲げる**言語活動**が十分行われるよう教材を選ぶこと。

□(2)教材は、次のような観点に配慮して取り上げること。

国語に対する関心を高め、**国語を尊重する態度**を育てる／**伝え合う力**、**思考力**や**想像力及び言語感覚**を養う／**公正かつ適切に判断する能力や態度**を育てる／**科学的**、**論理的に物事を捉え考察**し、**視野**を広げる／**生活を明るくし、強く正しく生きる意志**を育てる／**生命を尊重**し、**他人を思いやる心**を育てる／**自然を愛し、美しいものに感動する心**を育てる／**我が国の伝統と文化**に対する**理解と愛情**を育てる／**日本人としての自覚をもって国を愛し**、**国家**、**社会の発展**を願う態度を育てる／**世界の風土や文化などを理解し**、**国際協調の精神を養う**

□(3)「**C 読むこと**」**の教材**については、各学年で**説明的な文章や文学的な文章**などの文章形態を**調和的**に取り扱うこと。また、説明的な文章については、適宜、**図表や写真などを含む**ものを取り上げること。

ポイント **例えば「書くこと」の指導は、各学年とも年間の授業時数の3分の1程度となる。こうした各領域の指導時間の割合をおさえておこう**

04 漢字

日付 ／

頻出度 A

●国語学習の基本となるだけに、採用試験では必出事項。
●択一式では筆記することはないが、確実な暗記が必要である。

1 小学校で扱う漢字

★超頻出★　重要度 ★★★

□**学年別漢字配当表** ➡ 小学校学習指導要領「第２章　各教科／第１節　国語」の末尾に掲載されている**1026字**。

学年	1学年	2学年	3学年	4学年	5学年	6学年
字数	80	160	200	202	193	191

＊当然ながら採用試験対策としてはこれだけでは不十分。「**改定常用漢字表**」掲載の**2136字**(平成22年11月、従来のものに**196字追加・5字削除**された)の他、「付表」掲載の**熟字訓**、その他の漢字も覚えておきたい。

2 漢字の成り立ち

重要度 ★★

□**つくり方から** ➡ ❶**象形文字**：物の形をそのままかたどった**絵画的**なもの。**漢字をつくる基礎**(日・人・子など)／❷**指事文字**：形にあらわせない**抽象的な事柄を記号**であらわしたもの(上・天・本など)／❸**会意文字**：**2つ以上の文字を組み合わせ**て別の新しい意味をあらわしたもの(比〈人が２人〉・看〈手＋目〉など)／❹**形声文字**：**意味をあらわす文字と音をあらわす文字を組み合わせた**もの。漢字の８割以上(河〈水＋可〉・江・固・枯・姑など)

□**使い方から** ➡ ❺**転注文字**：本来もっている意味を発展させ、**他の意味**に転用したもの(楽(がく)〈音楽〉 → 楽しい → 楽(らく)〈娯楽〉)／❻**仮借文字**：本来の意味とは無関係に**音だけ借りた**もの。**あて字**(亜米利加(アメリカ)・巴里(パリ)・合羽(かっぱ)など)

＊以上の漢字の造字と使用に関する**6つの原則**を**六書(りくしょ)**という。

＊会意に倣って**日本でつくられた漢字**を**国字(和字)**といい、凩(こがらし)・峠(とうげ)・躾(しつけ)・塀(へい)などのように**音をもたないのが通例**であるが、働・䉤・鯰・搾などのように**音・訓双方の読み方をもつもの**もある。

□**表音と表意** ➡ 文字には、**1文字が音だけを示す表音文字**と、**1文字が意味をもっている表意文字**とがあるが、**漢字はその双方の性質**をもつ。

3 主な部首とその名称　重要度 ★★

部首は漢字を覚える基本となるだけでなく、漢和辞典を使う際の基本ともなる。

□偏(へん) ➡ 主として漢字の**左側部分**を占めるもの（部首中、最多の種類）

氵（**さんずい**）・**冫**（にすい）・**亻**（**にんべん**）・**彳**（**ぎょうにんべん**）・**忄**（**りっしんべん**）・**阝**（こざとへん）・**歹**（かばねへん）・**ネ**（**しめすへん**）・**衤**（**ころもへん**）・**木**（**きへん**）・**禾**（のぎへん）・**酉**（とりへん）・**飠**（しょくへん）・**魚**（うおへん）・**車**（くるまへん）・**扌**（**てへん**）・**糸**（いとへん）・**言**（**ごんべん**）・**月**（**にくづき**＝「つきへん」とは異なる。「肝」はにくづき、「服」はつきへんとなる）・**女**（おんなへん）・**犭**（けものへん）　など

□旁(つくり) ➡ 主として漢字の**右側部分**を占めるもの

刂（**りっとう**）・**卩**（ふしづくり）・**彡**（さんづくり）・**欠**（**あくび**）・**殳**（るまた）・**阝**（**おおざと**）・**隹**（**ふるとり**）・**頁**（**おおがい**）・**見**（みる）・**斗**（とます）・**寸**（すんづくり）・**力**（ちから）・**又**（またづくり）　など

□冠(かんむり) ➡ 漢字の**上の部分**にかぶせるもの

亠（**なべぶた**）・**冖**（わかんむり）・**宀**（**うかんむり**）・**艹**（**くさかんむり**＝すべての部首の中で最多字数）・**戸**（とかんむり）・**癶**（**はつがしら**）・**穴**（あなかんむり）・**罒**（あみがしら）・**雨**（**あめかんむり**）・**耂**（おいがしら＝「孝」は子部）・**竹**（**たけかんむり**）・**𠆢**（ひとやね）・**山**（やまかんむり）　など

□脚(あし) ➡ 漢字の**下の部分**につくもの

心（**こころ**）・**小**（**したごころ**）・**氺**（したみず）・**儿**（ひとあし・にんにょう）・**灬**（**れんが**・**れっか**）・**皿**（さら）・**貝**（こがい・かいあし）　など

□繞(にょう) ➡ 漢字の**左から下の部分をとりまく**もの

乙（おつにょう）・**凵**（かんにょう・うけばこ）・**廴**（えんにょう）・**辶**（**辶**：**しんにょう**）・**攵**（ぼくにょう）・**走**（**そうにょう**）・**鬼**（きにょう）　など

□垂(たれ) ➡ 漢字の**上から左の方へ覆う**もの

厂（**がんだれ**＝「雁」は隹部）・**广**（**まだれ**＝「麻」は麻部）・**尸**（しかばね）・**戸**（とだれ＝冠に分類されることもある）・**疒**（**やまいだれ**）

□構(かまえ) ➡ 漢字の**外側を包む**もの

門（**もんがまえ**）・**囗**（**くにがまえ**）・**冂**（まきがまえ）・**勹**（つつみがまえ）・**匚**（**はこがまえ**）・**匸**（かくしがまえ）・**行**（ぎょうがまえ・ゆきがまえ）・**弋**（しきがまえ）・**戈**（ほこがまえ・かのほこ）　など

＊清朝の1716年に完成した『**康熙(こうき)字典**』では**214種の部首**を立てている。

ポイント ここに挙げた部首はすべて常用漢字に含まれる。2字以上書いてみよう！

05 熟語

日付 ／

頻出度 A

●漢字は同音異義を除くと、熟語として出題されることが多い。
●熟語の学習が苦手な人は、その構造を理解すると覚えやすいので意識しておこう。

1 熟語とその読み方

出題 神戸市　重要度 ★★

□**熟語** ➡ 漢字を**2文字以上組み合わせた**もの。**二字熟語**が基本。**四字熟語**は**故事成語**(後述)との重複が多い。

□**読み方** ➡ ❶**訓・訓読み**(例：手紙(てがみ))／❷**音・音読み**(例：学習(がくしゅう))／❸**音・訓読み**＝**重箱読み**(じゅうばこよみ)(例：番組(ばんぐみ))／❹**訓・音読み**＝**湯桶読み**(ゆとうよみ)(例：手数(てすう))

2 熟語の構造とその例

出題 神戸市　重要度 ★★

□**同じ文字を重ねる**(＝**その状態や動作をより明確化**) ➡ 営々・刻々・重々・続々・淡々・楽々・紛々・正々堂々・年々歳々・奇々怪々

□**意義の類似した異字を重ねる**(＝**概念の明確化・強調**) ➡ 安易・永遠・援助・恩恵・温暖・絵画・会合・完全(どの字を上に置くかは習慣による)

□**意義が相反・対立する字を重ねる**(＝**「AとBと」・「AかBか」の意**) ➡ 愛憎・有無・栄枯・遠近・往復・往来(どの字を上に置くかは習慣による)

□**意義の類似する字を組み合わせる**(＝**「AとB」・「AやB」の意**) ➡ 飲食・山河・肝胆・金銀・兄弟・見聞(どの字を上に置くかは習慣による)

□**意義が反対・対立する字を組み合わせる**(＝**いずれか一方の字の意味を強調**) ➡ 緩急・国家・多少

□**主語と述語との組合せ**(＝**上の字が主語、下の字が述語 →「AがBする」・「AがBである」の意**) ➡ 幸甚・地震・人造・天生・日食・日没・年長

□**述語と、目的語または補語との組合せ**(＝**上の字が述語で、下の字が目的語・補語 → 下の字から返って「BをAする」・「BにAする」の意**) ➡ 握手・延期・加熱・開会・観劇・帰国・給食・決議・決心・作文・始業・終業

□**修飾語と被修飾語との組合せ**(＝**一般に上の字が修飾語、下の字が被修飾語で、「AのB」・「AなるB」、「AのようなB」の意**) ➡ 暗示・異国・遠路・恩師・改選・快走・家業・仮定・逆流・曲線・苦境・激増・月末・好意

□**上に否定の字をつける**（=**「不・非・否・無・未」などの字を上に置いて下の語の意味を打ち消す**）➡ 不安・不可・不吉・非才・非常・非情・否決・否認・無為・無能・無理・未開・未知・未定・未来

□**上に「所・被」などの字を置く**（=**「…するところのもの」・「…される・されるもの」などの意**）➡ 所見・所在・所持・所属・所得・被害・被告

□**下に「否」の字を置く**（=**「…か、そうでないか」と尋ね問う意**）➡ 安否・可否・賛否・成否・存否・諾否・適否・認否

□**下に助字を置く**（=**「然・如・乎・焉・爾・若」などで、上の字の意味に基づきながら物事の状態などをあらわす**）➡ 暗然・偶然・決然・公然・自然・整然・断然・突然・判然・突如・躍如・確乎・断乎・忽焉（こつえん）・卒爾（そつじ）・自若

□**同声・同韻の字を重ねる**（=**物事の状態を形容する**）➡ **同音の子音の字を重ねたもの**：悽愴（せいそう）・磊落（らいらく）・陸離（りくり）・淋漓（りんり）・零落（れいらく） ／ **同韻の字を重ねたもの**：矍鑠（かくしゃく）・従容（しょうよう）・纏綿（てんめん）・彷徨（ほうこう）・爛漫（らんまん）

□**長い熟語・複数の人名などを省略** ➡ 原発（=原子力発電〈所〉）・国連（=国際連合）・保体（=保健体育）・孔孟（こうもう）（=孔子・孟子）

□**故事による** ➡ 杞憂（きゆう）・逐鹿（ちくろく）・白眉（はくび）・矛盾（むじゅん）

□**外来語に漢字を当てて表記**（=**外来語の音に漢字を当てはめたものや、その意義を漢字を借りて表記したものなど**）➡ 更紗（さらさ）・煙草（たばこ）・倫敦（ロンドン）・紐育（ニューヨーク）

3 同音異義語

出題 北海道・岐阜　重要度 ★★★

＊熟語の意味を考えて該当する漢字を選択する。

- 人跡**ミトウ** = **未**だ誰も足を**踏**み入れていない（**未踏**）
- 前人**ミトウ** = **未**だ誰も**到**達しえていない（**未到**）

- 運賃**カイテイ** = **改**めて新たに**定**める（**改定**）
- **カイテイ**図書 = 内容を**訂**正して**改**める（**改訂**）

- **アイセキ**の念 = 人の死などを**哀**れみ悲しみ**惜**しむこと（**哀惜**）
- **アイセキ**の品 = 手放すことを**惜**しんで**愛**用、**愛**蔵すること（**愛惜**）

- 交通**キセイ** = **規**律を立てて**制**限すること（**規制**）
- 政治資金**キセイ** = **規**律によって悪いところを**正**しく直すこと（**規正**）

- 漢字**ジテン** = 漢**字**を集めて解説した**典**籍（書物）のこと（**字典**）
- 百科**ジテン** = **事**柄をあらわす言葉を集めて個々に解説した**典**籍のこと（**事典**）
- 国語**ジテン** = 言**辞**を集めて個々に意味等を解説した**典**籍のこと（**辞典**）

ポイント 熟語は読み書きだけでなく、その意味も確実におさえよう！

06 慣用句・ことわざ・故事成語

日付 ／

頻出度 A

●よく出題される事項なので、正しい意味を理解しておこう。
●原意と異なる意味で使われる故事成語は要注意である。

1 慣用句

出題 神戸市　重要度 ★★

□**慣用句とは** ➡「**2つ以上の語**から構成され、**句全体の意味が個々の語の元来の意味からは決まらない**ような**慣用的表現**」（広辞苑）のことをいう。

□**主な慣用句**　＊動物に関するものだけを取り上げる。

・馬：馬が合う ／ 馬の骨 ／ 尻馬に乗る ／ 馬は馬連れ ／ 馬を鹿
・牛：牛の涎（よだれ） ／ 牛の一散（いっさん） ／ 牛に経文 ／ 牛の寝た程 ／ 牛の小便
・犬：犬も食わぬ ／ 犬の川端歩き ／ 犬の遠吠え ／ 犬と猿（**犬猿**）
・猫：猫を被る（かぶる） ／ 猫の額（ひたい） ／ 猫に小判 ／ 猫も杓子（しゃくし）も
・鳥：閑古鳥（かんこどり）が鳴く ／ 鳩に豆鉄砲 ／ 雀の涙 ／ 鶴の一声 ／ 烏の行水
・魚：魚は鯛 ／ 鰻の寝床 ／ 鯖（さば）を読む ／ 海老で鯛を釣る ／ 金魚の糞（ふん）
・虫：虫がいい ／ 虫の知らせ ／ 虫の息 ／ 虫も殺さない ／ 虫を殺す
・蛙：井の中の蛙（かわず）（**井蛙**（せいあ）） ／ 蛙の子は蛙 ／ 蛙の頬冠（ほおかむり） ／ 蛙の目（め）借り時（か）
・鼠：袋の鼠 ／ 鼠が塩を引く ／ 鼠に引かれそう ／ 窮鼠（きゅうそ）猫を噛む
・蛇：藪蛇（やぶ） ／ 蛇の生殺し ／ 長蛇を逸す ／ 蛇が蚊を呑んだよう

＊慣用句とことわざとは厳密に区別することが困難なものがある。

2 ことわざ

出題 神戸市　重要度 ★★★

□**ことわざとは** ➡「**古く**から人々に**言いならわされたことば**。**教訓**・**諷刺**などの意を寓した**短句や秀句**」（広辞苑）のことをいう。

□**主なことわざ**

・**空き樽（だる）は音が高い**：よくしゃべる人には考えの浅い人が多いたとえ。
・**浅き川も深く渡れ**：何事も注意深く行えということ。
・**石に灸（きゅう）**：何の効き目もないことのたとえ。
・**教うるは学ぶの半（なか）ば**：人に教えることは、半分は自分の勉強になる。
・**楽屋から火を出す**：自分で災いを引き起こすこと。

・**暮れぬ先の提灯**：必要もないのに手回しだけよくて間が抜けている意味。
・**五月の鯉の吹き流し**：さっぱりとして心にわだかまりのないたとえ。
・**擂粉木で重箱洗う**：こまかいところまで行き届かないこと。
・**他山の石**：他の事柄を参考にして自分に役立てること。
・**月夜に釜を抜かれる**：油断がはなはだしいことのたとえ。
・**鳥なき里の蝙蝠**：賢人のいないところでは愚者がいばっていること。
・**寝ていてころんだ例なし**：何もしなければ、しくじることもない。
・**鑿と言わば槌**：気がきいていることのたとえ。
・**走り馬にも鞭**：よい上にも、もっとよいことをしようとするたとえ。
・**花多ければ実少なし**：うわべのよい人には真実が少ないたとえ。
・**三日見ぬ間の桜**：物事の状態がわずかな間にどんどん変化すること。
・**藪医者の病人選び**：へたな者ほど仕事のえり好みをするということ。
・**破鍋に綴蓋**：だれにでも相応の配偶者があるという意。

3 故事成語

出題 神戸市　重要度 ★★

□**故事成語とは** ➡「**故事**に基づいてできた語。特に、**中国の故事**に由来する**熟語**」（広辞苑）のことをいう。

□**おもな故事成語**　＊（　）内は出典を示す。

・**唯唯諾諾**（韓非子）：事の善悪にかかわらず、他人のいうがままに従うこと。
・**意気軒昂**（史記）：元気で意気込みの盛んなこと。
・**衣食足りて礼節を知る**（管子）：生活に余裕ができて初めて礼儀や節度をわきまえられるようになる。
・**臥薪嘗胆**（十八史略）：復讐心を抱き、常にそれを思って辛苦すること。
・**鼎の軽重を問う**（春秋左氏伝）：帝位を狙うこと。権威を疑うこと。
・**邯鄲の夢**（枕中記）：栄枯盛衰のはかないこと。
・**牛耳を執る**（春秋左氏伝）：主導権を握ること（「牛耳る」とも使う）。
・**弱冠**（礼記）：年齢が若いこと（本来は二十歳のこと）。
・**蛇足**（戦国策）：余分なものを付け加えること、またそのもののこと。
・**断腸**（世説新語）：大変な悲しみのこと。
・**嚢中の錐**（史記）：優れた才能があれば、必ず頭角が現れること。
・**辟易**（史記）：相手の勢いに圧倒され、恐れ戦いて後ずさりすること。
・**満を持す**（史記）：十分な用意をして機会を待つ（「満」は引き絞った弓）。
・**夜郎自大**（史記）世間知らずでみだりに尊大に振る舞う者のたとえ。

マメ　辟易は、ほとんど「閉口する」という意味で使われている

07 口語文法の基礎

頻出度 **B**

●ここでは基礎的なものだけを取り上げてある。
●採用試験で直接問われることは少ないが、確実に理解しておきたい重要な知識である。

1 文と文節

●頻出● 重要度 ★★

文

□**文** ➡ ある**まとまったことがら**や**思想・感情・意志などをいいあらわし**、必ず終わりで切れる**ひと続きの言葉**。

□**文の内容上の分類** ➡ 平叙文・疑問文・命令文・感嘆(感動)文

□**文の構造上の分類**

・単文＝一文において、**主語・述語の関係**が、**1回**だけ成立しているもの。

(例) 鳥が(主) 鳴く(述)。

・複文＝一文において、**主語・述語の関係**が、さらに**文全体**の**主語なり述語なり**、あるいは**修飾語**となっているもの。

(例) 鳥が(主) 鳴けば(述)、**心が(主) 躍る(述)**。
(主)　(述)

・重文＝一文において、**主語・述語の関係**が、**対等の関係で2回以上**成立しているもの。

(例) **鳥が(主) 鳴き(述)**、**花が(主) 咲く(述)**。

文 節

□**文節** ➡ 文を実際の言葉として、**不自然にならない範囲内で、小さく区切ったひと区切り**。**文は、1つまたはそれ以上の文節からできている**。文節はそれぞれが一定の意味をもち、**それ以上小さく区切ると文を形づくる単位としての意味をもたなくなる**。

□**文節と文節の関係**

・主語・述語**の関係**

ア　何(だれ)は　**どうした**。　**(例)**　**鳥は鳴く**。

イ　何(だれ)は　**どんなだ**。　**(例)**　**花は美しい**。

ウ　何(だれ)は　**なんだ**。　**(例)**　**ぼくは男だ**。

・修飾・被修飾の関係

ア　連体修飾：体言を修飾する。

（例）　赤い　バラは　美しい。　＊「バラ」は体言

イ　連用修飾：用言を修飾する。

（例）　彼は　速く　走る。　＊「走る」は用言

・並列（同格）の関係

ア　主語が並列　　（例）　風や　雨が　はげしい。

イ　述語が並列　　（例）　その本は　おもしろく　ためになる。

ウ　修飾語が並列　（例）　冷たく　おいしい　水を飲む。

2 単語　●頻出●　重要度★★

□単語 ➡ 文節をさらに細かく分けた、意味の上での最も小さい単位。1つまたは2つ以上集まって文節をつくり、文を構成する成分となる。

□品詞 ➡ 単語を意味や機能、形によって10（代名詞を含む場合は11）に分類（接頭語・接尾語は単語ではなく、したがって品詞となり得ない）。

・自立語 ＝それだけで1つの文節をつくることができる単語。

動詞・形容詞・形容動詞・名詞・連体詞・副詞・接続詞・感動詞

・付属語 ＝ 自立語に付属してのみ1つの文節をつくることができる単語。

助動詞・助詞

＊品詞のうち、動詞・形容詞・形容動詞を用言、名詞を体言という。

3 活用とその種類・型　●頻出●　重要度★★

□活用とは ➡ 自立語の動詞・形容詞・形容動詞、付属語の助動詞が、文中でその語の機能や他の語への続き方に応じて、語形を体系的に変化させること。

□活用の種類 ➡ 未然・連用・終止・連体・仮定（文語：已然）・命令

□活用の型 ➡ その活用が五十音図の何段に及ぶかなどによって分類。

・動詞 ＝ 動作・作用・存在をあらわす。　＊以下の表で「○○活用」を略す。

	未然形	連用形	終止形	連体形	仮定形	命令形
五　段	-a / -o	- i	- u	- u	- e	- e
上一段	- i	- i	- iru	- iru	- ire	-iro/-iyo
下一段	- e	- e	- eru	- eru	- ere	-ero/-eyo
カ行変格	ko	ki	kuru	kuru	kure	koi
サ行変格	se/si/sa	si	suru	suru	sure	siro/seyo

マメ　五段未然の「-o」は「う」が続く場合のみで、それ以外は「-a」

<動詞活用の種類識別法>

・**「ない」を付けてみる**(=**未然形**をつくる)

ア段にひびく=**五段活用動詞**(例:書く=書か(ア)ない)

イ段にひびく=**上一段活用動詞**(例:見る=見(イ)ない)

エ段にひびく=**下一段活用動詞**(例:寝る=寝(エ)ない)

・**カ変**(**来る**)・**サ変**(**する**)**は覚える**　＊各複合語も含む

・**形容詞** = **性質・状態**をあらわし、**語尾が**「**しい**」となる。

(語例)	未然形	連用形	終止形	連体形	仮定形	命令形
正し-い	-かろ	-かっ・-く	-い	-い	-けれ	○

＊「**ウ音便**」と呼ばれる特別な活用形の場合、連用形に「-う」があらわれる。

例:ありがたくございます → ありがとうございます

・**形容動詞** = **性質・状態**をあらわし、**語尾が**「**だ**」となる。

(語例)	未然形	連用形	終止形	連体形	仮定形	命令形
静か-だ	-だろ	-だっ・-で・-に	-だ	-な	-なら	○

・**助動詞** = 自立語などと接続し**時制・相・法・態**などの**文法的機能**をあらわす。

〔動詞型活用〕※動=動詞・動助=動詞型活用助動詞

語	接続	意味	例文
せる	未然(五・サ)	使役	彼に行かせる。
させる	未然(上・下・カ)		ごみを捨てさせる。
れる	未然(五・サ)	受身 尊敬	先生にほめられる。 先生が質問される。
られる	未然(上・下・カ)	可能 自発	すぐに行かれる。 昔が思い出される。
たがる	連用(＊)	希望	旅行に行きたがる。(＊動・動助)

〔形容詞型活用〕※未=未然・動助=動詞型活用助動詞・助=助詞・終=終止

語	接続	意味	例文
ない	未(動・動助)	打消	質問が理解できない。
たい	連用(動・動助)	願望	先生になりたい。
らしい	体言・助・活用語の終・＊	推量	問題が難しいらしい。　＊形動語幹

〔形容動詞型活用〕

語	接続	意味	例文
そうだ	活用語の終止形	伝聞	雨が降るそうだ。
	連用形は形・形動の語幹	様態	雨が降りそうだ。
ようだ	連体形・「この」「その」「あの」「どの」・助詞「の」	推量 比況 例示	北国では雪が降ったようだ。 まるで夢のようだ。 リンゴのような類。

だ	体言・ある種の助詞・＊	断定	僕は男だ。　＊活用語接続は間に「の」

〔特殊型活用〕※動助＝動詞型活用助動詞・形動幹＝形容動詞語幹・未＝未然

ます	連用(動・動助)	丁寧	学校に行きます。
です	体言とそれに準ずる語・＊	丁寧	我々の学校です。　＊ある種の助詞
た(だ)	連用(動・形・形動・助動)	過去 完了 存続	桜が散った。彼は死んだ。 ただ今帰りました。 壁に掛けた絵を見る。
ぬ(ん)	未(動・動助・＊)	打消	そんなことはできぬ。　＊「ます」
う	未(五・形・形動・助動)	意志推量	海に行こうと思う。 成功するだろう。
よう	未(上・下・カ・サ・助動)	意志推量	勉強をしよう。 今夜あたり嵐が来よう。
まい	終止(五・「ます」)・未然(上・下・カ・サ・＊)	打消意志 打消推量	つまらないことは考えまい。 君は見たことがあるまい。　＊動助

4 活用のない品詞　●頻出●　重要度 ★

□**名詞** ➡ **自立語**。**称や数**などをあらわし、**単独で主語**になる。

・**種類** ＝ **実質名詞**(**普通名詞**・**固有名詞**・**数詞**・**代名詞**)

形式名詞(元は普通名詞、**実質的な意味内容を失い**、**形式的**に使用)

□**副詞** ➡ **自立語**。修飾語だけになれ、主として**連用修飾語**となる。

・**種類** ＝ **状態の副詞**(きらきら・時々・かねて・どう)・**程度の副詞**(あまり・少し・かなり)・**陳述の副詞**(これを受ける語に**一定の制約**を要求するものがある〔**副詞の呼応** ＝ **決して〈ない(打ち消し)〉・おそらく〈だろう(推量)〉・まるで〈ようだ(比況)〉・もし〈としても(仮定)〉**〕)

□**連体詞** ➡ **自立語**。修飾語だけになれ、**連体修飾語**となる。

・**他の品詞**の１語または２語以上の複合したものから**転成**したもの。
(あの・ほんの・たいした・とんだ・おかしな・あらゆる・いわゆる)

□**接続詞** ➡ **自立語**。**接続語**として語・文節・文を結びつける。

・前後を、**並列・添加・補説・選択・転換・順接・逆接**の関係で接続。

□**感動詞** ➡ **自立語**。独立して、**感動・呼びかけ・応答**をあらわす。

□**助詞** ➡ **付属語**。前後の**文節の関係**を示したり、**一定の意味を添える**。

・**格助詞・接続助詞・副助詞・係助詞・終助詞・間投助詞**

ポイント　例示したもの以外でも、品詞の区別はつくようにしておきたい

08 文章読解

頻出度 A

●問題集などを使い、読解の練習をしておこう。
●一度に大量にやったり、毎日やったりする必要はないが、適度に読む習慣をつけておかないといざというときに苦労する。

1 現代文の種類 ★超頻出★ 重要度 ★

□**論理的文章** ➡ 筆者の**主張や見解**などを、**論理的・体系的**に述べたもの。
評論文・論説文・説明文・記録文・報告文など。

□**文学的文章** ➡ 作者の**独自な発想**に基づき、**自由**に書かれたもの。
小説・詩・短歌・俳句・随筆・戯曲など。

2 論理的文章について ★超頻出★ 重要度 ★★★

設問の主な形式

❶漢字の読み書き ／❷語句の意味 ／❸空欄補充（選択肢・記述式）／❹下線部解釈（選択肢・記述式）／❺段落分け ／❻指示語の具体的内容 ／❼脱文挿入 ／❽論理の展開に沿った内容把握（選択肢・記述式）／❾文法（接続詞を空欄に入れる。助動詞・助詞の説明。品詞の指摘）／❿主題・要旨などの把握（選択肢・記述式）／⓫文学史的知識（作者名、作品名、時代背景、文芸思潮、その他筆者に関連したもの）／⓬問題文を授業で扱うと仮定して、指導方法を述べる（小学校全科ではほとんど見られない）

➡ **国語国文学知識と思考力**とを受験者に要求している。

論理的な文章の読解法 重要!

（1）**話題をつかむ** ➡ その文章が、**何（話題）について書かれているのか**、しっかり把握 ← **キーワード**・その話題についての**述べられ方**に注目

（2）**見解や批評をとらえる** ➡ 特に**冒頭・文末に注意**

（3）**論理の展開の仕方を把握**し、**全文の論構成の形をとらえ**、**要旨を把握**

論理的な文章の構成 重要!

□**三部構成** ➡ **序論**（問題提起）→ **本論**（論述、分析、検討）→ **結論**

□**四段構成** ➡ **起**（問題提起）→ **承**（論述）→ **転**（転換、対立）→ **結**

□**主題の位置によって** ➡ **頭括式**（とうかつ）・**尾括式**（びかつ）・**双括式**（そうかつ）

3 小説について

★超頻出★ 重要度 ★★★

□**小説とは** ➡ 作者の**構想力・想像力**により、**人生・社会の一断面などを現実的なものとして描く散文体の物語**。文学的な文章の一領域として重要。

設問の主な形式 ＊❶〜❻は2と同じ、⓫は2-❾、⓬は2-⓫と同じ

❶／❷／❸／❹／❺／❻／❼主語を問う ／❽表現の特徴・方法を指摘 ／❾読解問題（登場人物の行動の意味、性格や思想、心情など）／❿作者の思想を問う、描写や要旨（部分・全体）をまとめる ／⓫／⓬

➡ 小説の構造や、**登場人物の心理**、**作者の小説を通しての主張**、**文学史的知識**などが設問の中心となる。

小説の読解 重要!

□**あらすじをつかむ** ➡ まず、その話の**筋**、あるいは**事柄・内容**を読み取る ＝ 問題文中の「**5W1H**」を読み取ることが大切。

□**細部を読む** ➡ ❶**登場人物の性格や心理**をつかむこと（**だれが、だれと**）＝人間の**行動**にはそれを裏付ける**心理**が働いている → その心理・心情とともに、登場人物の**性・年齢・身分・職業・健康・性格・人物間の相互関係なども考慮**する ／❷**状況**（**場面・環境**）**の把握**（**いつ、どこで**）＝人間は、**時代や場所、情景、状況によって心理や性格が変わる**ことから、その把握が重要となる ／❸**作品の構成を読む**（**どうして、何を、どのように**）＝**発端 → 展開 → クライマックス → 結末**、の展開を考慮。

□**主題**（**テーマ**）**をつかむ** ➡ 主題とは作品の中で描かれている**題材の中心**になっているもので、その作品で作者が表現しようとした**中心思想**。

・主題を把握することは、作品の内容をかなり深く理解しなければ難しい。また、作品の構成と密接にかかわっている。主題を読み取ることは、小説を読む上での中心課題である。

□**作者の思想と心情を読み取る** ➡ 作者の思想や心情は**作品の主題から導かれたり、登場人物の言葉や行動を通して語られたりする**こともある。

□**作者の文体、表現の特質を知る** ➡ 作者の**文体や表現の特質**を、**いろいろな角度**からとらえる必要がある。

□**情景描写の意味をつかむ** ➡ 単なる**情景描写**ではなく、**登場人物の心情**（性格・生き方・行く末など）や**事件**などを**暗示**したり**象徴**したりすることがあるので要注意。

□**文学史の知識** ➡ **文学史**の**概略的把握**を基に、**作品の時代背景も理解**。

ポイント 特に論理的文章では、接続語・指示語の把握が読解の手がかりとなる

09 詩

日付 ／

頻出度 B

●分類は知っておくべき知識である。
●表現方法の比喩の種類は、理解しにくい部分もあるので確実に理解しよう。

1 設問の主な形式 重要度 ★

❶漢字の読み書き ／❷段落(連)分け ／❸部分的解釈・口語訳 ／❹作者の心情 ／❺表現上の工夫・修辞 ／❻鑑賞文の空欄補充 ／❼鑑賞(選択肢・記述式) ／❽詩集名 ／❾文学史的知識(作者の他作品、関連人物など)

2 詩の分類 重要度 ★★

分類の基準	名称	説明
使用する言葉	文語詩	**文語体**で書かれた詩
	口語詩	**口語体**で書かれた詩
形式	定型詩	伝統的な**音律**に従ってつくられる詩 ＊日本では**五七調**・**七五調**
	自由詩	音律にとらわれないで**自由**につくる詩
	散文詩	改行せず**文章**のようにつなげて書かれる詩
内容	叙事詩	人物の行動や事件を**物語風に描写**する詩
	叙情詩	作者の**心情を吐露**することを中心とする詩
	叙景詩	**風景の描写**を中心とする詩
	象徴詩	物事や感情の**象徴的比喩的表現**を意図する詩
	劇詩	**戯曲の形式**で書かれる詩

＊内容では、**新体詩**、**浪漫詩**、**理想主義詩**、**民衆詩**、**プロレタリア詩**、**超現実主義詩(シュールレアリスム)**などの分け方もある。

3 詩の読解の仕方 重要度 ★★

①**詩の種類を見分ける** ＝１つの詩について、口語詩か文語詩か、写実的な詩か幻想的な詩かなど、いろいろな角度からいくつもレッテルを貼ってみる。

②**構成を明らかにする** ＝ **季節・時間・場所・題材・各連の関係**などに注意すること。語句から語句、行から行への**飛躍**にも注意する。

③**詩の修辞法に着目する** = **反復**・**繰り返し（リフレイン）**、**対句**、**比喩**、**連想**、**象徴**、**倒置法**、**破格な表現**など。

④**詩のイメージをつかむ** = 詩全体の**中心的イメージ**を抽出、**情感**をとらえる。

⑤**主題（＝中心的な詩想・情調）をとらえる** = **題名・書き出し・繰り返し・結び**などに注意。**作者の視線（意識の対象）**を考える。

＊他の作品を読み、**文学史的な背景**を調べたり、**詩人の略歴**、**詩の歴史**、**作品の背景への考察**を深めたりすることも重要。

4 詩の表現法

重要度 ★★★

□**表現法とは** ➡ 人がある物事を印象的に伝達しようとするとき、表現にさまざまな**工夫**を凝らすその工夫のこと。**表現技法・修辞**などともいう。表現法のうち、文章に最もよく用いられ、出題の対象にもされやすいのは**比喩**。

□**比喩の種類** ➡ ❶**直喩**（**明喩**）：「まるで」「〜のような（に）」など、何かにたとえていることが、はっきり分かる言葉を用いるもの（赤ちゃんの手は**もみじのように**可愛い）／❷**隠喩**（**暗喩**）：言葉遣いからは、別の物事にたとえていることが分からないもの（僕は**戦いに敗れた獅子**だ）／❸**擬人法**（**活喩**）：事物を人間、または人間の行為同様に表現するもの（**そよ風が**わたしの頬を**くすぐる**）

□**比喩以外の表現法** ➡ ❶**誇張**（物事を実際以上に表現すること = 変な事を言うから、心臓が止まるじゃないか）／❷**皮肉**（本心と反対の言葉で、遠回しに批判すること = 今時そんな事も知らないなんてたいしたものだ）／❸**逆説**（表面上矛盾した言葉で意外な真実を語ること = バカになれない人間が一番バカだ）／❹**倒置**（本来の語順を逆にして、意味を強めること = 知らないよ、本当に）／❺**体言止め**（名詞や代名詞で文を終えること = なんて素晴らしい思いつき）／❻**擬音語**（実際の音声や物音をまねした言葉 = 雨がざあざあ降っている）／❼**擬態語**（事物の状態を音声に似せて表現する言葉 = そんなにがみがみいうなよ）

＊擬音語や擬態語を**比喩の一種**とする考え方もある。

＊以上の他に、詩でよく用いられる技法として、**反復・繰り返し（リフレイン）**や**対句**、**押韻**などがある。

詩の形式としては、日本では立原道造が多用したソネット（4・4・3・3行）もある

ポイント これらの表現法は詩のみに用いられるわけではない

10 短歌・俳句

頻出度 **B**

●出題頻度はそれほど高くはない。
●短歌、俳句とも修辞法や独自の用語に注意する。

1 短歌　重要度 ★★

□**短歌とは** ➡ **定型詩**の一種。**五七五七七**の計**31音**からなる（例外：**字余り**・**字足らず**）。もともとは**長歌**（五七を３回以上繰り返して七で結ぶ）に付随して作歌されたが、後に短歌のみが単独で作歌されるようになった。近世までの**古典短歌**に対して、明治以降の短歌を**近代短歌**という。**和歌**の一体であるが、**和歌といえば短歌を指す**ようになった。

短歌の主な修辞法　重要!

□**枕詞** ➡ 通常**５音**（まれにそれ以下）の、**特定の語**に掛かって**修飾**または**口調を整える**のに用いる言葉。枕詞と掛かる語との関係は**一定不変**。

□**縁語** ➡ ある言葉との照応により**表現効果を増す**ために**意識的**に使う、**その言葉と意味上の縁のある**言葉。

□**序詞** ➡ **ある語句を導き出す**ために**前置き**として述べる、**音が類似**、または**意味が関連**した言葉。２句ないし４句にわたり、**形式化していない**。

□**掛詞** ➡ **同音異義**を利用して、**１語に２つ以上の意味**をもたせたもの。

＊以上の修辞は主に**古典短歌で使用**。近代短歌では詩の修辞とほぼ同様。

短歌の読解の仕方

（１）**句切れ**に注意し、**短歌のリズムと構成**に着目。歌人の傾向・**歌風**をつかむ。

五七調：**万葉調**（**２句・４句切れ**が主）	→ **力強い**	
七五調：**古今調**（**３句切れ**が主）	→ **優美で繊細**	
新古今調（**初句・３句切れ**が主）		

（２）**修辞法**に着目。**季節や時間**、**場所や題材**なども確認。

（３）**比喩や象徴**として用いられている語をマークする。**色彩語**にも注意。

（４）**作者の感動の中心**を推測（短歌の詠まれた事情も勘案する）。

（５）**短歌の種類**（**伝統的短歌・自由律短歌・プロレタリア短歌**など）を知る。

（６）**歌人と作品の文学史的背景**の調査（歌人の**略歴**、**短歌史**なども含む）。

2 俳句

重要度 ★★

□**俳句とは** ➡ **五七五の17音**からなり、世界で最も短い**定型詩**。室町時代の**俳諧連歌**(れんが)の初句である**発句**(ほっく)(五七五)が**独立**したものとしての「**俳諧**」が江戸時代初期に起こった。**元禄時代**に至って**松尾芭蕉**が**芸術の域**にまで高めた。**近代俳句**は明治時代に**正岡子規**によって確立された。通常、**季語**を含む。

□**切れ字** ➡ **文が切れることを示す語**。「切れ字」のついているところが**感動の中心**。「**かな**」「**や**」「**けり**」などの**助詞**が使われる。

主な季語　＊**季語は旧暦(陰暦)で考える。**

季節	新年	春(1～3月)	夏(4～6月)	秋(7～9月)	冬(10～12月)
季語	松の内・雑煮・去年今年(こぞことし)・初富士・初詣・若菜摘・書初(かきぞめ)・橙(だいだい)	花冷え・彼岸・啓蟄(けいちつ)・八十八夜・花曇り・東風(こち)・水温む(ぬるむ)・残る雪	土用・鮎・五月雨(さみだれ)・梅雨・青葉・早乙女(さおとめ)・卯(う)の花・時鳥(ほととぎす)・夕立・鰹(かつお)	残暑・夜長・菊・野分・二百十日・月・天の川・七夕(たなばた)・雁	年の瀬・大晦日(おおみそか)・厳寒・小春・凩(こがらし)・風邪・風花・鴨・枯れ野・時雨(しぐれ)

俳句の読解の仕方

(1)**季語**の例を確認。各季節の代表的なものは覚える(**無季俳句**もある)。
＊**俳句の問題では季語を問うものが非常に多い**。季語を中心に俳句は構成。

(2)**切れ字**に注目(**切れ字**の**位置**に気を付け、**感動の中心**を探る)。

(3)**修辞法**(**倒置・省略・繰り返し・体言止め・連体止め・破格**など)に着目。

(4)1語1語の**イメージ**を大切にし、句の**色彩感・情景・余情**を味わい、句に表現された**作者の心情**を探る(作者の**環境**や詠まれた**場所**も調べる)。

(5)**句風**(**伝統俳句・新傾向俳句・無季自由律俳句・新興俳句・人間探求派・プロレタリア俳句**)を知る。

(6)**俳人の略歴**や**俳句史**などを調べ、**作品の背景**への理解を深める。

松尾芭蕉の俳句　(季語・季節)

・古池や　かはづ飛び込む水の音　(かはづ・春)
・荒海や　佐渡に横たふ天の川　(天の川・秋)
・五月雨を集めて早し　最上川　(五月雨・夏)
・秋深き　隣は何をする人ぞ　(秋深し・秋)
・夏草や　つはものどもが夢の跡　(夏草・夏)
・閑かさや　岩にしみ入る蝉の声　(蝉・夏)
・旅に病んで夢は枯野をかけめぐる　(枯野・冬)

ポイント 近代短歌や近代俳句も含めて、できるだけたくさん覚えておきたい

11 日本文学史① 古典文学

日付 ／

頻出度 A

●小学校でも古典を扱うようになってきているので、古典文学史が扱われる可能性がある。
●作品と作者を覚えるのが基本。

1 奈良時代　＊後＝後期

重要度 ★★★

作品名	作(編)者	内　容
古事記	太安万侶(おおのやすまろ)撰	(712)**最古の歴史書**。ヤマト政権の正当性
日本書紀	舎人親王(とねりしんのう)撰	(720)**日本の国威**の顕示。純粋な**漢文体**
万葉集	大伴家持？	(８Ｃ後)**現存最古の歌集**。**万葉仮名**。**五七調**

2 平安時代　＊初＝初期・中＝中期・末＝末期

重要度 ★★★

作品名	作(編)者	内　容
古今和歌集	紀貫之(きのつらゆき)ら	(905)**最古の勅撰(ちょくせん)和歌集**。**手弱女(たおやめ)ぶり**。**七五調**
山家集	西行	(12Ｃ末？)西行の**私家集**。**六家集**のひとつ
土佐日記	紀貫之	(935 ？)**最初の和文体日記**。**女性に仮託**
蜻蛉(かげろう)日記	藤原道綱母(みちつなのはは)	(974頃)夫との不和、息子への期待。**自叙伝**
更級(さらしな)日記	菅原孝標女(たかすえのむすめ)	(11Ｃ後)少女時代から晩年までを**回想**
枕草子	清少納言	(11Ｃ初)**最初の随筆**。「**をかし**」の美世界
竹取物語	不　詳	(10Ｃ初)**現存最古の物語**。**かぐや姫**の話
伊勢物語	不　詳	(10Ｃ頃)**最古の歌物語**。**在原業平**がモデル
源氏物語	紫式部	(11Ｃ初)**王朝物語**。**光源氏**。「**もののあはれ**」
栄華物語	不　詳	(11Ｃ中)**最初の歴史物語**。**摂関政治を思慕**
大　鏡	不　詳	(12Ｃ初)**摂関政治批判**。**紀伝体**。**四鏡**の最初
日本霊異記(にほんりょういき)	景戒(けいかい)編	(822 ？)**仏教説話集**。**因果応報**説話を漢文で
今昔物語集	不　詳	(12Ｃ初)**仏教説話**を中心に**世俗説話**も

3 鎌倉・室町時代

重要度 ★★★

作品名	作(編)者	内　容
新古今和歌集	藤原定家ら	(1205)**幽玄・有心(うしん)**。**本歌取り**。**八代集**
金槐(きんかい)和歌集	源実朝	(1213)**実朝の私家集**。**万葉調**の力強い歌
十六夜(いざよい)日記	阿仏尼(あぶつに)	(1280 ？)京から鎌倉までの**紀行日記**

方丈記	鴨長明（かものちょうめい）	（1212）**和漢混交体**で**無常観**を描き出す
徒然草	吉田兼好	（1330 ？）無常の中に美を見出す。**擬古文体**
平家物語	未　詳	（14C初？）**軍記物語**の傑作。**琵琶法師・平曲**
宇治拾遺物語（うじしゅうい）	未　詳	（13C初）**仏教説話**と**世俗説話**を含む
古今著聞集（ここんちょもんじゅう）	橘成季（たちばなのなりすえ）	（1254）日本の説話を**題材別に分類収録**
無名抄（むみょうしょう）	鴨長明	（1211 ？）**和歌**に関する**古実・逸話・心得**
太平記	未　詳	（14C後）**南北朝**の争乱を**和漢混交体**で描く
義経記（ぎけいき）	未　詳	（14C末？）**源義経**の生涯と弁慶の活躍
風姿花伝	世阿弥	（15C初）**能楽の理念や修業のあり方**を説く

4 江戸時代　＊年数は刊行・初演の年

重要度 ★★★

猿蓑（さるみの）	松尾芭蕉	（1691）**俳諧集**。**円熟期の蕉風**。**俳諧七部集**
おくのほそ道	松尾芭蕉	（1702）江戸から大垣までの**俳諧紀行**
新花摘	与謝蕪村	（1797）**俳句・俳文集**。**文人画家**
おらが春	小林一茶	（1852）日記体の**随筆・発句集**。**俗語方言**
醒睡笑（せいすいしょう）	安楽庵策伝（あんらくあんさくでん）	（1623 ？）**仮名草子**。**御伽草子**の延長
好色一代男	井原西鶴	（1682）**浮世草子**。**世之介**の好色な人生
武家義理物語	井原西鶴	（1688）**義理**に生きる**武士の精神**。**26話**
日本永代蔵	井原西鶴	（1688）町人の**金への意欲**と**盛衰**の物語
金々先生栄花夢（えいがのゆめ）	恋川春町	（1775）**黄表紙**※1。**大人向け絵入り短編小説**
雨月物語	上田秋成	（1776）**前期読本**。独自の**怪異小説**9編
通言総籬（そうまがき）	山東京伝（さんとうきょうでん）	（1787）**洒落本の代表作**。**黄表紙・読本**も
浮世風呂	式亭三馬	（1813）**滑稽本**。銭湯の**会話**で**庶民生活**を
東海道中膝栗毛	十返舎一九	（1802 ～）**滑稽本**。**笑い**中心の**会話体小説**
春色梅児誉美（こよみ）	為永春水	（1833）**人情本**。**天保の改革**で弾圧される
南総里見八犬伝	滝沢（曲亭）馬琴	（1842）**後期読本**。**勧善懲悪**。**伝奇小説**
偐紫田舎源氏（にせ）	柳亭種彦（りゅうていたねひこ）	（1829 ～）**合巻**。『源氏物語』のパロディ
曽根崎心中	近松門左衛門	（1703）**世話物浄瑠璃**。お初徳兵衛の心中
冥途の飛脚	近松門左衛門	（1711）**世話物浄瑠璃**。通称「梅川忠兵衛」
国性爺合戦（こくせんやかっせん）	近松門左衛門	（1715）**時代物浄瑠璃**。鄭成功（ていせいこう）が題材
東海道四谷怪談	鶴屋南北（4世）	（1825）**歌舞伎脚本**。伊右衛門と**お岩**の亡霊
玉勝間	本居宣長	（1812）**随筆集**。他に注釈書『**古事記伝**』等

用語 ※1…絵入り小型本の草双紙の一種。赤本・青本・黒本などもある。

ポイント 文学史は作品と作者を覚えることが基本となる

12 日本文学史② 近現代文学史

頻出度 **A**

●非常によく扱われる。作品と時代背景も理解しておきたい。
●特に有名なものは、内容もある程度は把握しておくことが望ましい。

1 小説・評論　＊未＝未完

出題 沖縄　重要度 ★★★

作者	記事
坪内逍遙	写実派／評論『**小説神髄**』・実践小説『**当世書生気質**』
二葉亭四迷	写実派／評論『**小説総論**』・『**浮雲**』(未)**近代小説の始まり**
尾崎紅葉	擬古典派／**硯友社**・『**多情多恨**』**言文一致**・『**金色夜叉**』(未)
幸田露伴	擬古典派(浪漫派)／『**風流仏**』・『**五重塔**』・芭蕉の研究家
森鷗外	浪漫派・余裕派／『**舞姫**』『**青年**』『**高瀬舟**』『渋江抽斎』
泉鏡花	浪漫派／**観念小説**『**夜行巡査**』・『**高野聖**』『**婦系図**』『**歌行灯**』
樋口一葉	浪漫派／「**文学界**」・『**大つごもり**』『**たけくらべ**』『**十三夜**』
島崎藤村	自然主義／**詩**『**若菜集**』・『**破戒**』『**春**』『**家**』『**夜明け前**』
田山花袋	自然主義／『**蒲団**』**私小説の嚆矢**・『**田舎教師**』
徳田秋声	自然主義／**私小説**『**新世帯**』『**足迹**』・『**仮装人物**』『**縮図**』(未)
永井荷風	耽美派／**前期自然主義**・『**ふらんす物語**』『**すみだ川**』『**濹東綺譚**』
谷崎潤一郎	耽美派／『**刺青**』・『**痴人の愛**』**悪魔主義**・『**春琴抄**』『**細雪**』
夏目漱石	余裕派／『**吾輩は猫である**』『**三四郎**』『**門**』『**こゝろ**』『**道草**』
武者小路実篤	白樺派／『**お目出たき人**』『**友情**』『**真理先生**』・**新しき村**
志賀直哉	白樺派／『**網走まで**』『**城の崎にて**』『**和解**』『**暗夜行路**』
有島武郎	白樺派／『**カインの末裔**』『**或る女**』『**惜みなく愛は奪ふ**』
芥川龍之介	新現実主義(新思潮派)／『**羅生門**』『**地獄変**』『**河童**』『**歯車**』
菊池寛	新現実主義(新思潮派)／『**恩讐の彼方に**』・戯曲『**父帰る**』
葉山嘉樹	プロレタリア文学／『**淫売婦**』『**海に生くる人々**』
小林多喜二	プロレタリア文学／『**蟹工船**』『**不在地主**』『**党生活者**』
横光利一	新感覚派／「文芸時代」・『**蝿**』『**機械**』『**紋章**』『**旅愁**』(未)
川端康成	新感覚派／『**伊豆の踊子**』『**雪国**』『**古都**』・**ノーベル文学賞**
井伏鱒二	新興芸術派／『**山椒魚**』『**ジョン万次郎漂流記**』『**黒い雨**』
梶井基次郎	新興芸術派／『**檸檬**』『**冬の日**』『**のんきな患者**』

堀辰雄	新心理主義／『聖家族』『美しい村』『風立ちぬ』『菜穂子』
太宰治	無頼派／『晩年』『富嶽百景』『津軽』『斜陽』『人間失格』
坂口安吾	無頼派／評論『堕落論』・『白痴』『桜の森の満開の下』
三島由紀夫	戦後派／『仮面の告白』『潮騒』『金閣寺』『憂国』『豊饒(ほうじょう)の海』
安部公房	戦後派／『壁』『砂の女』『他人の顔』『箱男』
遠藤周作	第三の新人／『白い人』『海と毒薬』『沈黙』
大江健三郎	『死者の奢(おご)り』『飼育』『個人的な体験』・ノーベル文学賞

2 詩

重要度 ★★

『新体詩抄』	西洋の詩の翻訳と創作詩からなる。新形式の詩を創出した功績
島崎藤村	新体詩の完成者／『若菜集』『一葉舟(ひとはぶね)』『夏草』『落梅集』
上田敏(びん)	訳詩集『海潮音』フランス象徴派の詩を紹介。象徴詩運動
北原白秋	文語自由詩・パンの会(「スバル」)／『邪宗門』
高村光太郎	口語自由詩・白樺派／『智恵子抄』『道程』。彫刻家でもある
萩原朔太郎	口語自由詩の完成者／『月に吠える』『青猫(あおねこ)』『純情小曲集』
宮沢賢治	『春と修羅』「雨ニモマケズ」。多数の童話も創作
堀口大学	訳詩集『月下の一群』フランス現代詩を紹介。『月光とピエロ』
詩誌「四季」	四季派／三好達治『測量船』中原中也『山羊の歌』立原道造
詩誌「歴程(れきてい)」	歴程派／草野心平『蛙』『富士山』金子光晴『鮫』『落下傘』
詩誌「櫂(かい)」	櫂派／谷川俊太郎『二十億光年の孤独』大岡信『記憶と現在』

3 短歌・俳句

重要度 ★★

正岡子規	根岸派(根岸短歌会)／評論『歌よみに与ふる書』写生を主張
雑誌「明星」	明星派／与謝野鉄幹：新詩社結成・与謝野晶子『みだれ髪』
若山牧水	『別離』人生の苦悩を旅や自然を通じて歌う
石川啄木	『一握の砂』『悲しき玩具』口語的表現・三行分かち書き
アララギ派	伊藤左千夫・島木赤彦：アララギ派歌論の完成者
斎藤茂吉	アララギ派歌論の完成者。「短歌写生の説」を提唱。『赤光(しゃっこう)』
日本派	子規(写生文『墨汁一滴』『病牀六尺(びょうしょう)』)の一群。虚子・漱石ら
新傾向俳句	河東碧梧桐(かわひがしへきごとう)(個性を重視、俳句の近代化)・大須賀乙字ら
自由律俳句	五七五の定型と季語を否定。荻原井泉水(せいせんすい)・種田山頭火ら
ホトトギス派	高浜虚子：雑誌「ホトトギス」主宰。客観写生・花鳥諷詠
新興俳句運動	形式よりも内容を近代化。水原秋桜子・石田波郷・山口誓子
人間探求派	人間性を追求。中村草田男『万緑』加藤楸邨(しゅうそん)『寒雷』

ポイント 各作品が作られた時期とその時代背景もおさえておこう

社会

01 学習指導要領① 目標

日付 ／

頻出度 A

●社会科の目標はしっかりおさえておくこと。
●各学年目標の構造・系統も理解しておく必要がある。

1 社会科の目標

出題 岩手・香川・愛媛　重要度 ★★

社会的な見方・考え方を働かせ、**課題を追究したり解決したりする活動**を通して、**グローバル化する国際社会に主体的に生きる平和で民主的な国家及び社会の形成者に必要な**公民としての資質・能力の基礎を次のとおり育成することを目指す。

(1) 地域や我が国の国土の地理的環境、現代社会の仕組みや働き、地域や我が国の歴史や伝統と文化を通して**社会生活について理解する**※1とともに、様々な資料や調査活動を通して情報を適切に調べまとめる**技能**※1を身に付けるようにする。

(2) **社会的事象の特色や相互の関連**、意味を**多角的に考えたり**、**社会に見られる課題**を把握して、その**解決に向けて社会への関わり方を選択・判断**したりする力、**考えたことや選択・判断したこと**を適切に**表現する力**※2を養う。

(3) 社会的事象について、**よりよい社会を考え主体的に問題解決しようとする態度**※3を養うとともに、**多角的な思考や理解**を通して、**地域社会に対する誇りと愛情**、**地域社会の一員としての自覚**、我が国の国土と歴史に対する愛情、**我が国の将来を担う**国民としての自覚、**世界の国々の人々と共に生きていくことの大切さ**※3についての自覚などを養う。

□**社会科の目標の系統** ➡ 目標の(1)で「**知識及び技能**」(※1)、(2)で「**思考力、判断力、表現力等**」(※2)、(3)で「**学びに向かう力、人間性等**」(※3)の育成が目指されている。これは**各学年の目標も同様**である。

2 社会科の学年目標

出題 岩手・香川・愛媛　重要度 ★★

学年目標の構造・系統

□**第3学年** ➡ 自分たちの**市**を中心とした**地域の社会生活**の学習

□**第4学年** ➡ 自分たちの**県**を中心とした**地域の社会生活**の学習

□**第5学年** ➡ **我が国の国土**と**産業**に関する学習

□**第6学年** ➡ **我が国の政治、歴史**及び**国際理解**に関する学習

各学年の目標（1）「知識及び技能」

［第3学年］**身近な地域や市区町村の地理的環境、地域の安全を守るための諸活動や地域の産業と消費生活の様子、地域の様子の移り変わり**について、**人々の生活との関連を踏まえて理解**するとともに、調査活動、地図帳や各種の具体的資料を通して、**必要な情報を調べまとめる技能**を身に付けるようにする。

［第4学年］**自分たちの都道府県の地理的環境の特色、地域の人々の健康と生活環境を支える働きや自然災害から地域の安全を守るための諸活動、地域の伝統と文化や地域の発展に尽くした先人の働き**などについて、**人々の生活との関連を踏まえて理解**するとともに、調査活動、地図帳や各種の具体的資料を通して、**必要な情報を調べまとめる技能**を身に付けるようにする。

［第5学年］**我が国の国土の地理的環境の特色や産業の現状、社会の情報化と産業の関わり**について、**国民生活との関連を踏まえて理解**するとともに、地図帳や地球儀、統計などの各種の基礎的資料を通して、**情報を適切に調べまとめる技能**を身に付けるようにする。

［第6学年］**我が国の政治の考え方と仕組みや働き、国家及び社会の発展に大きな働きをした先人の業績や優れた文化遺産、我が国と関係の深い国の生活やグローバル化する国際社会における我が国の役割**について理解するとともに、地図帳や地球儀、統計や年表などの各種の基礎的資料を通して、**情報を適切に調べまとめる技能**を身に付けるようにする。

各学年の目標（2）「思考力、判断力、表現力等」

［第3・4学年］**社会的事象の特色や相互の関連、意味を考える力**※1、**社会に見られる課題を把握して、その解決に向けて社会への関わり方を選択・判断する力、考えたことや選択・判断したことを表現する力**※2を養う。

□※1 ➡ 第5・6学年「意味を多角的に考える力」

□※2 ➡ 第5・6学年「説明したり、それらを基に議論したりする力」

各学年の目標（3）「学びに向かう力、人間性等」

［第3・4学年］社会的事象について、**主体的に学習の問題を解決しようとする態度や、よりよい社会を考え学習したことを社会生活に生かそうとする態度**を養うとともに、**思考や理解**※1**を通して、地域社会に対する誇りと愛情、地域社会の一員としての**※2**自覚**を養う。

□※1 ➡ 第5・6学年「**多角的な思考や理解**」

□※2 ➡ 第5学年「**我が国の国土に対する愛情、我が国の産業の発展を願い我が国の将来を担う国民としての**」、第6学年「**我が国の歴史や伝統を大切にして国を愛する心情、我が国の将来を担う国民としての自覚や平和を願う日本人として世界の国々の人々と共に生きることの大切さについての**」

ポイント 公民的資質の基礎の育成は、中学校社会科にも受け継がれる

02 学習指導要領② 第3学年の内容

日付 ／

頻出度 **B**

●地域社会に関する4項目をしっかり理解する。
●「他地域や外国との関わり」という視点も入っていることに注意しよう。

1 第3学年の内容

出題 秋田・島根・香川　重要度 ★★

□**市を中心とする地域社会に関する4項目で構成**（項目は、「解説」による要約）

(1) **身近な地域や市区町村の様子**
(2) **地域に見られる生産や販売の仕事**
(3) **地域の安全を守る働き**
(4) **市の様子の移り変わり**

➡ これらの内容を取り上げ、**自分たちの市を中心とした地域の社会生活を総合的に理解**できるようにするとともに、**地域社会に対する誇りと愛情**、**地域社会の一員**としての**自覚**を養うようにする。

2 内容の具体的項目（学習指導要領の要約）

出題 秋田・島根・香川　重要度 ★

(1)	ア	(ア)**身近な地域**や**自分たちの市の様子**を大まかに**理解**すること。 (イ)**観察・調査、資料で調べたこと**を**白地図などにまとめる**こと。
	イ	(ア)市の**位置**や**地形**、**土地利用**、**交通**、**公共施設**、**古くから残る建造物の分布**などに着目して、身近な地域や市の様子を捉え、場所による違いを考え、表現すること。
(2)	ア	(ア)**生産の仕事**は、**地域の人々の生活と密接な関わりがある**ことを理解すること。 (イ)**販売の仕事**は、消費者の多様な願いを踏まえ売り上げを高めるよう、工夫して行われていることを理解すること。 (ウ)見学・調査、資料で調べたことを**白地図などにまとめる**こと。
	イ	(ア)**仕事の種類**や**産地の分布**、**仕事の工程**などに着目して、生産に携わっている人々の仕事の様子を捉え、地域の人々の生活との関連を考え、表現すること。 (イ)**消費者**の願い、**販売の仕方**、**他地域や外国との関わり**などに着目して、販売に携わっている人々の仕事の様子を捉え、それらの仕事に見られる工夫を考え、表現すること。

(3)	ア	(ア)**消防署や警察署などの関係機関**は、**地域の安全を守る**ために、相互に**連携**して**緊急時に対処する体制**をとっていることや、関係機関が地域の人々と協力して**火災や事故などの防止**に努めていることを理解すること。 (イ)見学・調査、資料で調べたことを**白地図などにまとめる**こと。
	イ	(ア)**施設・設備などの配置**、**緊急時への備えや対応**などに着目して、関係機関や地域の人々の諸活動を捉え、相互の関連や従事する人々の働きを考え、表現すること。
(4)	ア	(ア)**市や人々の生活の様子の移り変わり**を理解すること。 (イ)聞き取り調査や資料で調べたことを**年表などにまとめる**こと。
	イ	(ア)**交通**や**公共施設**、**土地利用**や**人口**、**生活の道具**などの**時期による違い**に着目して、市や人々の生活の様子を捉え、それらの変化を考え、表現すること。

3 内容の取扱い（学習指導要領の概要）

出題 島根　重要度 ★

(1)	ア	ア	学年の導入で扱うこと。
		アの(ア)	**自分たちの市に重点を置く**よう配慮すること。
	イ	アの(イ)	教科用図書「地図」（「**地図帳**」）を**参照**し、方位や主な**地図記号について扱う**こと。※1
(2)	ア	アの(ア) イの(ア)	事例として**農家**、**工場**などの中から選択して取り上げること。
	イ	アの(イ) イの(イ)	商店を取り上げ、「他地域や外国との関わり」を扱う際には、**地図帳などを使用**して都道府県や国の名称と位置などを調べるようにすること。
	ウ	イの(イ)	我が国や外国には**国旗**があることを理解し、**それを尊重する態度を養う**よう配慮すること。
(3)	ア	アの(ア)	「**緊急時に対処する体制をとっていること**」と「**防止に努めていること**」については、**火災**と**事故**はいずれも取り上げること。
	イ	イの(ア)	**社会生活を営む上で大切な法やきまりについて扱う**とともに、**安全**を守るために**自分たちにできること**などを考えたり選択・判断したりできるよう配慮すること。
(4)	ア	アの(イ)	「年表などにまとめる」際には、**元号を用いた言い表し方**などがあることを取り上げること。
	イ	イの(ア)	「**公共施設**」については、市が**公共施設の整備**を進めてきたことを取り上げ、**租税の役割**についても触れること。
	ウ	イの(ア)	「**人口**」を取り上げる際には、**少子高齢化**、**国際化**などに触れ、これからの市の発展について考えることができるよう配慮すること。

□※1 ➡ **地図帳の使用**は**学習指導要領では第3学年から**。**地図記号**についても第3学年から。

ポイント **身近な地域の特色や事例が中心だが、「他地域や外国との関わり」という視点も入っていることに注意**

03 学習指導要領③ 第4学年の内容

日付 ／

頻出度 B

●地域社会に関する5項目をしっかり理解する。
●地域の伝統や文化、先人の働きが扱われることもおさえておこう。

1 第4学年の内容　出題 秋田・島根・香川　重要度 ★★

□**県**を**中心とする地域社会に関する5項目で構成**（項目は、「解説」による要約）

(1)都道府県の様子
(2)人々の健康や生活環境を支える事業
(3)自然災害から人々を守る活動
(4)県内の伝統や文化、先人の働き
(5)県内の特色ある地域の様子

➡ これらの内容を取り上げ、**自分たちの県を中心とした地域の社会生活を総合的に理解**できるようにするとともに、**地域社会に対する誇りと愛情**、**地域社会の一員**としての**自覚**を養うようにする。

2 内容の具体的項目（学習指導要領の要約）　出題 秋田・島根・香川　重要度 ★

(1)	ア ※1	(ア)**自分たちの県の地理的環境**の概要、**47都道府県の名称と位置**。 (イ)**地図帳や各種の資料で調べ、白地図などにまとめる**こと。※2
	イ ※1	(ア)自分たちの**県の位置や地形**、主な**産業の分布**、**交通網**、主な**都市の位置**など。
(2)	ア	(ア)**飲料水**、**電気**、**ガスを供給する事業**は、**安全で安定的に供給**できるよう進められていること、地域の**人々の健康な生活の維持と向上**に役立っていること。 (イ)**廃棄物を処理する事業**は、**衛生的な処理**や**資源の有効利用**ができるよう進められていること、**生活環境の維持と向上**に役立っていること。
	イ	(ア)［アの(ア)について］**供給**の**仕組み**や**経路**、県内外の**人々の協力**など。 (イ)［アの(イ)について］**処理**の**仕組み**や**再利用**、県内外の**人々の協力**など。
(3)	ア	(ア)**地域の関係機関や人々**は、**自然災害**に対し、様々な協力をして**対処してきたこと**、今後想定される災害に対し、**様々な備えをしていること**。
	イ	(ア)**過去に発生した地域の自然災害**、関係機関の協力など。
(4)	ア	(ア)**県内の文化財や年中行事**は、地域の人々が受け継いできたこと、地域の発展など人々の様々な願いが込められていること。 (イ)**地域の発展に尽くした先人**は、様々な苦心や努力により当時の生活の向上に貢献したこと。

	イ	(ア)[アの(ア)について]**歴史的背景**や現在に至る経過、**保存や継承のための取組み**など。 (イ)[アの(イ)について]当時の世の中の課題や人々の願いなど。
(5)	ア	(ア)**県内の特色ある地域**では、人々が協力し、特色ある**まちづくり**や**観光**などの産業の発展に努めていること。
	イ	(ア)特色ある地域の位置や自然環境、**人々の活動や産業の歴史的背景**、人々の**協力関係**など。

□※1 ➡ (1)~(5)のアは**理解**すべきことが、イは記載された事項に着目してアを**捉え**、それについて**考え**、**表現**すべきことが挙げられている。

□※2 ➡ **調べたことを白地図や年表などにまとめる**ことという項目が(2)~(5)のアにも明記されている。

3 内容の取扱い(学習指導要領の要約) 出題 島根 重要度 ★★

(1)	ア	(2)のアの(ア) (2)のアの(イ)	現在に至るまでに仕組みが計画的に改善され**公衆衛生が向上してきたこと**に触れること。
	イ ウ	(2)のア (2)のイ	(ア)は飲料水、電気、ガスの中から、(イ)はごみ、下水から選択して取り上げること。
	エ	(2)のイの(ア)	**自分たちにできること**などを**考え**、**選択・判断**できるよう配慮すること。※1
(2)	ア	(3)のアの(ア)	自然災害の中から、**過去に県内で発生したものを選択**して取り上げること。
	イ	(3)のアの(ア) (3)のイの(ア)	「**関係機関**」については、**県庁や市役所の働きなどを中心**に、防災情報の発信、避難体制の確保、自衛隊など**国の機関との関わり**を取り上げること。
(3)	ア	(4)のアの(ア)	県内の主な文化財や年中行事が分かるようにする。
		(4)のイの(ア)	具体的事例を取り上げること。
	イ	(4)のアの(イ) (4)のイの(イ)	地域の発展に尽くした先人の中から選択して取り上げること。
(4)	ア	(5)	伝統的な技術を生かした**地場産業が盛んな地域**、**国際交流に取り組んでいる地域**、**地域の資源を保護・活用している地域**を取り上げること。
	イ	(5)	**我が国や外国には国旗がある**ことを理解し、**それを尊重する態度を養う**よう配慮すること。

□※1 ➡ 同様の文言が「内容の取扱い」(1)のオ(「内容」の(2)のイの(イ))、(2)のウ(「内容」の(3)のイの(ア))、(3)のウ(「内容」の(4)のイの(ア))にも明記されている。

ポイント 内容の(4)は「歴史と人々の生活」に当たる項目である

04 学習指導要領④ 第5学年の内容

日付 ／

頻出度 B

●我が国の国土や産業に関する5項目をしっかり理解する。
●竹島、尖閣諸島が固有の領土であると学習指導要領で明記されていることを忘れずに。

1 第5学年の内容

出題 秋田・島根・香川　重要度 ★★

□**我が国の国土や産業に関する５項目で構成**（項目は、「解説」による要約）

（1）**我が国の国土の様子と国民生活**
（2）**我が国の農業や水産業における食料生産**
（3）**我が国の工業生産**
（4）**我が国の産業と情報との関わり**
（5）**我が国の国土の自然環境と国民生活の関連**

➡ これらの内容を取り上げ、**我が国の国土と産業の様子や特色を総合的に理解**できるようにするとともに、我が国の**国土に対する愛情**、我が国の**産業の発展**を願い**我が国の将来を担う国民としての自覚**を養うようにする。

2 内容の具体的項目（学習指導要領の要約）

出題 秋田・島根・香川　重要度 ★

（1）	ア ※1	（ア）我が国の**国土の位置**、**国土の構成**、**領土の範囲**など。 （イ）我が国の国土の**地形**や**気候**の概要、人々は自然環境に適応して生活していること。 （ウ）**地図帳や地球儀、各種の資料で調べ、まとめる**こと。※2
	イ ※1	（ア）世界の**大陸**と主な**海洋**、**主な国の位置**、海洋に囲まれ多数の島からなる国土の構成など。
（2）	ア	（ア）我が国の**食料生産**は、自然条件を生かして営まれていること、**国民の食料を確保する重要な役割**を果たしていること。 （イ）**食料生産**に関わる人々は、**様々な工夫**をして、良質な食料を消費地に届けるなど、食料生産を支えていること。
	イ	（ア）生産物の**種類**や**分布**、**生産量の変化**、**輸入**など。 （イ）生産の工程、技術の向上、輸送、価格や費用など。
（3）	ア	（ア）我が国では**様々な工業生産**が行われていること、国土には**工業の盛んな地域**が広がっていること、**工業製品は国民生活の向上に重要な役割**を果たしていること。 （イ）**工業生産**に関わる人々は、消費者の需要や社会の変化に対応し、**様々な工夫や努力**をして、工業生産を支えていること。

		(ウ)**貿易**や**運輸**は、原材料の確保や製品の販売などにおいて、工業生産を支える重要な役割を果たしていること。
	イ	(ア)工業の**種類**、工業の盛んな地域の**分布**、工業製品の改良など。 (イ)製造の工程、工場相互の協力関係、優れた技術など。 (ウ)交通網の広がり、外国との関わりなど。
(4)	ア	(ア)**放送**、**新聞**などは、**国民生活に大きな影響**を及ぼしていること。 (イ)大量の情報や**情報通信技術**の活用は、様々な産業を発展させ、国民生活を向上させていること。
	イ	(ア)情報を集め発信するまでの工夫や努力など。 (イ)情報の**種類**、情報の**活用**の仕方など。
(5)	ア	(ア)**自然災害**は国土の自然条件などと関連して発生していること、**国や県などが様々な対策や事業**を進めていること。 (イ)**森林**は、その育成や保護に従事している人々の様々な工夫と努力により**国土の保全**など重要な役割を果たしていること。 (ウ)関係機関や地域の人々の様々な努力により**公害の防止**や**生活環境の改善**が図られてきたこと、公害から国土の環境や国民の健康な生活を守ることの大切さ。
	イ	(ア)災害の種類や発生の位置や時期、**防災対策**など。 (イ)**森林資源**の分布や働きなど。 (ウ)公害の発生時期や経過、人々の協力や努力など。

□※1 ➡ (1)～(5)のアは理解すべきことが、イは記載された事項に着目してアを捉え、それについて考え、表現すべきことが挙げられている。

□※2 ➡ 同様の文言が(2)～(4)のアにも明記されている。

3 内容の取扱い（学習指導要領の要約） 出題 島根 重要度 ★

(1)	ア	アの(ア)	**竹島**や**北方領土**、**尖閣諸島**が我が国の**固有の領土**であることに触れること。
	イ	アの(ウ)	地図帳や地球儀を用いて、**方位**、**緯度や経度などによる位置の表し方**について取り扱うこと。
	ウ	イの(ア)	我が国や諸外国には**国旗**があることを理解し、それを**尊重する態度**を養うよう配慮すること。
(2) (3)	ア	アの(イ) イの(イ)	具体的事例を通して調べることとし、農業・工業の諸分野の中からそれぞれ1つを取り上げること。
	イ	イの(ア)（イ）	自分の考えをまとめられるよう配慮すること。
(4)	ア	アの(ア)	放送、新聞などの産業から選択して取り上げること。
	イ	アの(イ) イの(イ)	**情報**や**情報技術**を活用して発展している**販売**、**運輸**、**観光**、**医療**、**福祉**などに関わる産業の中から選択。
(5)	ア	アの(ア)	地震災害、津波災害、風水害、火山災害、雪害など。
	イ	アの(ウ) イの(ウ)	大気の汚染、水質の汚濁などの中から具体的事例を選択して取り上げること。
	ウ	イの(イ)（ウ）	**自分の考えをまとめられるよう配慮**すること。

ポイント 学習指導要領では竹島、尖閣諸島が「固有の領土」と明記された

05 学習指導要領⑤ 第6学年の内容

日付 ／

頻出度 B

●我が国の政治、歴史及び国際理解に関する3項目をしっかり理解する。
●42人の人物は少なくとも、どういう人物かは理解しておこう。

1 第6学年の内容

出題 秋田・島根・香川　重要度 ★★

□**我が国の政治、歴史及び国際理解に関する3項目で構成**（項目は、「解説」による要約）

(1) **我が国の政治の働き**
(2) **我が国の歴史上の主な事象**
(3) **グローバル化する世界と日本の役割**

➡ これらの内容を取り上げ、**我が国の政治の働きや歴史、我が国と関係の深い国の生活**や**グローバル化する国際社会**における**我が国の役割**について**理解**できるようにするとともに、**我が国の歴史や伝統**を**大切**にして**国を愛する心情、我が国の将来を担う国民としての自覚**や**平和を願う日本人**として**世界の国々の人々と共に生きる**ことの大切さについての**自覚**を養うようにする。

2 内容の具体的項目（学習指導要領の要約）

出題 秋田・島根・香川　重要度 ★

(1)	ア ※1	(ア)**日本国憲法**は国家の理想、**天皇の地位、国民としての権利及び義務**など**国家や国民生活の基本**を定めていること、現在の我が国の民主政治は日本国憲法の基本的な考え方に基づいていること、立法、行政、司法の**三権**がそれぞれの役割を果たしていること。 (イ)**国や地方公共団体の政治**は、**国民主権**の考え方の下、国民生活の安定と向上を図る大切な働きをしていること。 (ウ)見学・調査したり資料で調べたりして、まとめること。※2
	イ ※1	(ア)日本国憲法の基本的な考え方。 (イ)政策の内容や計画・実施の過程、法令や予算との関わりなど。
(2)	ア	(ア) ～ (サ)※3
	イ	(ア)世の中の様子、人物の働きや代表的な**文化遺産**など。
(3)	ア	(ア)諸外国の人々の生活は、多様であること、他国と交流し、**異なる文化や習慣を尊重し合う**ことが大切であること。 (イ)我が国は、**平和な世界の実現**のために**国際連合**の一員として**重要な役割**を果たしたり、諸外国に援助や協力を行っていること。
	イ	(ア)外国の人々の生活の様子など。 (イ)地球規模で発生している課題の解決に向けた連携・協力など。

□※1 ➡（1）～（3）のアは理解すべきことが、イは記載された事項に着目してアを捉え、それについて考え、表現すべきことが挙げられている。

□※2 ➡ 同様の文言が(2)アの(シ)と(3)アの(ウ)にも明記されている。

□※3 ➡ (ア)の縄文～古墳時代から(サ)の現代まで、各時代の学習内容を明示。

3 内容の取扱い(学習指導要領の要約) 出題 島根 重要度 ★★

(1)	ア	アの(ア)	国会などの**議会政治や選挙の意味**、**三権相互の関連**、裁判員制度や**租税の役割**などについて扱うこと。
	イ	アの(ア)	**天皇**についての理解と**敬愛の念**を深めるようにすること。また、「国民としての権利及び義務」については、**参政権**、**納税の義務**などを取り上げること。
	ウ	アの(イ)	社会保障、自然災害からの復旧や復興、地域の開発や活性化などの取組の中から選択して取り上げること。
	エ	イの(ア)	**国民の祝日**に関心をもち、我が国の社会や文化における意義を考えることができるよう配慮すること。
(2)	ア	アの(ア)～(サ)	アの(サ)の指導に当たっては、児童の発達の段階を考慮すること。
	イ	アの(ア)～(サ)	我が国の代表的な**文化遺産**を通して学習できるように配慮すること。
	ウ	アの(ア)～(コ)	**人物の働きを通して**学習できるよう指導すること。※1
	エ	アの(ア)	「**神話・伝承**」については、**古事記**、**日本書紀**、**風土記**などの中から適切なものを取り上げること。
	オ	アの(イ)～(サ)	当時の世界との関わりにも目を向け、我が国の歴史を広い視野から捉えられるよう配慮すること。
	カ	アの(シ)	年表や絵画など資料の特性に留意した読み取り方についても指導すること。
	キ	イの(ア)	歴史を学ぶ意味を考えるようにすること。
(3)	ア	ア	**我が国の国旗と国歌の意義**を理解し、我が国や諸外国の国旗と国歌を**尊重する態度**を養うよう配慮すること。
	イ	アの(ア)	我が国とつながりが深い国から数か国を取り上げ、児童が1か国を選択して調べるよう配慮すること。
	ウ	アの(ア)	我が国や諸外国の**伝統や文化を尊重**しようとする態度を養うよう配慮すること。
	エ	イ	世界の人々と共に生きていくために大切なことや、我が国が国際社会において果たすべき役割などを考えたり選択・判断したりできるよう配慮すること。
	オ	イの(イ)	「国際連合の働き」については、ユニセフやユネスコの活動を、「我が国の国際協力の様子」については、教育、医療、農業などの事例の中から選択。

□※1 ➡ 計42人が挙げられている。**卑弥呼(ひみこ)・聖徳太子(しょうとくたいし)(厩戸皇子(うまやどのおうじ))・小野妹子(おののいもこ)・中大兄皇子(なかのおおえのおうじ)・中臣鎌足(なかとみのかまたり)・聖武天皇(しょうむ)・行基(ぎょうき)・鑑真(がんじん)・藤原道長(ふじわらのみちなが)・紫式部(むらさきしきぶ)・清少納言(せいしょうなごん)・平清盛(たいらのきよもり)・源頼朝(みなもとのよりとも)・源義経(みなもとのよしつね)・北条時宗(ほうじょうときむね)・足利義満(あしかがよしみつ)・足利義政(あしかがよしまさ)・雪舟(せっしゅう)・ザビエル・織田信長(おだのぶなが)・豊臣秀吉(とよとみひでよし)・徳川家康(とくがわいえやす)・徳川家光(とくがわいえみつ)・近松門左衛門(ちかまつもんざえもん)・歌川広重(うたがわひろしげ)・本居宣長(もとおりのりなが)・杉田玄白(すぎたげんぱく)・伊能忠敬(いのうただたか)・ペリー・勝海舟(かつかいしゅう)・西郷隆盛(さいごうたかもり)・大久保利通(おおくぼとしみち)・木戸孝允(きどたかよし)・明治天皇・福沢諭吉(ふくざわゆきち)・大隈重信(おおくましげのぶ)・板垣退助(いたがきたいすけ)・伊藤博文(いとうひろぶみ)・陸奥宗光(むつむねみつ)・東郷平八郎(とうごうへいはちろう)・小村寿太郎(こむらじゅたろう)・野口英世(のぐちひでよ)**

ポイント 国連の働きは、ユニセフ・ユネスコなど、具体的な組織の活動を扱う。また、42人の人物は例示であり、これ以外の人物を扱うことも可能

社会

頻出度 B

学習指導要領⑤ 第6学年の内容

06 学習指導要領⑥ 指導計画の作成と内容の取扱い

日付 ／

頻出度 **B**

●地図の配布学年が早まるなど、グローバル化への対応が図られていることに注意。
●全都道府県を漢字で学習できるようになったことに注意。

1 指導計画作成上の配慮事項（第3-1）　出題 千葉　重要度 ★★

(1)単元など内容や時間のまとまりを見通して、その中で育む資質・能力の育成に向けて、児童の**主体的・対話的で深い学び**の実現を図るようにすること※1。その際、**問題解決への見通しをもつこと**、**社会的事象の見方・考え方**※2を働かせ、**事象の特色や意味などを考え概念などに関する知識を獲得**すること、**学習の過程や成果を振り返り学んだことを活用**することなど、**学習の問題を追究・解決する活動の充実**を図ること。

(2)各学年の目標や内容を踏まえて、事例の取り上げ方を工夫して、内容の配列や授業時数の配分などに留意して効果的な年間指導計画を作成すること。

(3)**我が国の47都道府県の名称と位置**※3、**世界の大陸と主な海洋の名称と位置**※4については、学習内容と関連付けながら、その都度、**地図帳**や**地球儀などを使って確認**するなどして、**小学校卒業までに身に付け活用できる**ように工夫して指導すること。

(4)**障害のある児童**などについては、**学習活動を行う場合に生じる困難さに応じた指導内容や指導方法の工夫**を計画的、組織的に行うこと。

(5)第１章総則の第１の２の（２）に示す**道徳教育の目標**に基づき、**道徳科**などとの**関連を考慮**しながら、第３章特別の教科道徳の第２に示す内容について、**社会科の特質に応じて適切な指導**をすること。

□(1) ➡ ※1：1文目は各教科共通。／※2：社会的事象の特色や相互の関連、意味を考えたり、社会に見られる課題を把握して、その解決に向けて社会への関わり方を選択・判断したりする際の視点や方法（考え方）。

□(3) ➡ ※3：第４学年の内容の（１）のイの（ア）の他、各学年において、様々な都道府県の名称、世界の国の名称が度々扱われる。／※4：第５学年の内容の（１）のイの（ア）の他、第５・６学年において度々扱われる。

□(4) ➡ 障がい者の権利に関する条約に掲げられたインクルーシブ教育システムの構築を目指して新設された。

□(5) ➡ 各教科を通じて行う**道徳教育**の観点から、適切な指導を行う。

2 内容の取扱いにおける配慮事項(第3-2) 出題 千葉 重要度 ★★

(1) 各学校においては、**地域の実態を生かし**、児童が**興味・関心をもって学習に取り組めるようにする**※1とともに、**観察や見学、聞き取りなどの調査活動を含む具体的な体験を伴う学習やそれに基づく表現活動の一層の充実**※2を図ること。また、社会的事象の特色や意味、社会に見られる課題などについて、**多角的に考えたことや選択・判断したことを論理的に説明したり、立場や根拠を明確にして議論したりする**※3など**言語活動**に**関わる学習を一層重視**すること。

(2) **学校図書館**や**公共図書館**、**コンピュータ**などを活用して、**情報の収集やまとめ**などを行うようにすること。また、全ての学年において、**地図帳を活用**すること。

(3) **博物館**や**資料館**などの**施設の活用**を図るとともに、身近な地域及び国土の**遺跡**や**文化財**などについての**調査活動**を取り入れるようにすること。また、内容に関わる専門家や関係者、関係の諸機関との連携を図るようにすること。

(4) **児童の発達の段階**を考慮し、社会的事象については、児童の考えが深まるよう様々な見解を提示するよう配慮し、多様な見解のある事柄、未確定な事柄を取り上げる場合には、**有益適切な教材に基づいて指導**するとともに、特定の事柄を強調し過ぎたり、一面的な見解を十分な配慮なく取り上げたりするなどの偏った取扱いにより、児童が**多角的に考えたり**、**事実を客観的に捉え**、**公正に判断したりする**ことを妨げることのないよう留意すること。

□(1) ➡ ※1：**地域にある素材**を教材化すること、**地域に学習活動の場**を設けること、**地域の人材**を積極的に活用することなどに配慮した指導計画を作成し、児童が興味・関心をもって楽しく学習に取り組めるようにすること。／※2：観察や見学、聞き取りなどの調査活動を含む具体的な**体験を伴う学習**やそれに基づく**表現活動**を指導計画に適切に位置付けて効果的に指導することにより、**具体的な体験を伴う学習や表現活動の一層の充実を図ること**。／※3：**考えたことや選択・判断したことを説明**したり、それらを基に**議論**したりするなど**言語活動を一層重視**すること。

□(2) ➡ **地図帳**は**第3学年から配布**されることとなった。

□(4) ➡ **有益適切な教材**＝❶**教育基本法や学校教育法**、**学習指導要領等**の趣旨に従っていること、❷**児童生徒の心身の発達**の段階に即していること、❸多様な見方や考え方のできる事柄、未確定な事柄を取り上げる場合には、**特定の見方や考え方に偏った取扱いとならない**こと。

ポイント 小学校国語で学ぶ漢字が増やされ、全都道府県名を漢字で学習できるようになった

07 地図

日付 ／

頻出度 B

●代表的な図法や縮尺、基本的な地図記号を覚えよう！
●地形図の基礎知識もおさえておこう。

1 地図と図法

出題 山梨・愛知　重要度 ★★

地図の基礎知識　重要!

□**地図の特徴** ➡ 地図は実際の地形を平面であらわしたものである。よって実際の地形を完璧な形では表現できない。それぞれの用途に合わせて作成されている。

□**地図の基本条件**

実際の距離の比が正しくあらわされる ⇨ **正距**
実際の面積の比が正しくあらわされる ⇨ **正積**
地表での方位が正しくあらわされる ⇨ **正方位**
地表での角度が正しくあらわされる ⇨ **正角・正形**

地球は球体であるからこれらの条件をすべて満たすことはできない。

主な図法　重要!

□**メルカトル図法** ➡ **オランダ人メルカトル**によって考案された図法。**地図上の任意の2点間を結ぶ直線が等角航路**であらわされるので、**航海図**に使用される。高緯度地方は拡大されるので正しくあらわせない。

□**モルワイデ図法** ➡ **ドイツ人モルワイデ**によって考案された図法。正積図法。赤道の半径と極の半径を2対1の比率にした**楕円形の地図**である。緯線は平行線で、経線が楕円曲線となる。**世界全図**に使用される。

□**正距方位図法** ➡ 円形の地図。**円の中心と任意に結んだ直線の2点間の距離と方位が正しくあらわされる**ので、**航空図**に使用される。中央経線のみ直線である。

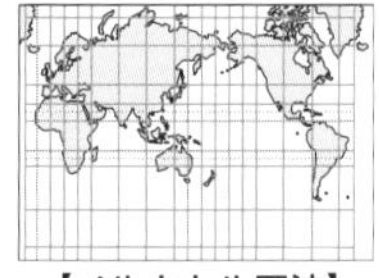

【メルカトル図法】

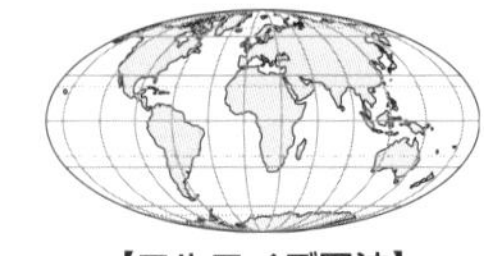

【モルワイデ図法】

【正距方位図法】

2 縮尺と地形図

出題 山梨・愛知　重要度 ★★

縮尺の種類

□**大縮尺** ➡ 縮小率が１万分の１より大きいもの。例えば、５千分の１の地図など。

□**中縮尺** ➡ 縮小率が１万分の１～10万分の１の大きさのもの。例えば、２万５千分の１の地図など。

□**小縮尺** ➡ 縮小率が10万分の１以下の大きさのもの。例えば、50万分の１の地図など。

□**縮尺と実際の距離** ➡ 地図から実際の距離を求めるには、**地図上の長さに縮尺の分母の値を掛けて算出する。**２万５千分の１の地図で２cm ならば **2cm ×25000＝50000cm ＝500m** となる。

地形図の基礎　重要!

□**等高線** ➡ 地図上で土地の起伏をあらわす曲線。**線と線の間の距離は等しい**。等高線の間が狭いほど斜面は**急で**あり、反対に広いほど**緩やか**である。

□**計曲線** ➡ **等高線の太い線**。**2万５千分の１**の地図では**50m**、**5万分の１**の地図では**100m**をあらわす。

□**主曲線** ➡ **等高線の細い線**。**５本で計曲線**になる。**2万５千分の１**の地図では**10m**ごとに、**5万分の１**の地図では**20m**ごとにあらわす。

□**地図の方位** ➡ 方位を示す記号がなければ、上が北になる。16方位であらわす。

□**水準点** ➡ 土地の高さの基準となる点。水準原点は東京都千代田区にある。

□**三角点** ➡ 位置の基準点。見通しのよい山頂などに多く置かれている。

地図記号

出典：国土地理院

覚 夢の航海メルカトル。世界に広がるモルワイデ

08 世界の自然と気候

頻出度 A

●主な地形の特色や気候区分をしっかり理解しよう。
●それぞれの気候の特色や分布地域を把握しよう。

1 地形

出題 神奈川・鳥取　重要度 ★★★

大地形

□**安定陸塊** ➡ **火山活動や地震はない**。先カンブリア時代以降の造山活動がない。**鉄鉱石**などが採れる。バルト楯状地、カナダ楯状地など。

□**古期造山帯** ➡ **火山活動や地震はない**。古生代の**褶曲**(しゅうきょく)**活動**により形成。**石炭**が採れる。アパラチア山脈、ペニン山脈、ウラル山脈など。

□**新期造山帯** ➡ **火山活動や地震が活発**。**アルプス＝ヒマラヤ**造山帯と**環太平洋**造山帯があり、日本は後者に属す。**石油**や**天然ガス**が採れる。アンデス山脈、ロッキー山脈など。

平野の地形

□**ケスタ地形** ➡ 安定陸塊の構造平野にできる地形で、**硬層**と**軟層**の互層からなる丘陵状の平野。**パリ盆地**、**ロンドン盆地**など。パリ盆地ではケスタを利用した**ぶどうの栽培**が盛んである。

□**扇状地** ➡ 川が山から平地に出るところにできる扇状の地形。傾斜は**きつい**。**果物畑**や**桑畑**に利用されている。甲府盆地や山形盆地など。

□**三角州** ➡ **デルタ**ともいう。川が運搬した土砂が河口に堆積した地形。傾斜は**ゆるい**。**水田**などに利用されている。

三角州と三角江をまちがえないようにしよう！

海岸の地形

□**リアス海岸** ➡ 山地の谷に海水が浸入してできた複雑な海岸。**三陸海岸**、**若狭湾**、**志摩半島**など。

□**フィヨルド** ➡ **U字谷**に海水が浸入してできた複雑な海岸。**ノルウェー西岸**、**チリ南部**など。

□**エスチュアリー** ➡ **三角江**。河口付近の**ラッパ状**の複雑な海岸。**ラプラタ川**、**テムズ川**、**セーヌ川**、**エルベ川**。

2 気候区分

出題 鳥取　重要度 ★★★

熱帯気候

熱帯雨林気候	**年中高温多雨**。**スコール**がある。赤道直下のマレー半島、アマゾン川流域、コンゴ盆地など。
熱帯モンスーン気候	**短い乾季がある**。雨季の降水量は多い。フィリピン、ジャワ島など。
熱帯サバナ気候	**雨季**と**乾季**がはっきりしている。疎林と低木が点在する**サバナ**という植生がある。インドシナ半島、ブラジル高原など。

乾燥気候

□**砂漠気候** ➡ **年中少雨**(250㎜未満)。気温の日較差が大きい。サハラ砂漠、ゴビ砂漠、カラハリ砂漠など。

□**ステップ気候** ➡ **年中少雨**(250～500㎜)。**ステップ**という草原がある。アフリカの**サヘル地域**、**デカン高原**、モンゴル高原など。

温帯気候

□**地中海性気候** ➡ 夏は**高温で乾燥**、冬は**温暖で降水**がある。地中海沿岸、カリフォルニア、チリ沿岸部など。

□**西岸海洋性気候** ➡ **偏西風**と**北大西洋海流**(暖流)によって形成される穏やかな気候。年中少雨。西ヨーロッパ、ニュージーランドなど。

□**温暖湿潤気候** ➡ 四季がはっきりしている。気温の年較差が大きい。日本の本州、中国南東部、アルゼンチン北東部など。

□**温帯冬季乾燥気候** ➡ 夏は多雨、冬は乾燥。中国華南から内陸部、インド北部、ブラジル南部など。

冷帯(亜寒帯)気候　**北半球のみに分布**

□**冷帯湿潤気候** ➡ 降水量は平均している。高緯度側には**針葉樹林**(**タイガ**)が広がる。北海道、東北地方内陸部、モスクワなど。

□**冷帯冬季少雨気候** ➡ 気温の年較差が最も大きい。ユーラシア大陸の北東部。

寒帯気候

□**ツンドラ気候** ➡ ほとんど氷雪に覆われ、短い夏に苔類が生えるのみ。北極海沿岸、グリーンランド沿岸など。

□**氷雪気候** ➡ 年中氷雪に覆われている。非居住地域。南極大陸、グリーンランド内陸部。

マメ　フィヨルドや大規模なエスチュアリーは日本にはない

09 世界の国々

頻出度 A

●主な国々の様子はしっかり把握しておく。
●日本と貿易や交流が多い国は特に注目しておこう。

1 アジア 重要度 ★★★

東アジア

□**中国** ➡ 1979年より開放政策を導入、**人民公社**を廃止し、**生産請負制**を導入。漢民族9割、55種の少数民族。**米の生産量世界1位**。

□**韓国** ➡ **セマウル運動**で農業発展。**造船業世界2位**。自動車工業も盛ん。

□**台湾**(中華民国) ➡ 加工貿易で電子工業などが発展。

東南アジア

□**タイ** ➡ **米の世界的輸出国**。**天然ゴム**も有名。上座部仏教を信仰。

□**マレーシア** ➡ 国教は**イスラム教**。**ルックイースト**政策で工業化。

□**シンガポール** ➡ 中継貿易で発展。造船、石油化学や電子工業が盛ん。

□**インドネシア** ➡ **原油**や天然ガスを産出。**コーヒー**や米の生産も盛ん。

□**フィリピン** ➡ 日本向けの**バナナ**を栽培。**カトリック**教徒が多い。

□**ベトナム** ➡ **ドイモイ**政策で発展。**コーヒー**の生産量世界2位。

南アジア・西アジア

□**インド** ➡ **デカン高原**で**綿花**栽培。米や**茶**の生産も盛ん。**IT産業**が発展。**鉄鉱石**も豊富。**ヒンドゥー**教徒が多い。

□**イラン** ➡ 国教はイスラム教**シーア**派。**カナート**(地下水路)を利用した灌漑農業。原油の生産と輸出が盛ん。

ASEAN加盟国は10カ国だよ!

2 アフリカ 重要度 ★★

□**エジプト** ➡ **ナイル川**流域で**綿花**やなつめやしを栽培。原油と石油製品の輸出が盛ん。観光や運河通航料が収入源。

□**コートジボワール** ➡ **ギニア**湾に面した国。**カカオ豆**の生産量と輸出量は世界1位。

□**南アフリカ共和国** ➡ アフリカ南端の国。1991年に**アパルトヘイト**(人種隔離政策)を廃止。**金**や**ダイヤモンド**などが豊富。

3 旧ソ連の国々 重要度★★

□**ロシア連邦** ➡ 1991年に旧ソ連が解体。ロシア人８割、他に100以上の民族。チェチェン問題など民族問題を抱える。原油や**天然ガス**が豊富。

□**ウクライナ** ➡ 首都キーウ（キエフ）。**黒土地帯**の農業。国内に対立。2022年2月、ロシアが軍事侵攻を開始した。

4 ヨーロッパ 重要度★★

西ヨーロッパ・北ヨーロッパ

ＥＵ加盟国は27カ国だよ

□**フランス** ➡ **ＥＵ最大の農業**国。小麦や**ぶどう**の生産が盛ん。

□**ドイツ** ➡ **ＥＵ最大の工業**国。**ルール**工業地帯が有名。混合農業も盛ん。

□**イギリス** ➡ 工業製品の輸出が中心。**北海**油田で原油や天然ガスが産出。2020年ＥＵから離脱。

□**オランダ** ➡ 国土の４分の１が**ポルダー**（干拓地）。酪農と**園芸**農業が盛ん。**ライン**川河口のロッテルダムには**ユーロポート**（ＥＵ共同港）がある。

□**スウェーデン** ➡ 高福祉国家。キルナの**鉄鉱石**は有名。

□**ノルウェー** ➡ 高福祉国家。**フィヨルド**が発達。原油と天然ガスが豊富。

南ヨーロッパ・東ヨーロッパ

□**イタリア** ➡ 農業・工業ともに**北部**が発達。**カトリック**教徒は8割。

□**スペイン** ➡ ビルバオで**鉄鉱石**を産出。カトリック教徒は8割。

□**ハンガリー** ➡ **プスタ**平原で農業が盛ん。東洋系**マジャール**人が多い。

5 アメリカ 重要度★★★

アングロアメリカ

□**アメリカ合衆国** ➡ **とうもろこしの生産量・輸出量は世界１位**。**航空機**やＩＴ産業が盛ん。国連本部（ニューヨーク）がある。

□**カナダ** ➡ **水力**発電が中心。**小麦**と木材の輸出量が多い。

ラテンアメリカ

□**ブラジル** ➡ **コーヒーの生産量・輸出量は世界１位**。**鉄鉱石**も豊富。

□**メキシコ** ➡ **銀**の産出量は世界１位。原油の輸出が多い。

□**ペルー** ➡ **銀**の産出量は世界2位。**漁獲**量は世界5位。

□**チリ** ➡ **銅**の産出量は世界１位。ぶどうやワインの生産も盛ん。

マメ ブラジルには日系人が約200万人もいる

10 日本の国土と地域

頻出度 A

●我が国の地形や各地の気候を確実に理解しておく。
●地図上で国土の様子が分かるようになっておこう。

1 日本の自然 •頻出• 重要度 ★★

日本の位置と領域

日本の領土

□**領土** ➡ 面積**37.8**万 km²。**北海道**・**本州**・**四国**・**九州**・**南西諸島**及び付属島嶼

□**領土問題** ➡ **北方領土**「**択捉**(えとろふ)島・**国後**(くなしり)島・**歯舞**(はぼまい)群島・**色丹**(しこたん)島」(対**ロシア**)、**竹島**(対**韓国**)

日本の地形

□**日本列島の特色** ➡ 南北に細長くのびている。**環太平洋**造山帯に属し、**太平洋**プレート、**フィリピン海**プレート、**北アメリカ**プレート、**ユーラシア**プレートの4つのプレートに囲まれている。

□**フォッサマグナ** ➡ **糸魚川**(新潟県)から**静岡**県を結ぶ**大地溝帯**。東北日本と西南日本を分けている。

□**中央構造線** ➡ 九州の八代から四国の徳島、紀伊半島、諏訪湖の南を通る**断層線**。関東平野でも確認されている。**西南日本**を**外帯**(太平洋側)と**内帯**(日本海側)に分けている。

□**山地** ➡ 国土面積の**7**割が山地や丘陵である。**火山**は100余りあるが、その7割が**コニーデ**(成層火山)である。7つの火山帯(**富士**・**霧島**・**鳥海**・**白山**・**那須**・**千島**・**乗鞍**(のりくら))がある。

2 日本の気候

●頻出●　重要度 ★★★

日本の気候の特色

□**気候区分** ➡ **北海道**と**東北内陸部**は**冷帯湿潤**気候、**本州**の大半は**温暖湿潤**気候、**南西諸島**は**亜熱帯**気候に属する。

□**季節風** ➡ **夏**は**太平洋**側から**南東**の**季節風**が吹き、**冬**は**日本海**側から**北西**の**季節風**が吹く。そのため、夏は**太平洋**側に降水量が多く、**日本海**側は少ない。逆に冬は**日本海**側に降水量が多く、**太平洋**側は少ない。**瀬戸内**地方は年中少雨となる。

気団

□**シベリア気団** ➡ 冬。寒冷で乾燥している。

□**オホーツク海気団** ➡ 初夏と秋。低温で多湿。**冷害**をもたらす「**やませ**」を吹かせる。

各地の気候

□**北海道** ➡ **冷帯**気候。東部は**梅雨**の影響を受けず、夏・冬も低温。西部は夏に**高温**。

□**東北** ➡ **東部**は**夏**が低温。**西部**は**フェーン**現象や**対馬**海流の影響で、夏に高温となる。

□**中央部内陸** ➡ **盆地**では年較差が大きく、**年中少雨**。

□**関東・東海** ➡ **夏**は高温多雨で、**冬**が乾燥する。

□**南海** ➡ 温暖多雨。三重県**尾鷲**(おわせ)は多雨地域として有名。

□**北陸** ➡ **冬**は雪が多く、夏は**高温**。

□**山陰** ➡ **冬**は天気が悪い。**夏**は高温である。

□**瀬戸内** ➡ 年中**少雨**。冬も温暖。**干害**になることも多い。

□**九州** ➡ 梅雨や**台風**の影響を多く受ける。**台風**銀座と呼ばれる。

□**南西諸島** ➡ **亜熱帯**気候。年中多雨。

3 海流

●頻出●　重要度 ★★★

暖流	**日本**海流(**黒潮**・太平洋側)	**対馬**海流(日本海側)
寒流	**千島**海流(**親潮**・太平洋側)	**リマン**海流(日本海側)

□**潮目** ➡ 寒流と暖流が接するところ。太平洋側の**三陸沖**が潮目になる。**寒流**は栄養分が豊かで、潮目はよい**漁場**となる。

マメ　栄養塩が豊富で、魚類を育てる「親」という意味で親潮という

社会（地理）　頻出度 A　日本の国土と地域

11 日本の産業と貿易

頻出度 A

●我が国の農業、水産業、工業の状況を理解する。
●主要な輸出国、輸入国も理解しておこう。

1 農業　重要度 ★★★

農家の現状　(2023年)

□**専業農家** ➡ 農業を専業とする農家。

□**兼業農家** ➡ 農業を主とする第1種と農業を従とする第2種がある。

□**耕地面積** ➡ 販売農家1戸あたりの耕地面積は3.4ha(北海道を除く平均は2.3ha)。北海道が最も広い(34.0ha)。

主な農作物と生産地　(＊は2023年、無印は2022年)

農作物	1位	2位	3位	農作物	1位	2位	3位
米＊	**新潟**	北海道	秋田	**キャベツ**	**群馬**	愛知	千葉
りんご	**青森**	長野	岩手	**じゃがいも**	**北海道**	鹿児島	長崎
みかん	**和歌山**	愛媛	静岡	**茶**	**静岡**	鹿児島	三重
ぶどう	**山梨**	長野	岡山	**ブロイラー＊**	**鹿児島**	宮崎	岩手
				豚＊	**鹿児島**	宮崎	北海道

＊数値・順位は農林水産省統計に基づき作成。

2 林業　重要度 ★

□**森林面積** ➡ 国土面積の**3分の2**を占める。その割合は**国有林**約31%(民有林約69%)、**人工林**約40%(天然林約60%)である(2022年)。

□**木材自給率** ➡ **40.7%**(2022年)で、海外からの輸入に頼る。特に**ベトナム**、**中国**、**カナダ**からの輸入量が多い。

□**白神山地** ➡ 秋田と青森をまたぐ**ブナ**の原生林。**世界遺産**に登録された。

3 水産業　重要度 ★★

日本の漁業　(2022年)

□**漁獲量** ➡ **世界第8位**(中国、インドネシア、インド、ベトナム、ペルー、ロシア、アメリカに次ぐ)

□**水産物輸入金額 ➡ 世界第3位**（1位アメリカ、2位中国）（2020年）

□**これからの漁業 ➡ 獲る**漁業から**育てる**漁業へ転換が求められる。

漁業部門別漁獲高順位　（2022年）

順位	部門	内容
1位	沖合漁業	3～7日程度の漁業
2位	海面養殖業	**海水**で養殖するもの。真珠やわかめなど
3位	沿岸漁業	日帰りで行う漁業
4位	遠洋漁業	1カ月以上も大型漁船で行うもの
5位	内水面養殖業	**湖**や**川**での養殖業

4 工業　重要度 ★★★

三大工業地帯

□**中京工業地帯 ➡ 名古屋**を中心とする工業地帯。**自動車**（豊田）、**石油化学**（四日市）、**窯業**（瀬戸・多治見）**全国出荷額1位**（2021年）

□**京浜工業地帯 ➡ 東京**と**横浜**を中心とする工業地帯。**印刷・出版**が盛ん。**全国出荷額6位**（2021年）

□**阪神工業地帯 ➡ 大阪**と**神戸**を中心とする工業地帯。**金属**や**機械工業**が盛ん。**全国出荷額2位**（2021年）

その他の工業地域

□**東海工業地域 ➡ 静岡**の工業地域。**楽器**・オートバイ（浜松）、**製紙・パルプ**（富士・富士宮）

□**瀬戸内工業地域 ➡** 全国出荷額第4位。**石油化学**（倉敷・岩国）、**自動車**（広島）、**造船**（呉）など。倉敷の**水島コンビナート**は有名。

□**北九州工業地域 ➡** 官営**八幡製鉄所**が開設され、鉄鋼（北九州）、石炭（筑豊地域、宇部）が盛んであったが、一次エネルギーが石油に変わり、**製造品出荷額が大幅に減少**。

マメ　貿易相手国は、輸出はアメリカ、輸入は中国が1位

12 原始・古代

日付 ／

頻出度 B

●ヤマト政権の特色や大化の改新後の流れを把握しておこう。
●平安時代の政治や荘園について理解しよう。

1 旧石器～弥生時代　重要度★★

時代	道具の使用	生活手段	遺跡
旧石器時代	**打製石器**・**土器はない**	**狩猟**・**採集**	**岩宿遺跡**
縄文時代	**縄文土器**・磨製石器	**狩猟**・**採集**	**三内丸山遺跡**
弥生時代	**弥生土器**・**青銅器**・鉄器	**稲作**	**吉野ヶ里遺跡**

□**邪馬台国** ⇨ 3世紀頃、女王**卑弥呼**が支配する**邪馬台国**が存在した。

2 大和時代　重要度★★★

ヤマト政権　重要!

□**中央集権化** ➡ 豪族の血縁的な結びつきを**氏**という。**大王**が豪族に**姓**を与えて束ねる**氏姓制度**を導入。また朝廷は直轄地の**屯倉**、豪族は私有地の**田荘**を所有し、私有民を支配する**私地私民**という土地支配をした。

□**古墳文化と大陸文化** ➡ 大王や豪族の墓である**古墳**が造られ、**漢字**、**仏教**や**儒教**が大陸から伝来した。

厩戸王（聖徳太子）の政治　重要!

□**冠位十二階** ➡ 才能に応じた人材登用制度。世襲制を打破しようとした。また役人の心構えである**憲法十七条**を制定し、**遣隋使**を派遣したとされる。

大化の改新と律令国家建設　重要!

□**大化の改新** ➡ 645年、**中大兄皇子**と**中臣鎌足**が**蘇我氏**を滅ぼし（乙巳の変）、翌646年に**改新の詔**を公布して、中央集権国家を目指す。

□政治の流れ ➡ 668年、中大兄皇子は即位して**天智天皇**となる。天皇の死後、**壬申の乱**が起き、**天武天皇**が即位した。

大宝律令と統治機構　重要!

□**大宝律令の制定** ➡ 701年、我が国最初の整備された律令制度である**大宝律**

令が藤原不比等らによって制定された。律令制度は唐の政治制度に学んだもので、律とは現在の**刑法**、令とは現在の**行政法**に相当するものである。

3 奈良時代

重要度 ★★★

政治　重要!

□**平城遷都** ➡ 710年、元明天皇が**平城京に遷都**した。

□**聖武天皇の政治** ➡ 聖武天皇は、皇族と**藤原氏**との抗争に悩み、仏教の力で国を治めるという**鎮護国家**思想から**国分寺建立の詔**を出し、全国に**国分寺**・**国分尼寺**(**東大寺**が本山)を建てた。また**大仏造立の詔**を出した。

□**荘園の発生** ➡ **墾田永年私財法**で**公地公民制**が崩壊、権力者の私有地である**荘園**が発生した。

□**天平文化** ➡ **鑑真**が**唐招提寺**を建立。**行基**が**大仏造営**に尽力した。

4 平安時代

出題 兵庫・鳥取・愛媛　重要度 ★★★

政治　重要!

□**桓武天皇**の政治 ➡ 794年、**桓武天皇**は**平安京**に遷都した。勘解由使など令外官の設置や、**軍団**を廃止し**郡司**の子弟を兵士にする**健児の制**を導入した。

□藤原氏の**摂関政治** ➡ 藤原氏は天皇と外戚関係になり**摂政**と**関白**の重職を独占する**摂関政治**を行った。特に11世紀前半の**藤原道長**・**頼通**父子は絶大な権力を握った。

□**院政** ➡ 摂関政治に代わり、**上皇**(天皇を退位した人)が政治を行う**院政**が、11世紀後半から約1世紀続いた。上皇に権力が集中した。

武士の台頭と平氏の政治

10世紀	**承平・天慶の乱**(**平将門の乱**・**藤原純友の乱**)
11世紀	**前九年・後三年合戦**(**東国**における**源氏**の基盤が確立する)
12世紀	**保元・平治の乱**(**平清盛**が政権を握る)

□**平清盛の政治** ➡ **平氏**が**高位高官**を独占。**日宋貿易**を行う。

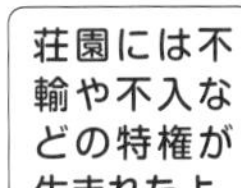

寄進地系荘園の発生　重要!

□**寄進地系荘園**の発生 ➡ **国司**の不当な課税や圧力から逃れるため、**開発領主**は**有力な寺社や貴族**に土地を寄進した。これによって、**寄進地系荘園**が発生した。

社会(歴史)　頻出度 B　原始・古代

ポイント 元明天皇が平城遷都、桓武天皇が平安遷都した

13 中世

頻出度 A

●鎌倉幕府のしくみはよく問われる。
●南北朝から戦国時代までの大まかな流れは、それぞれがよく問われる。

1 鎌倉時代　重要度 ★★★

政治　重要!

□**鎌倉幕府の成立と機構** ➡ **壇の浦の戦い**で**平氏**を倒した**源頼朝**は、**征夷大将軍**に任命され、**鎌倉幕府**を開いた。

中央	**侍所**(御家人の統制)・**公文所**(のち**政所**(まんどころ)・行政)・**問注所**(司法)
地方	**守護**・**地頭**・**京都守護**(**承久の乱**後、**六波羅探題**(ろくはらたんだい)となる)

□**執権政治** ➡ **執権**とは将軍の補佐役で、**北条氏**が実権を握り政治をした。

北条時政(最初の執権)→**北条義時**(摂家将軍の設置)→**北条泰時**(連署と評定衆の設置)→**北条時頼**(引付衆の設置)→**北条時宗**(文永の役・弘安の役)→**北条貞時**(永仁の徳政令)

鎌倉仏教

●**浄土宗**(**法然**(ほうねん))●**浄土真宗**(**親鸞**(しんらん))●**時宗**(**一遍**(いっぺん))
●**日蓮宗**(**日蓮**(にちれん))●**臨済宗**(**栄西**(えいさい))●**曹洞宗**(**道元**(どうげん))

＊臨済宗は幕府の保護を受けた。

2 建武の新政　出題 鳥取　重要度 ★★

□**後醍醐**(ごだいご)**天皇の政治** ➡ 御家人らの協力によって、**後醍醐天皇**は、鎌倉幕府を倒し、**天皇親政**による**建武の新政**を行った。しかし、武士に対する冷遇から彼らの不満を生み出し、わずか3年で崩壊した。

3 南北朝の争乱と室町幕府　出題 鳥取　重要度 ★★★

政治　重要!

□**北朝と南朝** ➡ **湊川の戦い**で朝廷軍を破った**足利尊氏**は、**光明天皇**を擁立し、京都に**北朝**を立てた。**後醍醐天皇**は**吉野**(奈良)に**南朝**を擁立した。これ以降、約**60**年間抗争が続いた。これを**南北朝時代**という。

□**室町幕府**の成立 ➡ **足利尊氏**は政治方針である**建武式目**を発表した。そして1338年、**征夷大将軍**に任命され、京都に**室町幕府**を開いた。

4 守護大名と徳政一揆

出題 鳥取　重要度 ★★★

足利義満の政治　重要!

□**南北朝の合一** ➡ 3代将軍**足利義満**は、南朝の後亀山天皇に働きかけ、北朝の後小松天皇に譲位させ、**南北朝**を合一することに成功した。

□**勘合貿易** ➡ **明**と**国交**を結び、**勘合符**を用いた**朝貢貿易**を行った。

守護領国制の確立　重要!

□**守護の権限拡大** ➡ **義満**亡き後、幕府の力は弱まり、**有力な守護**が権限を拡大し、**守護大名**として地方で勢力を強めた。彼らは一国を支配する**守護領国制**を確立していった。

守護請	守護が荘園領主から荘園管理と年貢の納入を請負う
半済令(はんぜいれい)	守護が徴収した年貢の半分までを軍事費に充てられる

徳政一揆の発生

□**惣村(そうそん)と徳政一揆** ➡ 農民は**惣村**という**自治的な村**を作り、団結した。彼らは**酒屋**・**土倉**に対する借金の帳消しを求めて、**徳政一揆**を行った。**正長(しょうちょう)の徳政一揆**や**嘉吉(かきつ)の徳政一揆**などが有名である。

5 戦国時代

出題 鳥取　重要度 ★★★

応仁の乱と戦国時代　重要!

□**応仁の乱** ➡ 1467年、8代将軍**足利義政**及び管領**斯波家**と**畠山家**の後継者争いから有力守護の**山名持豊**と**細川勝元**が対立、**応仁の乱**が起こった。この頃より、**下克上**の風潮が強まり、**戦国時代**となった。

□**戦国大名の台頭** ➡ **北条早雲**や**武田信玄**などの**戦国大名**が台頭し、**分国法**や**指出検地**などで領国を支配した。

鉄砲とキリスト教の伝来　重要!

□**鉄砲伝来** ➡ 1543年、**種子島(たねがしま)**に漂着した**ポルトガル人**によって**鉄砲**が伝来した。鉄砲の伝来により従来の**築城法**や**戦法**に大きな変化をもたらした。

□**キリスト教伝来** ➡ 1549年、日本人アンジローの案内で鹿児島に到着した**イエズス会宣教師フランシスコ=ザビエル**が、**キリスト教**を伝えた。

ポイント 勘合貿易は対等ではなく、朝貢貿易である

14 近世

日付 ／

頻出度 A

●織田信長と豊臣秀吉の政策の違いに注意する。
●江戸幕府では三大改革がよく問われる。

1 織豊政権　重要度 ★★★

織田信長と豊臣秀吉の政策　重要!

織田信長	楽市・楽座(**商業の自由化**)、キリスト教の保護、将軍**足利義昭**(あしかがよしあき)の追放(**室町幕府滅亡**)、**関所の撤廃**、**撰銭令**(えりぜにれい)
豊臣秀吉	太閤検地(**石高制**(こくだか)や一地一作人の導入) ➡ **荘園の消滅** 刀狩(**農民一揆の防止**)、バテレン追放令(**キリスト教禁止政策**) **惣無事令**(内戦停止命令)、**朝鮮出兵**(**失敗**)

□**桃山文化** ➡ **大坂城**などの**城郭建築**や**千利休**による**茶道**の大成。

2 江戸幕府の成立　出題 富山・兵庫・神戸市　重要度 ★★★

徳川政権の確立の流れ　重要!

関ヶ原の合戦(**徳川家康**が**石田三成**を破る・1600)→**家康**が**征夷大将軍**に就任、**江戸幕府**を開く(1603)→**大坂冬の陣**(1614)→**大坂夏の陣**(**豊臣氏滅亡**・1615)

大名に対する統制　重要!

□**武家諸法度**(ぶけしょはっと) ➡ 大名統制のための法令。2代将軍**徳川秀忠**が**元和令**(げんなれい)を、3代将軍**徳川家光**が**寛永令**(かんえいれい)を出した。

□**参勤交代** ➡ 寛永令で定めた制度。大名に国許と江戸とを**1年交代**で往復させ、莫大な費用を使わせた。大名の**財力**を弱らせ、反抗させないのが目的。

鎖国　重要!

朱印船貿易(**東南アジアで明船との出会貿易**) → **日本人の海外渡航及び帰国禁止**(1635) → **島原・天草一揆**(1637) → **ポルトガル船**の来航禁止(1639) → **オランダ人**を**出島**に移す(1641) → **鎖国の完成**

□**鎖国後も交流した国** ➡ **オランダ・清国・朝鮮**

□**朝鮮通信使** ➡ 朝鮮から来た**親善大使**。**新将軍就任慶賀**のため来日した。

3 江戸幕府の政治

出題 富山・兵庫・神戸市　重要度 ★★★

文治政治

□**文治政治の推進** ➡ 5代将軍**徳川綱吉**は、法律や学問による**文治政治**を推進し、**湯島聖堂**の設立や**生類憐みの令**を実施した。

□**正徳の政治** ➡ **新井白石**による政治。**海舶互市新例**(**長崎貿易の縮小**)や、質の悪い元禄小判を改めて**正徳小判の鋳造**を行った。

三大改革

改革名	実施者	内容
享保の改革	**徳川吉宗**(8代将軍)	**上米**(大名に米を上納させる)、**公事方御定書**(裁判の基準を設ける)、**足高の制**(人材登用制度)、**目安箱**(庶民の意見を集める)
寛政の改革	**松平定信**(老中)	**囲米**(飢饉に備え、米を備蓄する)、**棄捐令**(旗本・御家人の借金を帳消しにする)
天保の改革	**水野忠邦**(老中)	**株仲間の解散**、**人返しの法**(江戸在住の農村出身者を帰郷させる)、**上知令**(大名・旗本の領地を直轄地にする計画。批判が多く、**実施せず**)

□**老中田沼意次の政治** ➡ 享保の改革後に行われた政治。**商業の活性化**で収入増をはかるため、**同業者の組合**である**株仲間**を奨励し、**営業税**を徴収した。

4 開国から大政奉還へ

出題 富山・兵庫・神戸市　重要度 ★★

ペリー来航(1853) → **日米和親条約**(1854)・**日米修好通商条約**(1858) → **安政の大獄** → **桜田門外の変**(1860) → **下関外国船砲撃**(1863) → **池田屋事件**(1864) → **禁門の変**(1864) → **第1次長州征伐**(1864) → **四国艦隊下関砲撃事件**(1864) → **薩長同盟**(1866) → **第2次長州征伐**(1866) → **15代将軍徳川慶喜就任** → **大政奉還**(1867) → **戊辰戦争**(1868～69)

□**攘夷から討幕へ** ➡ **長州藩**は天皇を奉じて外国を排斥する**尊王攘夷**を主張。これに対し、**幕府**、**薩摩藩や会津藩**は朝廷と幕府が協力し、政局安定をはかる**公武合体**を主張。しかし、**薩長両藩**は**同盟**を結び、**武力討幕**に転向した。

□**大政奉還** ➡ **徳川慶喜**は、薩長による武力討幕を回避するため、**政権を朝廷に返還**した。これにより約260年続いた江戸幕府が滅んだ。

マメ 上米をした大名は江戸の滞在期間が半年で済んだ

15 近代・現代

頻出度 A

●明治の中央集権化、日清・日露戦争の推移、大正から終戦までの流れをしっかり理解する。
●戦後はGHQの政策、国際社会への復帰を確実に理解しよう。

1 明治時代

出題 愛知・京都・佐賀　重要度 ★★★

近代国家への歩み　重要!

□**中央集権化** ➡ 1869年、**版籍奉還**(はんせきほうかん)(**藩主**が領地と領民を国家に返上し、藩主を**知藩事**(ちはんじ)として旧領地を管理させた) → 1871年、**廃藩置県**(藩を廃し、**県**を置き、**知藩事**を罷免(ひめん)して中央から**府知事・県令**を派遣した)

□**徴兵令** ➡ **満20歳以上の男子**に**兵役**を義務付け、**国民皆兵制度**を実施。

□**地租改正** ➡ **地主**の**地価**を定め、**地券**を発行し、地価の**3**%を地租として**金納**させた。しかし、**農民一揆**が起きたため、税率を**2.5**%に引き下げた。

2 対外問題

出題 愛知・京都・佐賀　重要度 ★★★

条約　重要!

□**条約改正** ➡ 1894年、**陸奥宗光**(むつむねみつ)が**領事裁判権の撤廃**と**関税自主権の一部**回復。1911年、**小村寿太郎**が**残りの関税自主権**を回復し、**条約改正**に成功した。

日清戦争から日露戦争　重要!

> **甲午農民戦争**(1894)→**日清戦争**勃発→**下関条約**(1895)→**ロシア・ドイツ・フランス**による**三国干渉**→**遼東半島返還**→**日英同盟**(1902)→**日露戦争**勃発(1904)→**ポーツマス条約**(1905)→**日比谷焼打ち事件**

3 大正時代

重要度 ★★

政治　重要!

□**第1次世界大戦と日本** ➡ 第1次世界大戦が始まると、日英同盟の誼(よしみ)から日本は連合国側に味方して参戦した。日本は、中国山東省青島のドイツ軍要塞を攻略し、**袁世凱**(えんせいがい)政府に**21カ条の要求**をつきつけた。

□**原敬内閣**(はらたかし) ➡ 原内閣は**初めての本格的な政党内閣**として、国民の強い支持を受けたが、国民が望む**普通選挙法**を施行しなかったため、暗殺され、総辞職。

□**加藤高明内閣** ➡ **政党内閣**。1925年に**普通選挙法**と**治安維持法**を成立させた。これにより**満25歳以上の男子**に**選挙権**が与えられた。

4 昭和時代初期　重要度 ★★★

軍部の台頭と大陸進出  重要!

柳条湖事件(1931) → 満州事変勃発 → 満州国建国(1932) → 五・一五事件(犬養毅首相暗殺) → 二・二六事件(1936) → 盧溝橋事件(1937) → 日中戦争勃発 → 国家総動員法発布(1938)

南進政策と太平洋戦争 重要!

□**南進政策** ➡ **日中戦争**は膠着化し、**東南アジア**へ進出して資源確保を図る**南進政策**に転向。東南アジアに植民地をもつ欧米諸国と対立。

□**太平洋戦争** ➡ **東条英機**内閣は、戦争による打開の道を求め、1941年、陸軍がマレー半島に上陸し、海軍が**真珠湾攻撃**を行い、**太平洋戦争**が勃発した。しかし、**ミッドウェー海戦**(1942)を契機に敗北が続き、1945年8月に**ポツダム宣言**を受諾し、**無条件降伏**した。

5 戦後史　重要度 ★★★

GHQの政策 重要!

□**民主化政策** ➡ **GHQ**(**連合国軍最高司令官総司令部**)の指示による日本の民主化が進められた。**婦人の参政権**や**農地改革**などが実現した。

□**教育の民主化** ➡ **軍国主義者の教職追放**、**修身・歴史・地理の授業停止**、**教育基本法・学校教育法**の発布、**教育委員会**の設置

国際社会への復帰 重要!

□**サンフランシスコ平和条約** ➡ 1951年、日本は48カ国と当該条約を締結し、**GHQ**による占領は終わり、**国際社会**に復帰した。しかし、**ソ連**の反対で**国際連合加盟**は1956年まで延びた。

アジア外交の進展 重要!

□**佐藤栄作内閣** ➡ 1965年に**日韓基本条約**を結び、韓国との**国交正常化**を実現。1972年には**沖縄返還**を達成した。

□**田中角栄内閣** ➡ 1972年、**日中共同声明**を発表し、**日中国交正常化**を実現した。

ポイント 農地改革によって自作農が多く創出された

16 日本国憲法①

頻出度 A

●自由権と社会権の性格の違いに注意しておく。
●人権のみでなく、3大義務も忘れずにおさえよう。

1 日本国憲法の基本原則

出題 鳥取・沖縄　重要度 ★★

□**基本的人権の尊重** ➡ 国家権力の濫用を阻止してすべての人の人権を保障する。また、**人権はすべての人が生まれながらにして当然に有する権利**である。

□**国民主権** ➡ **国家の政治を最終的に決定する権力が国民にある。**

□**平和主義** ➡ 憲法は9条において、**「国権の発動たる戦争」「武力による威嚇（いかく）」「武力の行使」を永久に放棄する**として、平和主義を明らかにしている。

2 自由権

出題 鳥取・沖縄　重要度 ★★★

精神的自由権

□**思想・良心の自由**(19条) ➡「思想・良心」とは、人生観、世界観、道徳的価値観のことをいい、これは内心にとどまる限り**絶対的に保障される。**

□**信教の自由**(20条) ➡ 信教の自由は、**信仰の自由、宗教的行為の自由、宗教的結社の自由**の内容に分けることができる。

□**政教分離原則** ➡ 国や地方公共団体が、宗教から**中立の立場**に立たなければならないことをいう。

□**表現の自由**(21条) ➡ 人が自分の意見、考えを表明する自由である。

□**検閲** ➡ 出版物や放送の内容を検閲して、その発表や放送を禁止することを**一切禁じている。**

□学問の自由(23条) ➡ **学問研究の自由**、その**研究成果を発表する自由**、またその**研究を教授する自由**のことを指す。

経済的自由権

□**職業選択の自由**(22条) ➡ 自分の希望する職業を選択する自由の他に、**選択した職業を遂行していく自由**(**営業の自由**)をも含む。

□**財産権**(29条) ➡ 自分の有する**私有財産の不可侵**が原則的に保障される。ただし、財産権は**公共の福祉**※1による合理的制限が認められる場合も多い。

3 社会権

出題 鳥取・沖縄　重要度 ★★★

□**社会権** ➡ 人間らしい生活を保障するよう**国に対して要求できる**権利。
□**生存権**(25条) ➡ **健康で文化的な最低限度の生活を営む権利**をいう。
□**教育を受ける権利**(26条) ➡ 個人の人格発展と民主主義の確立・維持に不可欠な権利。また、子どものみならず、**大人**に対しても保障される。
□**労働基本権**(28条) ➡ 労働者と使用者の立場を対等にするため、労働者に対して**団結権**、**団体交渉権**、**団体行動権**の労働三権を認めている。

4 その他

出題 鳥取・沖縄　重要度 ★

包括的基本権

□**幸福追求権**(13条) ➡ 憲法に列挙されていない**新しい人権**の根拠となる一般的包括的な権利とされている。

【新しい人権】

権利	内容
プライバシーの権利	私事や私生活をみだりに公開されない権利。なお個人情報保護の見地から、自己に関する情報をコントロールする権利とも考えられている。
肖　像　権	みだりに自己の容姿などを撮影されない権利
環　境　権	健康で快適な生活を維持するために、よい環境を享受する権利
アクセス権	マスメディアへ接近(アクセス)する権利で、意見広告や反論記事の掲載などの方法がある。知る権利に関連して主張されるようになった。

法の下の平等

□**法の下の平等**(14条) ➡「すべて国民は、法の下に平等であつて、人種、信条、性別、社会的身分又は門地により、政治的、経済的、又は社会的関係において、差別されない」としている。

国民の義務

□**国民の義務** ➡ 日本国民として果たさなければならない国民の義務として、❶**子女に教育を受けさせる義務**(26条2項)、❷**勤労の義務**(27条1項)、❸**納税の義務**(30条)の3つを定めている。

用語 ※1　公共の福祉…人権相互の間に発生する衝突や矛盾を調整する原理。

ポイント 自由権は「国家からの自由」、社会権は「国家による自由」

17 日本国憲法②

頻出度 A

●統治分野では国会の出題が多い。国会の権能を理解しよう。
●裁判所分野では、裁判官の独立に注意しておこう。

1 我が国における三権分立　重要度 ★★

□**立法権** ➡ 国の唯一の**立法機関**とされる**国会**に属する (41条)。

□**行政権** ➡ 行政権は**内閣**に属すると規定されている(65条)。

□**司法権** ➡ **最高裁判所**及び法律の定めるところにより設置される**下級裁判所**に属すると規定されている(76条)。

2 国会　重要度 ★★★

□国会の地位 ➡ 憲法では、国会について、「国会は、**国権の最高機関**であって、国の唯一の**立法機関**である」(41条)と定めている。

□**二院制** ➡ 国会は**衆議院**と**参議院**からなり、これを**二院制**という。

国会の権能

□**法律案の議決権** ➡ 法律案は、**両議院の可決によって成立する**のが原則である(59条)。

□**予算案の議決** ➡ 予算は先に**衆議院**で審議される(60条)。

□**条約の承認** ➡ 条約の締結権は**内閣**にあるが、条約の締結は国政に大きな影響を与えることから、国会の承認が必要となっている(61条)。

□**内閣総理大臣の指名** ➡ 内閣総理大臣は、**国会議員の中から**国会の議決によって指名される(67条)。

□**衆議院の内閣不信任** ➡ 衆議院は、**内閣に対する不信任決議**を行うことができる(69条)。

□**憲法改正の発議権** ➡ 憲法の改正要件は、**各議院の総議員の3分の2以上の賛成**による国会発議と**国民投票**における**過半数の賛成**である(96条)。

3 内閣　重要度 ★★★

□**内閣** ➡ 内閣は合議体であり、**首長**である**内閣総理大臣**とその他の**国務大**

臣とで組織される。

□**閣議** ➡ 国務大臣が出席する会議であり、**内閣は閣議によって職権を行う**。

□内閣の構成員たる要件 ➡ **文民**でなければならないことと国務大臣の**過半数**は国会議員の中から選ばれること(66条、68条)。

□内閣の権限 ➡ ❶法律を誠実に執行し、国務を総理すること。❷**条約の締結**。❸予算の作成と国会への提出。❹政令の制定。❺天皇の**国事行為**に関する**助言と承認**。❻**最高裁判所長官**の**指名**、最高裁判所長官以外の最高裁判所裁判官及び下級裁判所裁判官の**任命**。

4 裁判所

重要度 ★★★

□裁判所の組織 ➡ 裁判所は、**最高裁判所**と法律の定めにより設置される**下級裁判所**からなる。下級裁判所を分類すると、**高等裁判所**、**地方裁判所**、**簡易裁判所**、**家庭裁判所**に分けられる。

□**三審制** ➡ 一般的な事件の上訴は、**地方裁判所→高等裁判所→最高裁判所**の順になされ、これを**三審制**という。

□**特別裁判所** ➡ **特別裁判所の設置は憲法上禁止されている**(76条)。特別裁判所は、**特定の身分にある人、特定の種類の事件について審判する裁判所**で、通常裁判所の組織系列に属さない。

□**違憲立法審査権** ➡ 法律、命令(政令、条例)、規則、処分などの**国家行為**が、**憲法に適合するかしないかを審査する権限**をいう。

□**裁判の公開** ➡ 裁判の**対審**及び**判決**は、**公開法廷**でこれを行う。

□**裁判官の独立** ➡ 公正な裁判を行うために、**裁判官は一切の外部的圧力から独立していなければならない**ため、憲法は、「その**良心**に従ひ独立してその職権を行ひ、この**憲法及び法律**にのみ拘束される」と定めて(76条3項)、裁判官の独立を特に明文で定めている。

□**裁判官の身分保障** ➡ 裁判官が罷免されるのは、❶**心身の故障のために職務を執ることができない**と裁判で決定された場合、❷**公の弾劾**による場合、❸**国民審査**による罷免(❸は**最高裁判所裁判官のみ**)がある。

衆議院で内閣不信任決議が可決したとき、内閣は10日以内の衆議院解散か、総辞職をする(69条)

ポイント 国会・内閣・裁判所の各権能を覚えよう！

18 選挙と地方自治

頻出度 A

●日本の選挙制度は必須事項なので、確実におさえよう。
●地方自治は、直接請求権に注意しておこう。

1 選挙　重要度 ★★★

選挙の基本原則

□**普通選挙** ➡ **身分、財産、経済力(納税額)、信仰、人種、性別などによって選挙権を制限しない。**

□**平等選挙** ➡ **1人1票を原則**とし、**1票の価値の平等**も要求する。

□**直接選挙** ➡ 選挙において、**有権者が公職者を直接に選出する。**

□**秘密投票** ➡ **有権者がだれに投票したかを秘密にする。**

選挙制度

□**小選挙区制** ➡ **1つの選挙区から1人の代表者を選出する**制度(**衆議院議員選挙**に導入)。

□**大選挙区制** ➡ **1つの選挙区から2人以上の代表者を選出する**制度。

□**比例代表法(制)** ➡ 議席を各政党の**得票数**に比例して配分する制度。

2 日本の選挙制度　重要度 ★★★

衆議院議員

□**小選挙区比例代表並立制** ➡ **衆議院議員選挙**に採用されている選挙制度(衆議院定数465、任期4年、**解散あり**)。

□**小選挙区** ➡ 全国を**289**の**小選挙区**に分けて**289**議席を選出する。

□**比例代表区** ➡ 全国を**11ブロック**に分けた**比例代表区**から**176**議席を選出する。

参議院議員

□**選挙区比例代表並立制** ➡ **参議院議員選挙**に採用されている選挙制度(参議院定数248、任期6年、**3年ごとに半数が改選**、**解散なし**)。

□**選挙区** ➡ **45**の選挙区から**148**議席を選出する。各選挙区の人口に応じて2～12議席が配分されている。

□**比例代表区** ➡ **比例代表区**は**全国を一区**とし、**100**議席を選出する。

3 地方自治

重要度 ★★

□**地方自治の本旨** ➡ **団体自治**と**住民自治**の２つの原理を含む。

2つの原理	役割
団体自治	地方行政は、地方公共団体の機関によって、**国家からは一応独立**したものとして、自主的になされるべきである。
住民自治	地方行政は、**地域住民の意思に基づいて**行われるべきである。

地方自治体の機関

□**地方議会** ➡ **一院制**で、地方自治体の行政について審議する**議事機関**。議員の任期は**4**年で、住民の直接選挙によって選出される。

□**首長** ➡ 住民の**直接選挙**によって選出される。都道府県には**知事**、市町村には**市町村長**が置かれる。

□**首長の不信任** ➡ 議会は、**総議員の３分の２以上**が出席し、その**４分の３以上**の賛成により、首長の不信任の議決をすることができる。

➡ 首長は、**10**日以内に**議会を解散**しない限り、**辞職しなければならない。**

地方自治体の事務

□**法定受託事務** ➡ **国が本来果たすべき役割にかかわるものであるが、適正な処理を特に確保する必要がある**ため、法律または政令に特に定めるもの。

□**自治事務** ➡ 地方自治体の事務のうち、**法定受託事務**以外のもの。

住民の権利

選挙対象	選挙権	被選挙権
地方議会議員	満18歳以上の住民	満**25**歳以上の住民
市長村長	満18歳以上の住民	満**25**歳以上の国民
都道府県知事	満18歳以上の住民	満**30**歳以上の国民

□**直接請求権** ➡ 地方自治体の有権者の一定数以上の連署をもって、その代表者から、一定の行動を取るように請求できる権利。

請求の種類	請求の要件（署名）
条例の制定・改廃請求	有権者の**50分の１**以上
監査請求	有権者の**50分の１**以上
議会の解散請求	有権者の**３分の１**以上
議員・長・その他の役員の解職請求	有権者の**３分の１**以上

ポイント 衆議院議員選挙と参議院議員選挙の制度の違いは必須事項！

19 経済のしくみ

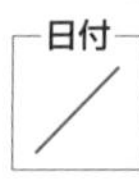

頻出度 A

●市場メカニズムと国民経済の諸概念をしっかりおさえる。
●日銀と金融政策は最新動向をフォローしておくことを忘れずに。

1 市場メカニズム

出題 佐賀　重要度 ★★★

□需要 ➡ 商品やサービスなどを購入したいと思う欲求をいう。

□供給 ➡ 商品やサービスなどを販売し、提供することをいう。

□市場 ➡ 買い手(需要者)と売り手(供給者)が、**商品などの取引を行う場**のことで、商品などの価格が形成される。

□需要曲線 ➡ **需要**は、一般的に**価格が高くなる**と少なくなり、**価格が安くなる**と多くなる。このような理由から、需要曲線は右下がりとなる。

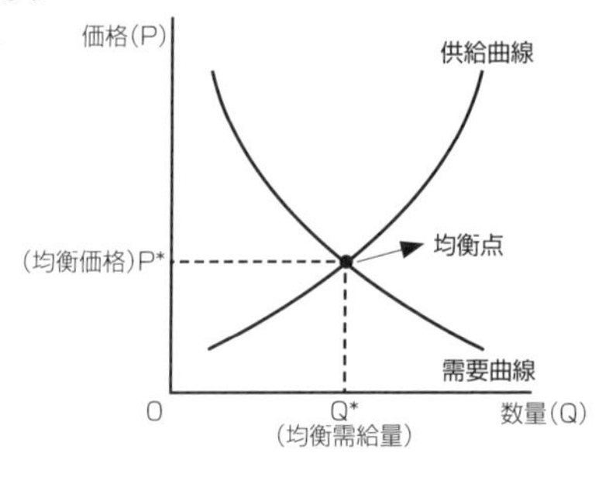

□供給曲線 ➡ **供給**は、一般的に**価格が高くなる**と多くなり、**価格が安くなる**と少なくなる。このような理由から供給曲線は右上がりとなる。

□均衡価格(市場価格) ➡ 完全競争市場において、需要と供給が一致する商品価格のことをいう。

□市場メカニズム(価格の自動調節機能) ➡ 市場において、需要と供給が一致していなくても、商品の価格が変動することによって、**需要と供給が調節されて、最終的には需給が一致する**。このときの価格を均衡価格という。

2 寡占市場

出題 佐賀　重要度 ★★

□寡占市場 ➡ **少数の大企業が市場の大部分を占有**している状態。

□独占 ➡ **供給者が１社のみ**であり、**この１社が市場を支配している**状態。

□管理価格 ➡ 寡占市場の少数の企業が、互いに価格競争を避けて、**市場の需給関係によらないで決定・維持される価格**のことをいう。

□価格の下方硬直性 ➡ 管理価格が形成されることで、商品の供給過剰やコストダウンがあっても**価格が元のまま維持されて下がりにくくなること**。

3 国民経済の指標 重要度 ★★★

□国内総生産(ＧＤＰ) ➡ 一国内で一定期間(１年間)に新たに生産された**商品やサービスの付加価値の総額**をあらわすものである。国内総生産(ＧＤＰ)は、一国の経済規模を測る指標として利用されている。

□国民総生産(ＧＮＰ) ➡ 一国において一定期間(１年間)に国民が新たに生産した**商品やサービスの付加価値の総額**をあらわすものである。国内総生産(ＧＤＰ)は生産を「国内」でとらえるが、国民総生産(ＧＮＰ)は「国民」でとらえる。基本的には国民総所得(ＧＮＩ)と同一となる。

4 財政 重要度 ★★★

□**財政** ➡ 政府(国・地方公共団体)が行う経済活動のこと。

□財政の機能 ➡ 資源配分の調整、所得の再分配、経済の安定化という３つの機能がある。

□経済の安定化 ➡ 好況や不況などの景気変動に対して、景気を調節して経済を安定的に保つことで、以下の２つの機能が挙げられる。

- 自動安定化機能(ビルト・イン・スタビライザー) ➡ **財政の制度に内蔵**されており、好況や不況において、**自動的に景気を調整する**。累進課税や社会保障給付などが具体例となる。
- 裁量的な財政政策(フィスカル・ポリシー) ➡ 景気動向に応じて、政府が財政規模を伸縮させるなど、**裁量的に財政政策を実施する**こと。

5 日本銀行と金融政策 重要度 ★★★

□公開市場操作(オープン・マーケット・オペレーション) ➡ 日本銀行が、**有価証券の売買を通じて市中の通貨量を変化させ**、**景気の調整を行う**こと。**好況期**には売りオペレーション(金融引締め)を行い、**不況期**には買いオペレーション(金融緩和)を行う。

□支払準備率操作 ➡ 日本銀行が支払準備率を**上下させることで市中の通貨量を変化させ**、**景気の調整を行う**。**好況期**には支払準備率を引き上げ、**不況期**には引き下げる。

□支払準備率 ➡ 銀行などの金融機関は、**日本銀行に預金額の一定割合の現金を預金しておかなければならず**、この割合のことをいう。

ポイント 経済については、需要と供給のグラフの理解が重要

20 社会保障

頻出度 A

●社会保障は公的扶助、社会福祉、社会保険、公衆衛生の4本柱をおさえる。
●少子・高齢化の現状は派生する問題も含めて理解しておく。

1 我が国の社会保障　重要度 ★★

□**社会保障** ➡ 「**公的扶助**」「**社会福祉**」「**社会保険**」「**公衆衛生**」が中心。

□**公的扶助** ➡ **国が最低限度の生活水準(保護基準)を定めて**、申請者の資力が不足する分に応じて補足する制度で、**生活保護制度**が代表である。

□**社会福祉** ➡ 社会的・経済的に何らかの保護を必要としている人々(弱者)に無償または軽い負担で施設・設備などの各種サービスを提供し、福祉を増進させることをいう。**児童福祉**、**老人福祉**などが代表である。

□**社会保険** ➡ 国民が疾病や負傷、失業、老齢などの原因により所得を得ることが困難になったときに**保険制度に基づいて所得を保障していく制度**。

□**社会保険の分類** ➡ 「**医療保険**」「**年金保険**」「雇用保険」「労働者災害補償保険(労災)」「**介護保険**」などがある。

□**公衆衛生** ➡ 国民の生活のために、**伝染病や公害病、がんなどの予防を目的として実施される組織的行動**をいい、生活環境の整備や予防衛生を促進させること、及び各種の疾病への対策などを行う。

2 少子・高齢化の現状　重要度 ★★

少子化の現状

□**合計特殊出生率** ➡ 15歳から49歳までの女性の年齢別出生率を合計したものを合計特殊出生率といい、**1人の女性が一生の間に産む子どもの人数に相当**する。長期的な人口水準を維持するためには、この数値が2.07以上必要であるとされる(人口置換水準)。

□**近年の合計特殊出生率** ➡ 2023年の**合計特殊出生率**は**1.20**で前年に比べ、やや減少し、出生数は72万7277人で前年から4万3470人減少した。

高齢化の現状

□**高齢社会** ➡ 社会における**高齢者(65歳以上)の人口**が総人口の**7**%を超

えると**高齢化社会**といい、**14**%を超えると**高齢社会**という(20%あるいは21%を超えた社会を超高齢社会ということもある)。

□**高齢化率** ➡ 2023年10月現在の65歳以上の高齢者人口は、**約3622万人**、高齢化率も**29.1**%と世界で最も高い水準となっている。

3 日本的雇用慣行　重要度 ★★

□**日本的雇用慣行** ➡「**終身雇用**」「**年功序列賃金**」「**企業別組合**」

□**終身雇用** ➡ 就職した者が**同一企業内で定年まで働くこと**。

□**年功序列賃金** ➡ **毎年の定期昇給ごとに賃金が上昇する**とともに、**勤続年数に応じて職務も昇格**していくこと。

□**企業別組合** ➡ **企業ごとに労働組合が組織されている**こと。

4 労働市場の動向　重要度 ★★

□**労働可能人口** ➡ **15歳以上の人口**を指し、2023年平均は1億1017万人。

□**労働力人口** ➡ **15歳以上で、労働する意思と能力をもつ者の人口をいい、就業者と完全失業者を合わせたもの**を指す。2023年平均は6925万人。

□**労働力率** ➡ 労働可能人口のうち労働力人口の占める割合のことをいう。2023年平均は62.4%。

□**非労働力人口** ➡ 労働可能人口から労働力人口を差し引いたもの。2023年平均は4084万人。

□**就業者** ➡ **仕事をしている従業者と仕事を休んでいる休業者**を合わせたものをいう。2023年平均は6247万人。

□**完全失業者** ➡ **仕事がなく、求職中で、仕事があればすぐに就ける人**のことをいう。2023年平均は178万人。

□**完全失業率** ➡ 労働力人口のうち完全失業者の占める割合のことをいう。2023年平均は**2.6**%。

5 労使関係　重要度 ★★

□**労働組合** ➡ 労働者が主体となり、労働条件の維持改善を目的として自主的に組織する団体で、**使用者(企業)と対等な立場で労働条件などの交渉を行う**。

□**産業別組合**(**インダストリアル・ユニオン**) ➡ 企業の枠を超えて、同一の産業や同一の業種の労働者によって組織される労働組合のことをいい、**欧米の労働組合の主流の組織形態**となっている。

ポイント 社会保障は4本柱を覚える。労働問題は統計数値を覚える

21 国際政治

日付 ／

頻出度 B

●国際連合の概要とその主要機関をおさえる。
●国際経済連携は、最新動向に注意しよう。

1 国際連合

重要度 ★★★

□国際連合 ➡ 1945年、国際の平和と安全の維持を目的として国際連合憲章に基づいて設立された国際機関。本部は**アメリカのニューヨーク**。日本は、1956年にソ連との国交正常化を機に国際連合へ加盟をはたした。

□国連の加盟国 ➡ 2024年7月時点で193カ国が加盟している。

□**国連の主要機関** ➡ 国連の主要機関は以下の6機関で、総会、安全保障理事会、経済社会理事会、国際司法裁判所、事務局、信託統治理事会。

総会

□総会 ➡ すべての国連加盟国で構成され、討議・勧告を職務の中心とする国連の最高機関である。

□総会の議決 ➡ 原則的に一国一票による多数決を採用しているが、**実質事項(重要事項)に関しては3分の2以上の賛成**が必要。また、総会の決議は、原則として加盟国を拘束しない。

安全保障理事会

□安全保障理事会 ➡ 国際の平和と安全の維持を目的とする機関で、理事国は、アメリカ・イギリス・ロシア・フランス・中国の5常任理事国と10カ国の非常任理事国(任期2年)によって構成されている。

□安全保障理事会の議決 ➡ **実質事項の議決は、5常任理事国を含む9カ国の賛成で成立する**。

□拒否権 ➡ 安全保障理事会の議決(実質事項)は、**5常任理事国の1国でも反対すると決議は成立しない**。これを**常任理事国の**拒否権という。

□議決の効力 ➡ 国際連合のすべての加盟国を拘束する。

国際司法裁判所

□国際司法裁判所 ➡ 国際紛争を司法的に解決する機関で、オランダのハーグに本部がある。

事務局

□**事務局** ➡ 国際連合の運営に関する**事務を受けもつ**機関である。

□**事務総長** ➡ 国際連合の首席行政官で、事務局の長でもある。事務総長は、総会の招集や各機関の運営などを行う。また、事務総長の選出は、**安全保障理事会の勧告**によりなされ、**総会が任命**する。任期は**5**年である。

2 国連の専門機関 重要度 ★

□**専門機関** ➡ **各国政府間の協定によって設立**され、経済、文化などの各分野での国際協力を目的とし、**国際連合と連携協定を結んでいる**国際機関。

分野	機関
経済分野	ＩＭＦ（**国際通貨基金**）・ＷＢ（世界銀行グループ）・ＵＮＩＤＯ（国連工業開発機関）
農業分野	ＦＡＯ（国連食糧農業機関）・ＩＦＡＤ（国際農業開発基金）
社会的分野	ＩＬＯ（**国際労働機関**）・**ＷＨＯ**（**世界保健機関**）
教育・文化的分野	**ＵＮＥＳＣＯ**（**国連教育科学文化機関**）・ＷＩＰＯ（世界知的所有権機関）・ＵＮＷＴＯ（世界観光機関）
交通・通信分野	ＩＴＵ（国際電気通信連合）・ＵＰＵ（万国郵便連合）・ＷＭＯ（世界気象機関）・ＩＭＯ（国際海事機関）・ＩＣＡＯ（国際民間航空機関）

3 貿易と国際経済連携 重要度 ★★

□**ＷＴＯ**（**世界貿易機関**） ➡ 貿易や投資の自由化に関するルールづくりや**各国間の貿易紛争処理**を統括する国際機関で、**1995年に発足**した。

□**ＯＥＣＤ**（**経済協力開発機構**） ➡ 経済の安定成長と貿易拡大、発展途上国の経済援助などを目的として1961年に発足した組織。

□**ＥＵ**（**ヨーロッパ連合**） ➡ ヨーロッパにおいて、経済だけでなく政治・社会などを含む**全面的な統合を目指す組織**として1993年に発足した。2024年7月現在で**27**カ国が加盟している（イギリスが2020年に離脱）。

□**ＡＰＥＣ**（**アジア太平洋経済協力**） ➡ アジア太平洋地域諸国間の発展に向けた**経済協力のための協議体**で、1989年に発足した。日本、アメリカ、ＡＳＥＡＮ諸国など21の国と地域が加盟している。

□**環太平洋パートナーシップ**（**TPP**）**協定**➡ 日本とアメリカを軸に12カ国で協議が始まったが、アメリカが離脱し11カ国で成立した。2023年、イギリスの加入が承認された。

ポイント 国際連合の総会と安全保障理事会の特徴はおさえよう

算　数

01 学習指導要領① 目標

●算数科の目標は頻出である。暗記しよう。
●目標で大枠を把握したら、各学年の目標の違いをおさえていこう。

1 算数科の目標 暗記 出題 岩手・埼玉・香川・愛媛 重要度 ★★★

数学的な見方・考え方を働かせ※1、**数学的活動を通して**※2、**数学的に考える資質・能力を次のとおり育成すること**※3を目指す。

(1)数量や図形などについての**基礎的・基本的な概念や性質**などを**理解**するとともに、**日常の事象を数理的に処理する技能を身に付ける**※4ようにする。

(2)日常の事象を数理的に捉え**見通しをもち筋道を立てて考察する力**、基礎的・基本的な数量や図形の性質などを見いだし**統合的・発展的に考察する力**、**数学的な表現**を用いて事象を簡潔・明瞭・的確に表したり目的に応じて柔軟に表したりする力※5を養う。

(3)**数学的活動の楽しさや数学のよさに気付き**、学習を振り返って**よりよく問題解決しようとする態度**、算数で学んだことを生活や学習に活用しようとする態度※6を養う。

□※1 ➡ 算数・数学の**学習指導の基本的な考え方**を述べたものである。「数学的な見方・考え方」は、算数の学習において、**どのような視点で物事を捉え、どのような考え方で思考をしていくのか**という、**物事の特徴や本質を捉える視点**や、**思考の進め方や方向性を意味**する。

□※2 ➡ **数学的活動**とは、**事象を数理的に捉えて、算数の問題を見いだし、問題を自立的、協働的に解決する過程を遂行すること**である。**様々な局面で、数学的な見方・考え方が働き**、その**過程を通して数学的に考える資質・能力の育成**を図ることができる。

□※3 ➡ **数学的に考える資質・能力**は、「数学的な見方・考え方」を働かせた**数学的活動によって育成**されるもので、**算数の学習はもとより、他教科等の学習や日常生活等での問題解決に生きて働くもの**である。

□※4 ➡ 「**知識及び技能**」についての目標。概念や性質についての理解に裏付けられた確かな知識及び技能が、**日常生活や社会における事象を数理的に捉え処理して問題を解決する**ことに役立てられるようにすることが大切。

□※５ ➡ **単純なものから複雑なもの**へ、**易から難**へというように**適切な場を設定しやすい**という点で、算数科が担う役割は大きい。算数を統合的・発展的に考察していくことで、**算数の内容の本質的な性質や条件が明確**になり、**数理的な処理における労力の軽減**も図ることができる。**数学的な表現を柔軟に用いる**ことで、**互いに自分の思いや考えを共通の場で伝え合うことが可能**となり、それらを**共有**したり**質的に高め**たりすることができる。

□※６ ➡ 児童が**数学的な見方・考え方**を身に付けながら算数を学習し、**数学が人間にとって価値あるものである**ことが分かり、**主体的**に**算数の学習に関われるようにすることが重要**である。算数の授業の中で、**基礎的・基本的な知識及び技能を確実に身に付けるだけでなく、身に付けた知識及び技能を活用していくことは極めて重要**である。

2 各学年の目標

出題 岩手・埼玉・香川・愛媛　重要度 ★★

算数科の領域と学年目標

□**内容の領域** ➡ 「**A 数と計算**」・「**B 図形**」・「**C 測定**」（第１学年～第３学年）・「**C 変化と関係**」（第４学年～第６学年）・「**D データの活用**」

□**学年目標** ➡ **児童の発達の段階**に応じて、第１学年、第２学年と第３学年、第４学年と第５学年、第６学年の４つの段階を意識した記述とした。

第１学年の目標

（1）**数の概念**とその**表し方**及び**計算の意味**を**理解**し、量、図形及び数量の関係についての**理解の基礎となる経験を重ね**、数量や図形についての**感覚を豊か**にするとともに、**加法及び減法**の計算をしたり、形を構成したり、身の回りにある**量の大きさ**を比べたり、簡単な絵や図などに表したりすることなどについての**技能**を身に付けるようにする。

（2）ものの数に着目し、**具体物や図**などを用いて数の数え方や**計算の仕方**を考える力、ものの形に着目して特徴を捉えたり、**具体的な操作**を通して**形の構成**について考えたりする力、**身の回りにあるもの**の特徴を量に着目して捉え、量の大きさの比べ方を考える力、データの個数に着目して**身の回りの事象の特徴を捉える力**などを養う。

（3）**数量や図形に親しみ**、算数で学んだことのよさや楽しさを感じながら学ぶ態度を養う。

第２学年の目標

（1）**数の概念**についての**理解を深め**、**計算の意味**と性質、基本的な図形の概念、量の概念、簡単な表とグラフなどについて**理解**し、数量や図形についての感覚

ポイント 算数科の目標で大きな枠組を理解したら、各学年の目標の違いをおさえよう

を豊かにするとともに、加法、減法及び乗法の計算をしたり、図形を構成したり、長さやかさなどを**測定**したり、表やグラフに表したりすることなどについての**技能**を身に付けるようにする。

(2)数とその表現や数量の関係に着目し、必要に応じて**具体物や図**などを用いて数の表し方や計算の仕方などを**考察**する力、平面図形の特徴を図形を構成する要素に着目して捉えたり、**身の回りの事象**を図形の性質から考察したりする力、**身の回りにあるもの**の特徴を量に着目して捉え、量の単位を用いて的確に表現する力、身の回りの事象をデータの特徴に着目して捉え、簡潔に表現したり考察したりする力などを養う。

(3)**数量や図形に進んで関わり**、数学的に表現·処理したことを振り返り、数理的な処理のよさに気付き生活や学習に活用しようとする態度を養う。

第３学年の目標

(1)数の表し方、整数の計算の意味と性質、小数及び分数の**意味と表し方**、基本的な図形の概念、量の概念、棒グラフなどについて**理解**し、数量や図形についての感覚を豊かにするとともに、整数などの計算をしたり、図形を構成したり、長さや重さなどを**測定**したり、表やグラフに表したりすることなどについての**技能**を身に付けるようにする。

(2)数とその表現や数量の関係に着目し、必要に応じて**具体物や図**などを用いて数の表し方や計算の仕方などを**考察**する力、平面図形の特徴を図形を構成する要素に着目して捉えたり、**身の回りの事象**を図形の性質から考察したりする力、**身の回りにあるもの**の特徴を量に着目して捉え、量の単位を用いて的確に表現する力、身の回りの事象をデータの特徴に着目して捉え、簡潔に表現したり適切に判断したりする力などを養う。

(3)**数量や図形に進んで関わり**、数学的に表現·処理したことを振り返り、数理的な処理のよさに気付き生活や学習に活用しようとする態度を養う。

第４学年の目標

(1)小数及び分数の意味と表し方、四則の関係、平面図形と立体図形、面積、角の大きさ、折れ線グラフなどについて**理解**するとともに、整数、小数及び分数の計算をしたり、図形を構成したり、図形の面積や角の大きさを求めたり、表やグラフに表したりすることなどについての**技能**を身に付けるようにする。

(2)数とその表現や数量の関係に着目し、目的に合った表現方法を用いて計算の仕方などを**考察**する力、図形を構成する要素及びそれらの位置関係に着目し、図形の性質や図形の計量について考察する力、伴って変わる二つの数量やそれらの関係に着目し、**変化や対応の特徴**を見いだして、二つの数量の関係を表や式を用いて考察する力、目的に応じてデータを収集し、データの特徴や傾向に着目して表やグラフに的確に表現し、それらを用いて問題解決したり、解決の過程や結果を多面的に捉え考察したりする力などを養う。
（3）数学的に表現・処理したことを振り返り、多面的に捉え検討して**よりよいものを求めて粘り強く考える態度**、数学のよさに気付き学習したことを生活や学習に活用しようとする態度を養う。

第5学年の目標

（1）整数の性質、分数の意味、小数と分数の計算の意味、面積の公式、図形の意味と性質、図形の体積、速さ、割合、帯グラフなどについて**理解**するとともに、小数や分数の計算をしたり、図形の性質を調べたり、図形の面積や体積を求めたり、表やグラフに表したりすることなどについての**技能**を身に付けるようにする。
（2）数とその表現や計算の意味に着目し、目的に合った表現方法を用いて数の性質や計算の仕方などを**考察**する力、図形を構成する要素や図形間の関係などに着目し、図形の性質や図形の計量について考察する力、伴って変わる二つの数量やそれらの関係に着目し、**変化や対応の特徴**を見いだして、二つの数量の関係を表や式を用いて考察する力、目的に応じてデータを収集し、データの特徴や傾向に着目して表やグラフに的確に表現し、それらを用いて問題解決したり、解決の過程や結果を多面的に捉え考察したりする力などを養う。
（3）数学的に表現・処理したことを振り返り、多面的に捉え検討して**よりよいものを求めて粘り強く考える態度**、数学のよさに気付き学習したことを生活や学習に活用しようとする態度を養う。

第6学年の目標

（1）分数の計算の意味、文字を用いた式、図形の意味、図形の体積、比例、度数分布を表す表などについて**理解**するとともに、分数の計算をしたり、図形を構成したり、図形の面積や体積を求めたり、表やグラフに表したりすることなどについての**技能**を身に付けるようにする。
（2）数とその表現や計算の意味に着目し、発展的に考察して問題を見いだすとともに、目的に応じて多様な表現方法を用いながら数の表し方や計算の仕方などを**考察**する力、図形を構成する要素や図形間の関係などに着目し、図形の性質や図形の計量について考察する力、伴って変わる二つの数量やそれらの関係に着目し、**変化や対応の特徴**を見いだして、二つの数量の関係を表や式、グラフを用いて考察する力、身の回りの事象から設定した問題について、目的に応じてデータを収集し、データの特徴や傾向に着目して適切な手法を選択して分析を行い、それらを用いて問題解決したり、解決の過程や結果を批判的に考察したりする力などを養う。
（3）数学的に表現・処理したことを振り返り、多面的に捉え検討して**よりよいものを求めて粘り強く考える態度**、数学のよさに気付き学習したことを生活や学習に活用しようとする態度を養う。

ポイント 各領域について、学年ごとの具体的な事項の段階差異がいえるように！

02 学習指導要領② 算数科の内容

日付 ／

頻出度 B

●4領域で扱う内容、各学年の内容の概要をおさえる。
●計算については学年の深度を理解する。

1 内容領域の考え方

出題 岩手・千葉　重要度 ★

□算数科の内容は、「**A 数と計算**」、「**B 図形**」、「**C 測定**」(下学年)、「**C 変化と関係**」(上学年)、及び「**D データの活用**」の5つの領域で示している。

➡ 小学校における主要な学習の対象、すなわち、**数・量・図形に関する内容とそれらの考察の方法**を基本とする領域(「A 数と計算」「B 図形」「C 測定」)、さらに**事象の変化や数量の関係の把握と問題解決への利用**を含む領域(「C 変化と関係」)、**不確実な事象の考察とそこで用いられる考え方や手法**などを含む領域(「D データの活用」)を、それぞれ設定したものである。**内容の系統性や発展性**の全体を、**中学校数学科との接続をも視野に入れて整理**したものである。

2 各学年の内容の概観

出題 岩手・千葉　重要度 ★★

A数と計算

第1学年	**1 数の構成と表し方** 個数を比べること／個数や順番を数えること／数の大小、順序と数直線／**2位数**の表し方／**簡単な場合**の**3位数**の表し方／十を単位とした数の見方／まとめて数えたり等分したりすること **2 加法、減法** 加法、減法が用いられる場合とそれらの意味／加法、減法の式／**1位数の加法**とその**逆**の**減法**の計算／**簡単な場合**の**2位数**などの**加法、減法**
第2学年	**1 数の構成と表し方** まとめて数えたり、分類して数えたりすること／**十進位取り記数法**／数の相対的な大きさ／一つの数をほかの数の積としてみること／数による分類整理／$\frac{1}{2}$、$\frac{1}{3}$ など**簡単な分数** **2 加法、減法** **2位数の加法**とその**逆**の**減法**／**簡単な場合**の**3位数**などの**加法、減法**／加法や減法に関して成り立つ性質／加法と減法の相互関係

学年	内容
第2学年	**3 乗法** 乗法が用いられる場合とその意味／乗法の式／乗法に関して成り立つ性質／**乗法九九**／**簡単な場合**の**2位数と1位数**との**乗法**
第3学年	**1 数の表し方** **万**の単位／10倍、100倍、1000倍、$\frac{1}{10}$ の大きさ／数の相対的な大きさ **2 加法、減法** **3位数や4位数**の**加法**、**減法**の**計算の仕方**／加法、減法の計算の**確実な習得** **3 乗法** **2位数や3位数に1位数や2位数**をかける**乗法**の**計算**／乗法の計算が確実にでき、用いること／乗法に関して成り立つ性質 **4 除法** 除法が用いられる場合とその意味／除法の式／除法と乗法、減法の関係／**除数**と**商**が**1位数**の場合の**除法**の**計算**／**簡単な場合**の**除数**が**1位数**で**商**が**2位数**の除法 **5 小数の意味と表し方** **小数**の**意味と表し方**／**小数**の**加法**、**減法** **6 分数の意味と表し方** **分数**の**意味と表し方**／単位分数の幾つ分／**簡単な場合**の**分数**の**加法**、**減法** **7 数量の関係を表す式** **□を用いた式** **8 そろばん** そろばんによる数の表し方／**そろばん**による**計算の仕方**
第4学年	**1 整数の表し方** **億**、**兆**の単位 **2 概数と四捨五入** **概数**が用いられる場合／**四捨五入**／四則計算の結果の**見積り** **3 整数の除法** **除数**が**1位数や2位数**で**被除数**が**2位数や3位数**の除法の計算の仕方／除法の計算を用いること／被除数、除数、商及び余りの間の関係／除法に関して成り立つ性質 **4 小数の仕組みとその計算** 小数を用いた倍／小数と数の相対的な大きさ／**小数**の**加法**、**減法**／**乗数**や**除数**が**整数**である場合の**小数**の**乗法**及び**除法** **5 同分母の分数の加法、減法** **大きさの等しい分数**／分数の加法、減法 **6 数量の関係を表す式** **四則を混合した式**や(　)**を用いた式**／公式／□、△などを用いた式 **7 四則に関して成り立つ性質** 四則に関して成り立つ性質 **8 そろばん** **そろばん**による**計算の仕方**

ポイント 特に計算の学年での進度を理解しよう

第5学年	**1 整数の性質** **偶数、奇数**／**約数、倍数** **2 整数、小数の記数法** 10倍、100倍、1000倍、$\frac{1}{10}$、$\frac{1}{100}$ などの大きさ **3 小数の乗法、除法** 小数の乗法、除法の意味／**小数の乗法、除法の計算**／計算に関して成り立つ性質の小数への適用 **4 分数の意味と表し方** 分数と整数、小数の関係／除法の結果と分数／**同じ大きさを表す分数**／分数の相等と大小 **5 分数の加法、減法** **異分母の分数**の**加法、減法** **6 数量の関係を表す式** 数量の関係を表す式
第6学年	**1 分数の乗法、除法** 分数の乗法及び除法の**意味**／**分数の乗法**及び**除法**の**計算**／計算に関して成り立つ性質の分数への適用(分数×整数、分数÷整数(←小5より移行)) **2 文字を用いた式** **文字を用いた式**

B図　形

第1学年	**1 図形についての理解の基礎** 形とその**特徴の捉え方**／形の構成と分解／方向やものの位置
第2学年	**1 三角形や四角形などの図形** **三角形、四角形**／**正方形、長方形**と**直角三角形**／**正方形や長方形の面**で構成される**箱の形**
第3学年	**1 二等辺三角形、正三角形などの図形** **二等辺三角形、正三角形**／**角**／**円、球**
第4学年	**1 平行四辺形、ひし形、台形などの平面図形** **直線**の**平行や垂直の関係**／**平行四辺形、ひし形、台形** **2 立方体、直方体などの立体図形** **立方体、直方体**／**直線や平面**の**平行や垂直の関係**／**見取図、展開図** **3 ものの位置の表し方** **ものの位置**の表し方 **4 平面図形の面積** **面積**の**単位**(㎠、㎡、㎢)と**測定**／**正方形、長方形の面積**(メートル法の単位の仕組み(←小6より移行)) **5 角の大きさ** 回転の大きさ／**角の大きさ**の**単位**と**測定**

学年	内容
第5学年	**1 平面図形の性質** 図形の形や大きさが決まる要素と**図形の合同**／**多角形**についての簡単な性質／正多角形／円周率 **2 立体図形の性質** 角柱や円柱 **3 平面図形の面積** 三角形、平行四辺形、ひし形及び台形の面積の**計算による求め方** **4 立体図形の体積** 体積の**単位**（cm³、m³）と**測定** 立方体及び直方体の体積の**計算による求め方**（メートル法の単位の仕組み（←小6より移行））
第6学年	**1 縮図や拡大図、対称な図形** 縮図や拡大図／対称な図形 **2 概形とおよその面積** 概形とおよその面積 **3 円の面積** 円の面積の**求め方** **4 角柱及び円柱の体積** 角柱及び円柱の体積の**求め方**

C測　定

学年	内容
第1学年	**1 量と測定についての理解の基礎** **量の大きさ**の直接比較、間接比較／任意単位を用いた大きさの比べ方 **2 時刻の読み方** 時刻の**読み方**
第2学年	**1 長さ、かさの単位と測定** 長さやかさの**単位**と**測定**／およその見当と適切な単位 **2 時間の単位** 時間の単位と関係
第3学年	**1 長さ、重さの単位と測定** 長さや重さの**単位**と**測定**／適切な単位と計器の選択（メートル法の単位の仕組み（←小6より移行）） **2 時刻と時間** 時間の単位（秒）／時刻や時間を**求める**こと

C変化と関係

学年	内容
第4学年	**1 伴って変わる二つの数量** 変化の様子と**表や式**、折れ線グラフ **2 簡単な場合についての割合** **簡単な場合**についての割合

ポイント 例えば「体積と面積とではどちらを先に学習するか」などの理解は重要である

第5学年	1 伴って変わる二つの数量の関係 **簡単な場合**の**比例**の関係 2 異種の二つの量の割合 **速さ**など**単位量当たりの大きさ**(速さ(←小6より移行)) 3 割合(百分率) **割合**/**百分率**
第6学年	1 比例 **比例**の関係の**意味**や**性質**/**比例**の関係を用いた**問題解決の方法**/**反比例**の関係 2 比 **比**

Dデータの活用

第1学年	1 絵や図を用いた数量の表現 **絵や図**を用いた**数量の表現**
第2学年	1 簡単な表やグラフ **簡単な表やグラフ**
第3学年	1 表と棒グラフ データの分類整理と表/**棒グラフ**の**特徴**と**用い方**(内容の取扱いに、最小目盛りが2、5などの棒グラフや複数の棒グラフを組み合わせたグラフを追加)
第4学年	1 データの分類整理 **二つの観点から分類**する**方法**/**折れ線グラフ**の**特徴**と**用い方**(内容の取扱いに、複数系列のグラフや組み合わせたグラフを追加)
第5学年	1 円グラフや帯グラフ **円グラフ**や**帯グラフ**の**特徴**と**用い方**/**統計的な問題解決**の**方法**(内容の取扱いに、複数の帯グラフを比べることを追加) 2 測定値の平均 **平均**の**意味**
第6学年	1 データの考察 **代表値**の**意味**や**求め方**(←中1より移行)/**度数分布を表す表やグラフ**の**特徴**と**用い方**/**目的に応じた統計的な問題解決**の**方法** 2 起こり得る場合 **起こり得る場合**

数学的活動（第６学年の場合）

ア	日常の事象を数理的に捉え問題を見いだして解決し、**解決過程を振り返り、結果や方法を改善**したり、日常生活等に生かしたりする活動
イ	**算数の学習場面から算数の問題を見いだして解決**し、解決過程を振り返り統合的・発展的に考察する活動
ウ	**問題解決の過程や結果**を、目的に応じて図や式などを用いて数学的に表現し伝え合う活動

用語・記号　重要！

1年	一の位 ／ 十の位 ／ ＋ ／ － ／ ＝
2年	直線 ／ 直角 ／ 頂点 ／ 辺 ／ 面 ／ 単位 ／ × ／ > ／ <
3年	等号 ／ 不等号 ／ 小数点 ／ $\frac{1}{10}$ の位 ／ 数直線 ／ 分母 ／ 分子 ／ ÷
4年	和 ／ 差 ／ 積 ／ 商 ／ 以上 ／ 以下 ／ 未満 ／ 真分数 ／ 仮分数 ／ 帯分数 平行 ／ 垂直 ／ 対角線 ／ 平面
5年	最大公約数 ／ 最小公倍数 ／ 通分 ／ 約分 ／ 底面 ／ 側面 ／ 比例 ／ %
6年	線対称 ／ 点対称 ／ 対称の軸 ／ 対称の中心 ／ 比の値 ／ ドットプロット 平均値 ／ 中央値 ／ 最頻値 ／ 階級 ／ ：

ポイント 他の学年の数学的活動も十分に理解しておきたい

03 学習指導要領③ 指導計画の作成と内容の取扱い

日付 ／

頻出度 B

●配慮事項は、具体的な指導場面を想定すると理解しやすい。
●領域間の関連、算数科と道徳教育との関連を意識して理解を進める。

1 指導計画作成上の配慮事項（第3-1） 出題 福島 重要度 ★★

（1）**単元など内容や時間のまとまり**を見通して、その中で育む資質・能力の育成に向けて、**数学的活動**を通して、児童の**主体的・対話的で深い学び**の実現を図るようにすること。その際、**数学的な見方・考え方**を働かせながら、**日常の事象を数理的に捉え**、算数の問題を見いだし、問題を**自立的、協働的に解決**し、**学習の過程を振り返り**、**概念を形成**するなどの学習の充実を図ること。

（4）低学年においては、第1章総則の第2の4の（1）を踏まえ、**他教科等との関連を積極的に図り**、**指導の効果を高める**ようにするとともに、**幼稚園教育要領等に示す幼児期の終わりまでに育ってほしい姿との関連を考慮**すること。特に、小学校入学当初においては、**生活科を中心とした合科的・関連的な指導**や、**弾力的な時間割の設定**を行うなどの工夫をすること。

□（1）➡ **単元など内容や時間のまとまり**を見通しながら、**児童や学校の実態**、**指導の内容**に応じ、「**主体的な学び**」「**対話的な学び**」「**深い学び**」（**アクティブ・ラーニング**）の視点から授業改善を図ることが重要である。

□（2）➡ 単元など**内容や時間のまとまりを見通して**資質・能力が偏りなく育成されるよう**計画的**に指導することが大切である。**15分を単位時間とした学習**が、**技能の習熟のみに偏らない**ようにすべきである。

□（3）➡ **算数科の各内容は**、**互いに深く関連**しており、**領域間の関連を図って指導**することが必要である。

□（4）➡ **低学年の児童の学習上の特性や傾向を考慮**し、**他教科等との関連を積極的に図る**ようにすること及び**幼稚園教育との関連を図る**。

□（5）➡ **障がい種別の指導の工夫**のみならず、**各教科等の学びの過程において考えられる困難さ**に対する**指導の工夫の意図**、**手立て**を**明確にする**ことが重要である。

□（6）➡ **算数科と道徳教育との関連を明確に意識**しながら、**適切な指導を行う必要**がある。

2 内容の取扱いにおける配慮事項(第3-2) 出題 福島 重要度 ★★

（１）**思考力、判断力、表現力等を育成**するため、各学年の内容の指導に当たっては、具体物、図、言葉、数、式、表、グラフなどを用いて考えたり、説明したり、互いに自分の考えを表現し伝え合ったり、学び合ったり、高め合ったりする**などの学習活動を積極的に取り入れる**ようにすること。
（２）数量や図形についての感覚**を豊かにしたり**、表やグラフ**を用いて表現する力を高めたり**するなどのため、必要な場面においてコンピュータ**などを適切に**活用すること。また、第１章総則の第３の１の（３）のイに掲げるプログラミングを体験しながら論理的思考力を身に付けるための学習活動を行う場合には、**児童の負担に配慮しつつ**、例えば第２の各学年の内容の〔第５学年〕の「Ｂ図形」の（１）における正多角形の作図を行う学習に関連して、**正確な繰り返し作業を行う必要があり、更に一部を変える**ことでいろいろな正多角形を同様に考えることができる場面などで取り扱うこと。
（３）各領域の指導に当たっては、**具体物を操作**したり、**日常の事象を観察**したり、児童にとって**身近な算数の問題を解決**したりするなどの具体的な体験を伴う学習を通して、数量や図形について実感を伴った理解をしたり、算数を学ぶ意義を実感したりする機会を設けること。
（５）**数量や図形についての**豊かな感覚**を育てる**とともに、およその大きさや形を捉え、**それらに基づいて**適切に判断したり、能率的な処理の仕方を考え出したりすることができるようにすること。

□(１) ➡ 互いの知的な**コミュニケーション**を図るために重要な役割を果たすものであり、考え**を**表現**し**伝え合う**学習活動**を、**全学年を通して数学的活動に内容として位置付ける**こととした。

□(２) ➡ 算数科では、**問題の解決には必要な手順がある**ことと、正確な繰り返し**が必要な作業をする際に**コンピュータ**を用いるとよい**ことに気付かせることができる。

□(３) ➡ 指導に当たっては、おはじきや計算ブロックなどの**具体物を用いた活動**を行うなど、**児童の発達の段階や個に応じた教材、教具の工夫**が必要である。

□(４) ➡ 用語・記号**を用いる能力**を**しだいに伸ばしていくように配慮**して取り扱うことが必要である。

□(５) ➡ 数量や図形についての**およその大きさや形を捉えて**、それらに基づいて**適切に判断**したり、**能率的な処理の仕方**を**考え出したりすることを常に配慮した授業**を展開する必要がある。

□(６) ➡ 計算の指導においては、**筆算の計算の仕方を形式的に伝えるのではなく**、**数の仕組み**や**計算の意味に基づいて考える**ことが大切である。

ポイント 具体的な指導場面を想定しながら理解していこう

04 数の計算

頻出度 B

●四則演算の基本が問われる。計算ではケアレスミスをしないように。
●最小公倍数は出題形式が豊富なので注意する。

1 四則演算

出題 岩手・栃木・沖縄　重要度 ★★

四則演算

□加減乗除が複数まざっているときは、**乗法(掛け算)**、**除法(割り算)**を先に行う。

□(　　)が付いている場合は、(　　)の中の計算を先に行う。

例 10－100÷(**4×6**－14)
　＝10－100÷(**24－14**)
　＝10－100÷**10**
　＝0

分配法則

□a(b＋c)＝ab＋acや(a＋b)(c＋d)＝ac＋ad＋bc＋bdのように(　　)を外すことができる。

例 88×99
　＝88×(**100－1**)
　＝8800－**88**
　＝8712

2 約数・倍数

出題 岩手・栃木・沖縄　重要度 ★★★

約数

□**約数** ➡ ある整数に対し、それを割り切ることができる数のこと(断りがない限り、約数は正とする)。

例 24の約数…1、2、3、4、6、8、12、24

□**公約数** ➡ ある複数の整数に共通している約数のこと。その中でも最も大きい公約数を**最大公約数**という。

例 24と54の公約数…1、2、3、6(6が最大公約数となる)

最大公約数の求め方

例 24、36、54の最大公約数

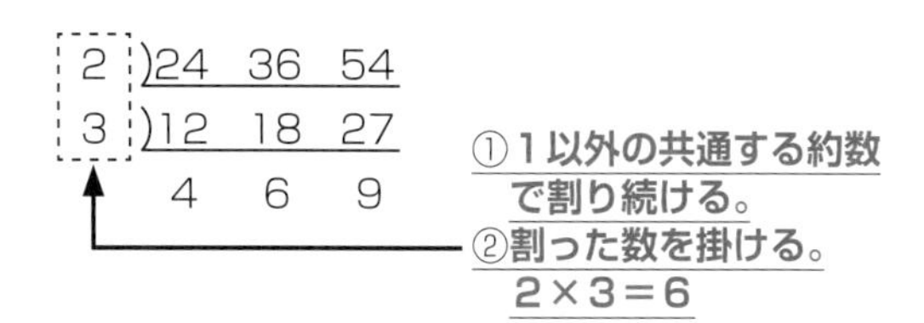

倍数

□**倍数** ➡ ある整数の整数倍の数（約数と同様に断りがなければ正とする。また、1の倍数に関しては省略する）。その数で割り切ることができる。

例 34という整数は34＝2×17より、2の倍数であり、17の倍数である。

□**公倍数** ➡ 2つ以上の整数に共通している倍数のこと。その中でも最も小さい公倍数のことを**最小公倍数**という。

例 3の倍数　3、6、9、**12**、15、18、21、**24**、……
4の倍数　4、8、**12**、16、20、**24**、28、……

⇨ この場合、12、24などが公倍数となり、最も小さい12は最小公倍数となる。

最小公倍数の求め方

例 12、15、18の最小公倍数

2)12 15 18
3) 6 15 9
　　2 5 3

①2つ以上の数における共通因数で割る。

②［　　］の中を掛ける。

2×3×2×5×3＝180

（最大公約数とは違い、割る数はすべての数に共通していなくてもよい。また、割る数だけでなく最後の商も掛け算する）

05 式の計算

●展開と因数分解に慣れておこう。
●平方根の有理化は応用性が高いので、出題頻度も高い。

1 式の計算　★超頻出★　重要度 ★★★

指数法則

□$a^m \times a^n$ ➡ a^{m+n}

例 $2^3 \times 2^7 = 2^{10}$

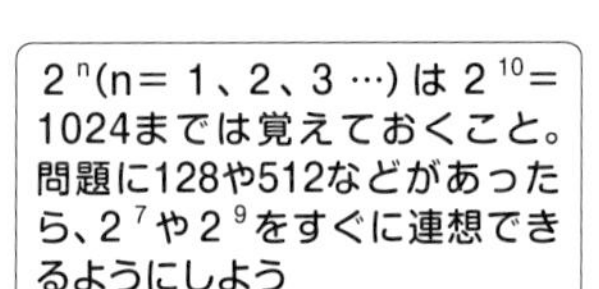

□$(a^m)^n$ ➡ $a^{m \times n}$

例 4×2^4

$= 4 \times 2^{2 \times 2}$

$= 4 \times (2^2)^2$

$= 4 \times 4^2$

$= 4^3$

□$a^m \div a^n$ ➡ a^{m-n}

例 $4^4 \div 4^2$

$= 4^{4-2}$

$= 4^2$

展開と因数分解

□① $m(a+b) = ma + mb$

□② $(x+a)(x+b) = x^2 + (a+b)x + ab$

□③ $(a+b)^2 = a^2 + 2ab + b^2$

□④ $(a-b)^2 = a^2 - 2ab + b^2$

□⑤ $(a+b)(a-b) = a^2 - b^2$

□⑥ $(a+b)^3 = a^3 + 3a^2b + 3ab^2 + b^3$

□⑦ $(a-b)^3 = a^3 - 3a^2b + 3ab^2 - b^3$

□⑧ $a^2 + b^2 = (a+b)^2 - 2ab$

□⑨ $a^3 + b^3 = (a+b)^3 - 3ab(a+b)$

□①～⑦において、左辺から右辺への計算が展開、右辺から左辺への計算を因数分解という。

□まずは②の展開式を覚えよう。③、④、⑤は結局は②の応用なのでそれを意識しながら覚えるといいだろう。

□次に②の因数分解をマスターしよう。

例 x^2-5x+6を因数分解せよ。

⇨ ②の式より、xの係数はa、bという2つの数を足して、定数項（xがつかない数）はa、bを掛けて得られる数である。つまり、x^2-5x+6とは、足すと－5、掛けると6になる2つの数から構成されていることになる。そのような2数は**－2**と**－3**である。

$$\begin{aligned}&x^2-5x+6\\&=x^2+(-2-3)x+(-2)\times(-3)\\&=(x-2)(x-3)\end{aligned}$$

2 平方根

●頻出● 重要度 ★★★

平方根

□2乗してa（a＞0）となる数をaの**平方根**といい、$\sqrt{a}$と表記する。aの平方根には$\sqrt{a}$、$-\sqrt{a}$があり、$\sqrt{(a)^2}=|a|$である。

例 9の平方根は3と－3がある。

平方根の計算

□$\sqrt{a}+\sqrt{b}$のような$\sqrt{\ }$の中の数が異なる和、差はこれ以上計算できない。

□掛け算、割り算であれば、a＞0、b＞0のとき、

$\sqrt{a}\times\sqrt{b}=\sqrt{ab}$、$\dfrac{\sqrt{b}}{\sqrt{a}}=\sqrt{\dfrac{b}{a}}$と計算できる。

例 $\sqrt{2}\times\sqrt{3}=\sqrt{6}$

例 $\sqrt{20}=\sqrt{4\times5}=\sqrt{4}\times\sqrt{5}=2\sqrt{5}$

有理化

□分母に根号が含まれている場合、有理化して分母に根号を含まない形にする。

□$\dfrac{1}{\sqrt{a}}=\dfrac{1\times\sqrt{a}}{\sqrt{a}\times\sqrt{a}}=\dfrac{\sqrt{a}}{a}$

□$\dfrac{1}{\sqrt{a}+\sqrt{b}}=\dfrac{1\times(\sqrt{a}-\sqrt{b})}{(\sqrt{a}+\sqrt{b})(\sqrt{a}-\sqrt{b})}=\dfrac{\sqrt{a}-\sqrt{b}}{a-b}$

ポイント 上の有理化は展開の式⑤に基づいている

06 方程式・不等式

頻出度 **B**

●2次方程式が不安な場合は因数分解を確実にすることから始めよう。
●解と係数の関係、判別式なども重要である。

1　2次方程式　★超頻出★　重要度 ★★

2次方程式の解法

□因数分解を用いた解法　$x^2-(\alpha+\beta)x+\alpha\beta=0$

➡ **$(x-\alpha)(x-\beta)=0$（この場合、$x=\alpha$、β となる）**

例 $x^2-5x+6=0$を解け。

⇨ 左辺を因数分解すると、$(x-2)(x-3)=0$となる。これは$x-2$と$x-3$の掛け算が0になるということである。掛け算をして0になるとは、$x-2=0$もしくは$x-3=0$のいずれかであるから、$x=2$、3となる。

□解の公式を用いた解法　公式 $x=\dfrac{-b\pm\sqrt{b^2-4ac}}{2a}$

ただし、**$ax^2+bx+c=0\ (a\neq0)$**

例 $x^2-x-1=0$を解け。

⇨ 解の公式より、$x=\dfrac{-(-1)\pm\sqrt{(-1)^2-4\times1\times(-1)}}{2\times1}$

$$x=\frac{1\pm\sqrt{5}}{2}$$

2次方程式の解の判別

2次方程式 $ax^2+bx+c=0$において、解の個数を調べる判別式は、

公式 $D=b^2-4ac$ であらわされ、次のことが成り立つ。

□$D>0$のとき　異なる2つの実数解をもつ。

□$D=0$のとき　重解をもつ。

□$D<0$のとき　異なる2つの虚数解をもつ。

2次方程式の解と係数の関係

2次方程式 $ax^2+bx+c=0$ において、2次方程式の解を α、β とすると、次の関係式が成り立つ。

□ **公式** $\alpha+\beta=-\frac{b}{a}$

□ **公式** $\alpha\beta=\frac{c}{a}$

例 2次方程式 $x^2+2x-5=0$ の解を α、β とするとき、$\frac{1}{\alpha}+\frac{1}{\beta}$ の値を求めよ。

⇨ 解と係数の関係より、$\alpha+\beta=-2$　$\alpha\beta=-5$

$$\frac{1}{\alpha}+\frac{1}{\beta}=\frac{\alpha+\beta}{\alpha\beta}=\frac{-2}{-5}=\frac{2}{5}$$

2 不等式

●頻出●　重要度 ★

1次不等式

□ $ax>b$ の範囲は、a の正負によって変化する。

a が正のとき⇒ $x>\frac{b}{a}$　　a が負のとき⇒ $x<\frac{b}{a}$

2次不等式

□2次不等式 $ax^2+bx+c>0$ ($a>0$) の解は、$x<\alpha$, $\beta<x$

□2次不等式 $ax^2+bx+c<0$ ($a>0$) の解は、$\alpha<x<\beta$

ただし、**α、β は2次方程式 $ax^2+bx+c=0$ の解 ($\alpha<\beta$)**

例 $x^2+x-20<0$ を満たす x の範囲を求めよ。

⇨ $x^2+x-20<0 \Rightarrow (x-4)(x+5)<0$ より、$-5<x<4$

例 2次方程式 $x^2+ax+a=0$ が実数解をもたないときの a の範囲を求めよ。

⇨ 判別式より、$D=a^2-4a<0$

$a(a-4)<0$ より、$0<a<4$

マメ 方程式は関数でも用いる

07 方程式・不等式の応用

日付 ／

頻出度 A

●速さ、食塩水、利益に関する問題が頻出である。
●問題文から等式を立てられるようにしよう。

1 速さの公式

●頻出● 重要度 ★★★

基本公式 重要!

□ 公式 距離＝**速さ×時間**　時間＝**距離÷速さ**　速さ＝**距離÷時間**

練習問題

ある人が10km先の目的地へ自転車で時速10kmで移動していたが、途中でパンクしてしまい、時速4kmで目的地まで歩いた。全部で96分かかったとすると、何km歩いたか。

解答 4km

解説　歩いた距離をx kmとすると、時間について次の方程式が成り立つ。

$$\frac{10-x}{10}+\frac{x}{4}=\frac{96}{60}$$

これを解いて、x＝4(km)となる。

2人が移動するとき

□出会うとき ➡ 公式 2人が離れていた距離＝**2人の速さの和×時間**

□追いつくとき ➡ 公式 2人が離れていた距離＝**2人の速さの差×時間**

2つの電車の関係

□すれ違うとき ➡ 公式 2つの電車の長さの和＝**電車の速さの和×時間**

□追い越すとき ➡ 公式 2つの電車の長さの和＝**電車の速さの差×時間**

練習問題

時速72kmで走行している長さ200mの上り列車と下り列車の2つの列車がすれ違い始めてからすれ違い終わるまでにかかる時間は何秒か。

解答　10秒

解説　時速72km ＝秒速**20**mとなる。

公式より、200＋200＝(**20**＋**20**)×時間が成り立つので、これを解いて、時間＝**10**(秒)が得られる。

2 割合

●頻出●　重要度 ★★★

関係式

□**公式** 利益＝**売上－仕入れ値**

□**公式** 売上＝**単価×販売個数**

□**公式** 仕入れ値＝**原価×仕入れ個数**

割増・割引

□ｘ円の商品をａ％割増したときの値段 ➡ $x \times \left(1+\frac{a}{100}\right)$ 円

□割引であれば、足し算でなく引き算になる。また、ａ割であれば、$\frac{a}{10}$ となる。

3 濃度

●頻出●　重要度 ★★★

濃度の関係　重要!

□食塩水の濃度とは、食塩水全体に占める食塩の割合のことである。

□食塩水の濃度＝$\frac{\textbf{食塩の重さ}}{\textbf{食塩水の重さ}}\times 100$

食塩の重さ＝**食塩水の重さ**×$\frac{\textbf{濃度}}{100}$

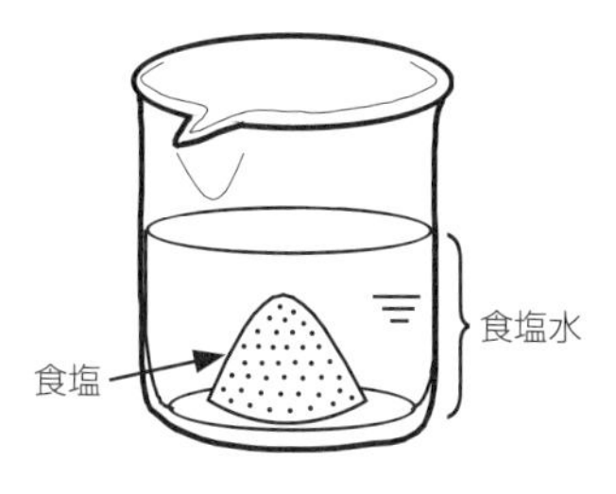

練習問題

濃度６％の食塩水と濃度４％の食塩水を混ぜると、濃度５％の食塩水が500ｇできた。濃度６％の食塩水は何ｇ混ぜたか。

解答　250g

解説　濃度６％の食塩水をｘｇ、濃度４％の食塩水を(500－ｘ)ｇとすると、食塩の重さについて、**0.06**ｘ＋**0.04**(500－ｘ)＝**0.05**×500が成り立つ。これを解いてｘ＝**250**(ｇ)となる。

ポイント 食塩水の濃度の問題は食塩の重さについて方程式を立てるとよい

08 1次関数

日付 ／

頻出度 B

●1次関数は式の意味を理解するところから始めよう。
●2次関数との融合問題もよく出題される。

1 1次関数

●頻出●　重要度 ★★

□1次関数 公式 $y = ax + b$

□aは傾き$\left(\dfrac{y\text{の増加量}}{x\text{の増加量}}\right)$、bはy切片をあらわす。

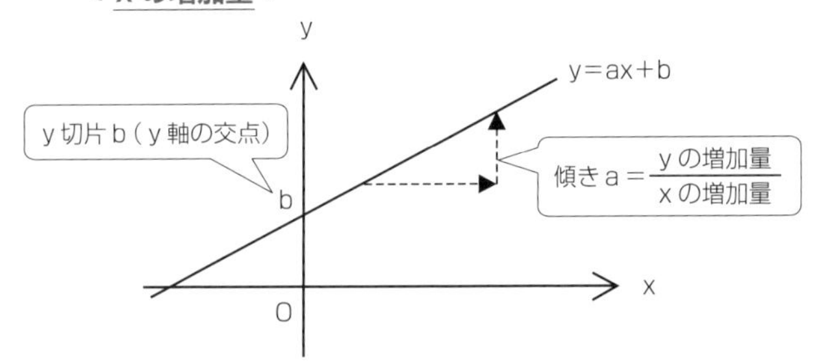

練習問題

2点(1, 3)と(4, 0)を通る1次関数を求めよ。

解答 $y = -x + 4$

解説 求める関数を$y = ax + b$とすると、

傾きは$a = \dfrac{y\text{の増加量}}{x\text{の増加量}} = \dfrac{0-3}{4-1} = -1$

(4, 0)を代入すると、$0 = -1 \times 4 + b$ ⇨ $b = 4$

よって、$y = -x + 4$

（別解）$y = ax + b$に$(x, y) = (1, 3)$と$(4, 0)$を代入し、

連立方程式$\begin{cases} 3 = a + b \\ 0 = 4a + b \end{cases}$を解いてもよい。2つの式を引くと、

$3 = -3a$となるので、$a = -1$を得る。

また、$3 = -1 + b$ ⇨ $b = 4$を得る。

1次関数の性質

□ $y = ax + b$ において、$a > 0$ ならグラフは**右上がり**になり、$a < 0$ ならグラフは**右下がり**になる。

2つの直線 $y = ax + b$ と $y = cx + d$ において

□2つの直線が平行になる ➡ **$a = c$**(傾きが等しい)

□2つの直線が一致する ➡ **$a = c, b = d$**(傾きとy切片が等しい)

□2つの直線が直交する ➡ **$a \times c = -1$**(傾きの積が−1)

□2点(x_1, y_1)、(x_2, y_2)の距離 ➡ $\sqrt{(x_1 - x_2)^2 + (y_1 - y_2)^2}$

練習問題

直線 $y = 3x$ と垂直に交わり、点(3, 0)を通る直線のy切片を求めよ。

解答 y切片=1

解説 直交する直線を $y = ax + b$ とすると、直交しているので、

$3 \times a = -1$ より、$a = -\frac{1}{3}$ (3, 0)を代入して $0 = -\frac{1}{3} \times 3 + b$ ➡ $b = 1$

2直線の交点

□直線の交点の座標は連立方程式の解と一致する。

例 $y = 2x + 1$ と $y = x + 2$ の交点の座標

⇨ 連立方程式を解いて、$(x, y) = (1, 3)$を得る。

2 反比例

●頻出● 重要度 ★

反比例

□y、xが反比例の関係 ➡ $y = \frac{a}{x}$(aは定数)

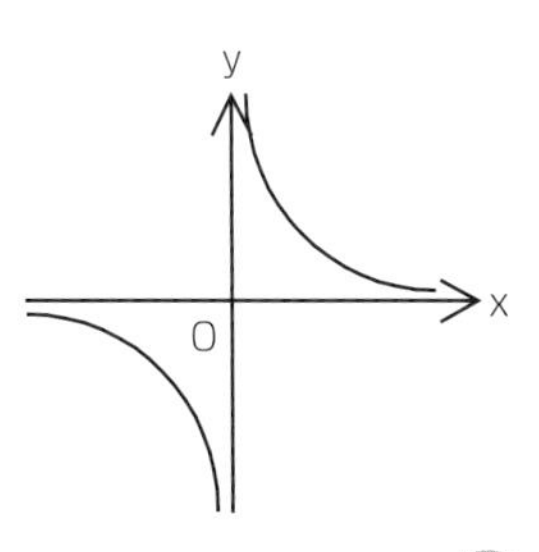

曲線がx軸、y軸と交わることはない。このときのx軸、y軸を漸近線という

ポイント 2点間の距離は三平方の定理で説明できる

09 2次関数

日付 ／

●有名な問題が多いので、過去問演習を繰り返して慣れてしまおう。
●連立方程式もよく使うので、理解を確実にしておこう。

1 2次関数

出題 埼玉・沖縄　重要度 ★★★

2次関数 重要!

□ $y = ax^2$のグラフは放物線と呼ばれる曲線で、原点を通り、y 軸に関して対称である。

□ $a > 0$ならば、グラフは下に凸　　$a < 0$ならば、グラフは上に凸

$a > 0$のとき

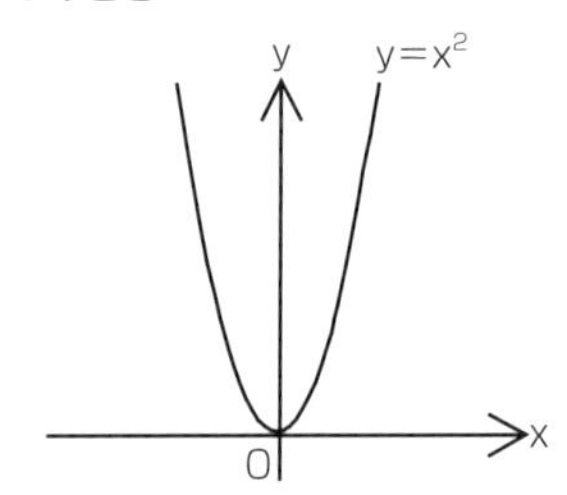

$a < 0$のとき

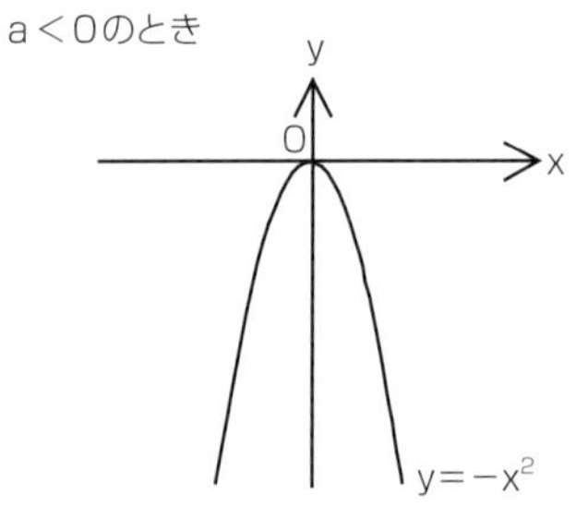

□ $y = ax^2$のグラフを x 軸方向に p 、y 軸方向に q だけ平行移動させた関数

➡ $y = a(x - p)^2 + q$　頂点の座標(p, q)

□ 2次関数 $y = ax^2 + bx + c$ の頂点 ➡ $\left(-\frac{b}{2a}, -\frac{b^2 - 4ac}{4a}\right)$

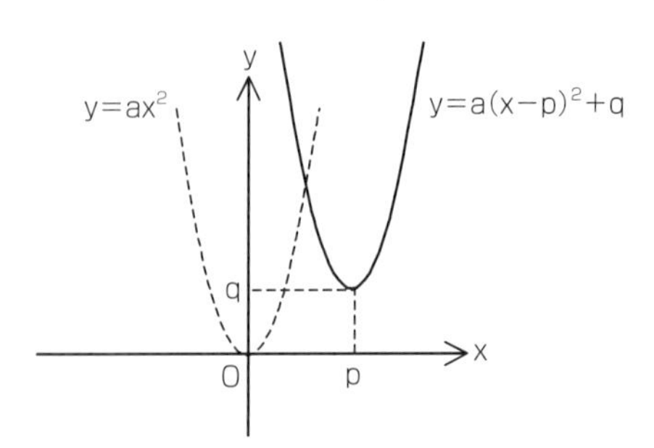

練習問題

$y=\sqrt{3}x^2$と、x軸に平行な直線の交点をA、Bとする。A、Bと原点Oを結んだ図形が正三角形で、その面積が $\sqrt{3}$ であるとき、A、Bのx座標を求めよ。

解答 x座標＝±1

解説 1辺の長さがaの正三角形の面積は、$\frac{\sqrt{3}}{4}a^2$ であらわされる。面積が $\sqrt{3}$だから、1辺の長さはAB＝**2**であることがわかる。したがって、直線と放物線の交点のx座標は**±1**となる。

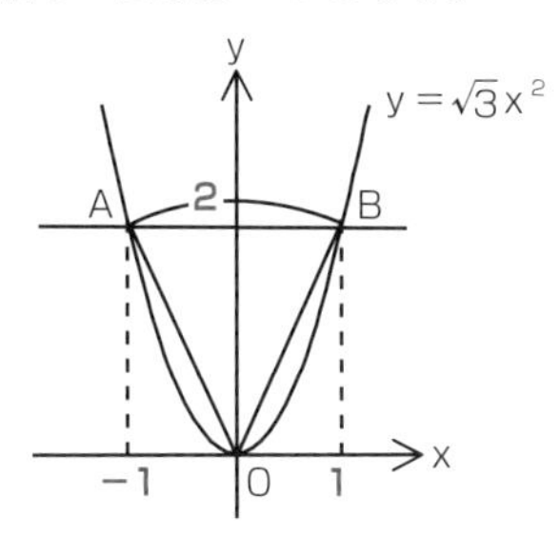

2次関数を求める問題

2次関数を求める問題は3つの出題形式がある。

□❶頂点(p, q)を通る場合

➡ $y=a(x-p)^2+q$とする。たいていの問題はもう1点(x_1, y_1)が用意されているので、それを代入してaを求める。

□❷x軸との交点(α, 0)(β, 0)を通る場合

➡ $y=a(x-\alpha)(x-\beta)$ とあらわすことができる。たいていの問題はもう1点(x_1, y_1)が用意されているので、それを代入してaを求める。

□❸3点(x_1, y_1)(x_2, y_2)(x_3, y_3)を通る場合

➡ $y=ax^2+bx+c$に3点を代入して連立方程式を解く。

例 3点(1, 0)(2, 0)(3, 2)を通る2次関数。

⇨ 2番目のパターンである。$y=a(x-1)(x-2)$ とあらわすことができる。これに(x, y)＝(3, 2)を代入するとa＝1を得る。したがって、$y=(x-1)(x-2)=x^2-3x+2$となる。

算数 頻出度A 2次関数

ポイント 座標を求めるのに、連立方程式をよく使う

10 図形① 角度・相似

日付

●角度に関する問題は頻出である。
●相似でも角度の関係は扱うので、しっかり学習しておこう。

1 角度の関係

●頻出● 重要度 ★★★

直線と角度の関係

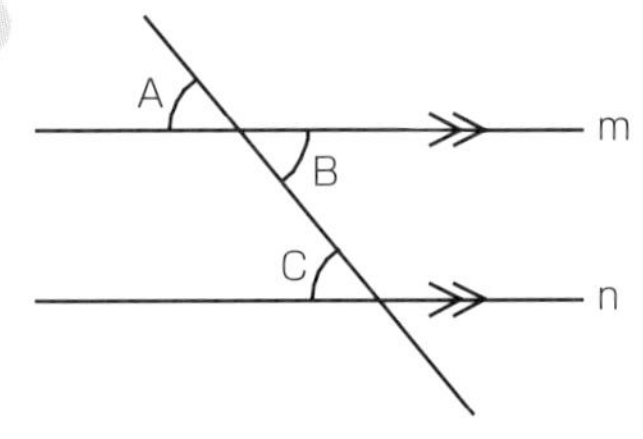

□∠Aと∠Bの関係を**対頂角**、∠Aと∠Cの関係を**同位角**、∠Bと∠Cの関係を**錯角**という。対頂角は常に等しく、同位角と錯角は直線m // nのとき等しい。すなわち、∠A＝∠C、∠B＝∠Cとなる。

□直線m // nとしたとき、∠A＝∠B＝∠Cが成り立つ。

三角形の角度

□三角形の内角の和は180°

□下図において**∠A、∠Bの内角の和は、∠Cの外角と等しい**。

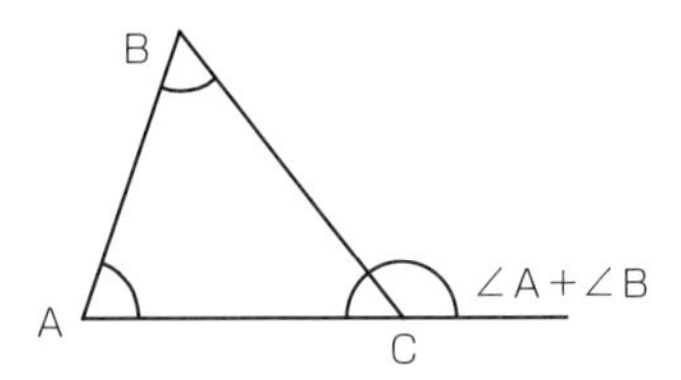

多角形の内角

□n角形（nは4以上の整数）は対角線を引くことにより、（n－2）個の三角形に分割することができる。

□n角形の内角の和 ➡ **180°×（n－2）**

□なお、正六角形は対角線を引くことにより、正三角形6個に分割することができる。

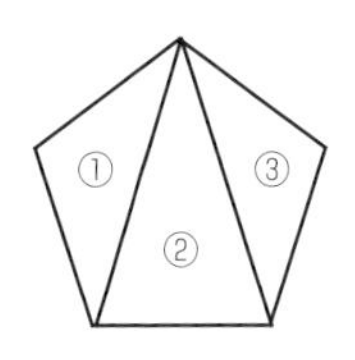

五角形の場合、内部に３個の
三角形ができる。

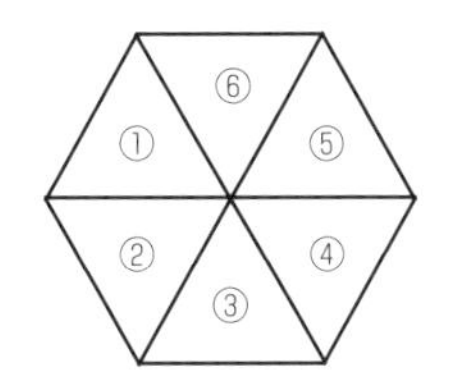

正六角形は正三角形６個に
分割できる。

2 相似 ●頻出● 重要度 ★★★

三角形の相似条件

次の３つのうち、１つを満たせば、２つの三角形は相似といえる。

□３組の辺の比がそれぞれ等しい。

□２組の辺の比が等しく、その間の角が等しい。

□２組の角がそれぞれ等しい。

相似な三角形の例

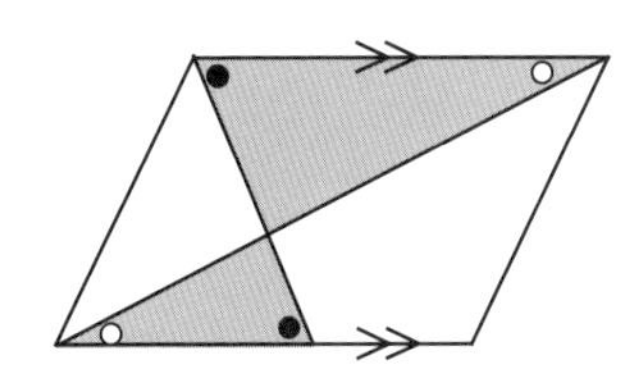

相似比 重要!

□２つの相似な図形において、対応する辺の長さの比（これを相似比という）は、他の対応する辺の比にも成立する。

例

２つの相似な図形△ＡＢＣと△ＤＢＥにおいて、相似比はＡＣ：ＤＥ＝１：２となるので、ＢＣ：ＢＥ＝１：２よりＢＥ＝４（cm）となる。

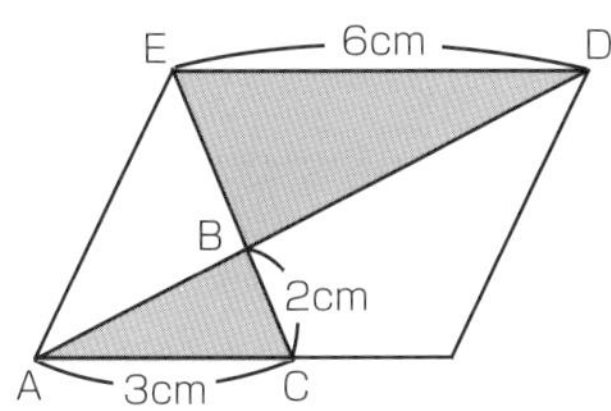

□相似比がａ：ｂの図形の面積比は
$a^2 : b^2$、体積比は$a^3 : b^3$である。

ポイント 平行な四角形の中には、相似な三角形がいっぱいある

11 図形② 三角形

頻出度 **A**

●三平方の定理は必須であるので、確実に理解しよう。
●平方根の計算も基礎知識となるので、確実に理解しておくこと。

1 三平方の定理　●頻出●　重要度 ★★★

三平方の定理

□直角三角形において、$a^2+b^2=c^2$が成り立つ(ただし、cが最も長い辺)。

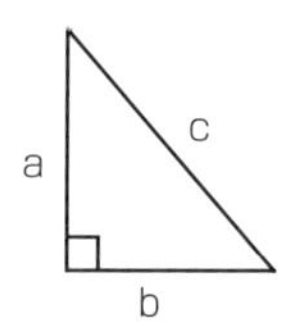

特殊な直角三角形

□辺の比がわかっている直角三角形は角度とともに覚えるとよい。

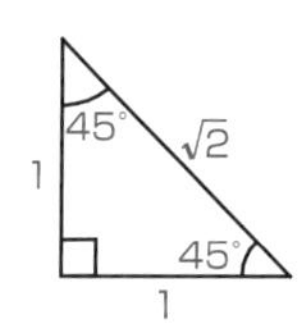

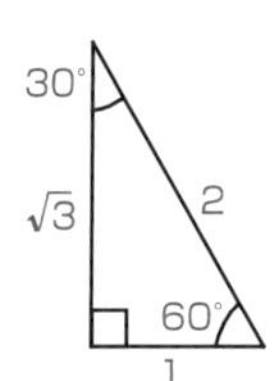

正三角形の面積

□一辺の長さがaの正三角形の面積 ➡ $\frac{\sqrt{3}}{4}a^2$

2 三角形の性質　●頻出●　重要度 ★★

重心・内心

□重心 ➡ 三角形の頂点から対辺の中点へ引いた線分(中線)は1点で交わる。この点を**重心**という。重心は中線を**2：1**に分割する性質がある。

□内心 ➡ 三角形の**内角の二等分線**は1点で交わる。この点を**内心**という。

□正三角形の場合、これらの点は一致する。

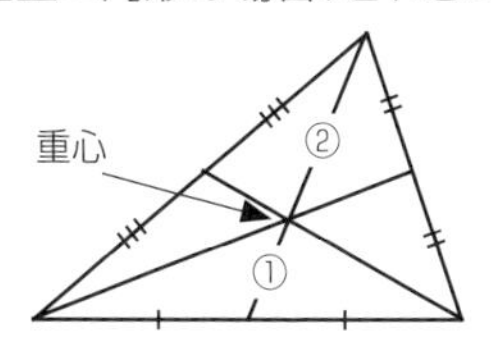

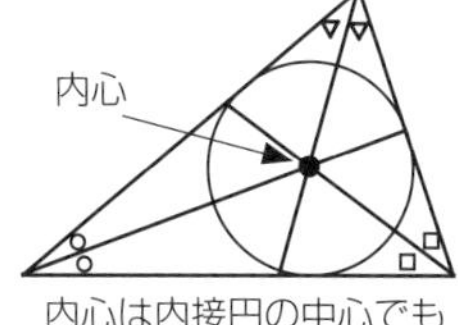

内心は内接円の中心でもある。

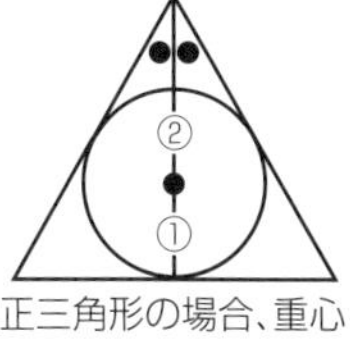

正三角形の場合、重心と内心が一致する。

底辺分割の定理

□底辺分割の定理 ➡ 下図のように三角形の底辺をａ：ｂに分割したとき、三角形の面積も**ａ：ｂ**に分割される。

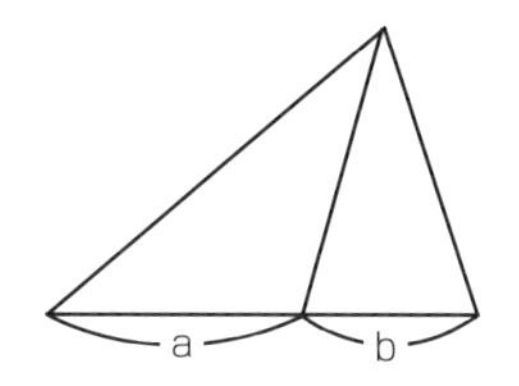

角の二等分線の性質

□右図のように角の二等分線は、**横の２辺の長さの比率と同じ比率で底辺を分割する**。

ｃ：ｄ＝ａ：ｂ

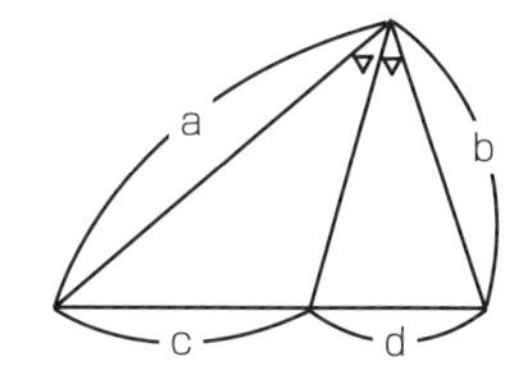

練習問題

対角線の長さが$\sqrt{2}$ cm の正方形がある。正方形の一辺を半径とする４分の１円が内接しているとき、網掛け部の面積を求めよ。

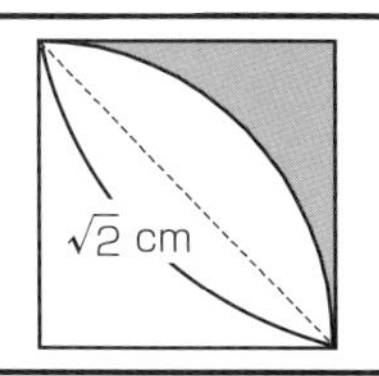

解答 $1-\frac{1}{4}\pi$ cm^2

解説　網掛けの部分は直角二等辺三角形になるので、正方形の一辺の長さは1cm になる。

よって面積は、$1-\frac{1}{4}\pi$ cm^2

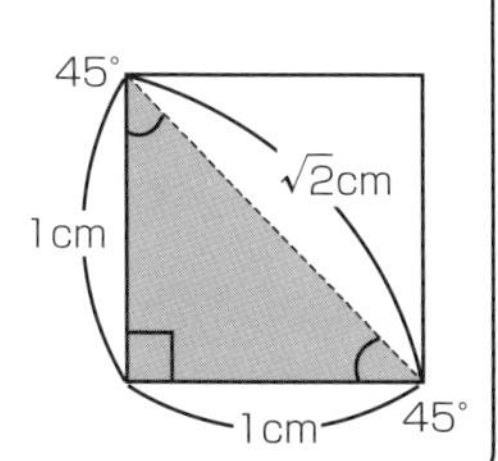

ポイント 三角形の問題は何をさせたいのかわかりやすいので確実に得点を

12 図形③ 円・その他

頻出度 **B**

●円周率は実際位は3.14で計算させることが多い。
●小数の筆算に慣れておく必要がある。

1 円について

●頻出● 重要度 ★★

円周の長さ

□円周の長さ ➡ 公式 直径×π

□おうぎ形の弧の長さ ➡ 公式 直径×π×$\frac{中心角}{360°}$

円の面積

□円の面積 ➡ 公式 半径^2×π

□おうぎ形の面積 ➡ 公式 半径^2×π×$\frac{中心角}{360°}$

中心角と円周角の関係

□円周角を作る２点が固定されていれば、**円周角の大きさは必ず等しくなる**。

□中心角は円周角の**2倍**になる。

□特に中心角を180°にすれば、円周角は半分の90°になるので、**円に内接する直角三角形ができる**。

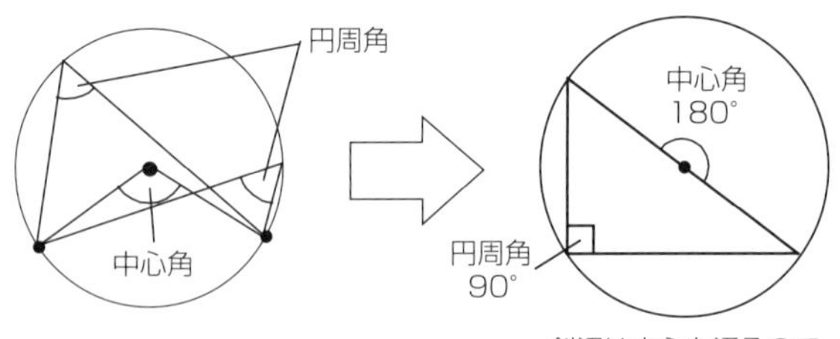

斜辺は中心を通るので、
斜辺＝直径が成り立つ。

円と接線の関係

□円の外の１点（点Ａ）から２本の接線が引けるが、この点Ａから接点Ｂ、Ｃまでの長さは等しい。

□中心から接点へ線分を引いたとき、その線分と接線のなす角は90°になる。

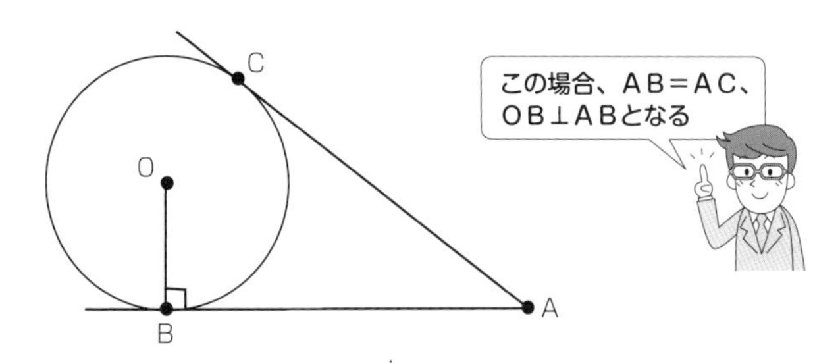

□**接弦定理** ➡ 接点(下図点A)と円周上のもう1点(下図点B)が作る弦と接線ℓのなす角(下図●部分)と、A、Bによってできる円周角∠ACBの大きさは等しくなる。

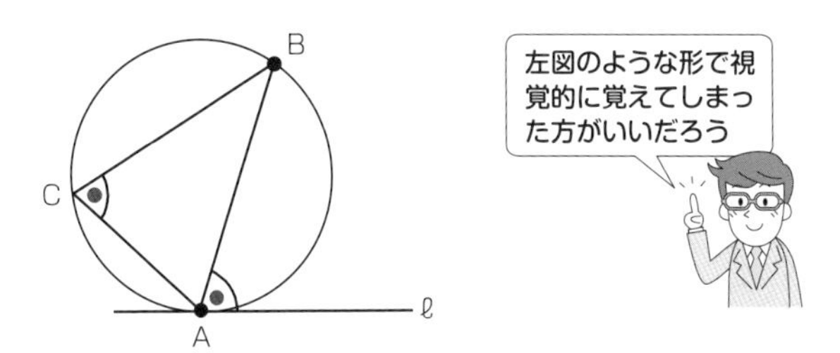

内接する四角形との関係

□円に内接する四角形の向かい合う角の和は180°になる。

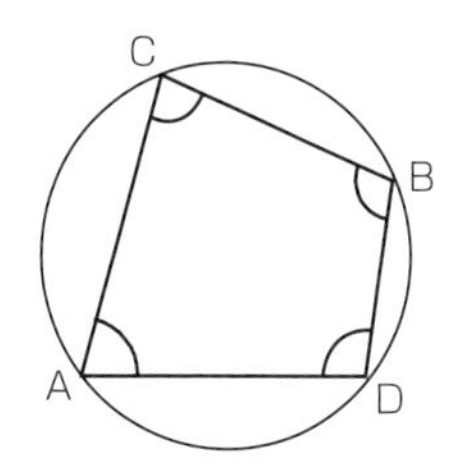

13 立体図形

頻出度 **B**

●立体は切断や展開図が出題される。
●公式は丸暗記をするのではなく、実際に書いて覚えるようにしよう。

1 立体

出題 大阪・兵庫・佐賀　重要度 ★★

円錐

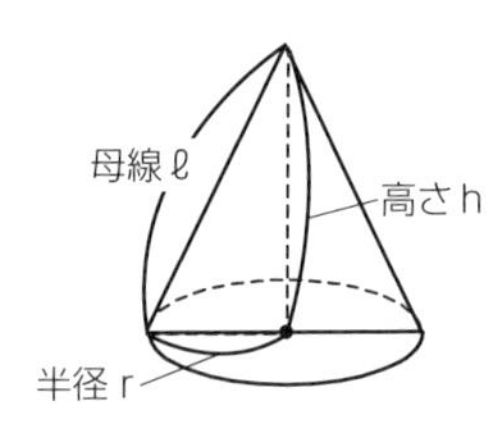

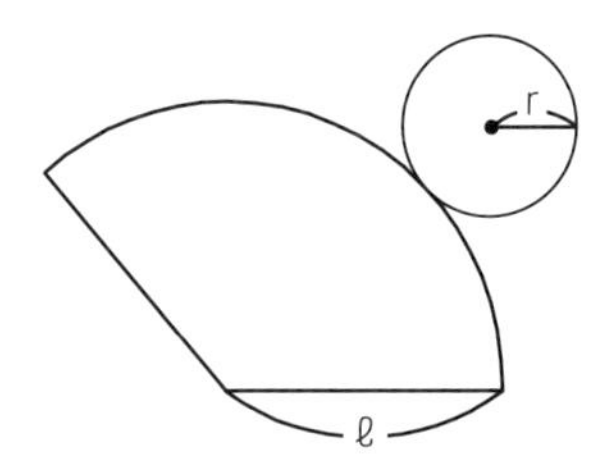

□体積 ➡ 公式 $\frac{1}{3}\times\pi r^2\times h$

□母線の長さ ➡ 公式 $\ell=\sqrt{r^2+h^2}$

□側面積 ➡ 公式 $\pi\times\ell\times r$

□円錐の展開図は上図のようになる。側面を展開するとおうぎ形になる。**おうぎ形の半径は母線の長さに対応する。また、おうぎ形の弧の長さは底面の円周の長さと一致する**。

□展開するときは、おうぎ形の中心角に注目する必要がある。

例 底面の半径が5cm、母線の長さが10cmの円錐の展開図を描きなさい。

⇨ 底面の円周は$2\times5\times\pi=10\pi$(cm)になる。つまり、側面を展開したおうぎ形の弧の長さは10π cmとなる。
仮に半径が10cmの円があったとしたとき、その円周の長さは$2\times10\times\pi=20\pi$(cm)である。
つまり、**10π cmとはその半分であるから、展開したおうぎ形は半円になっているはずである**。

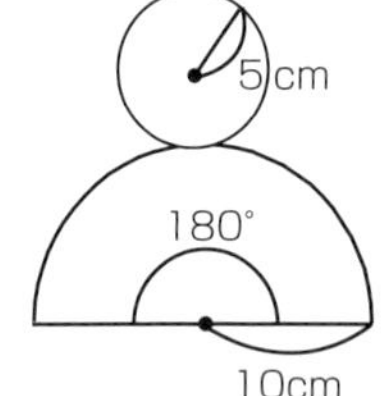

立方体の切断面

□代表的な立方体の切断面

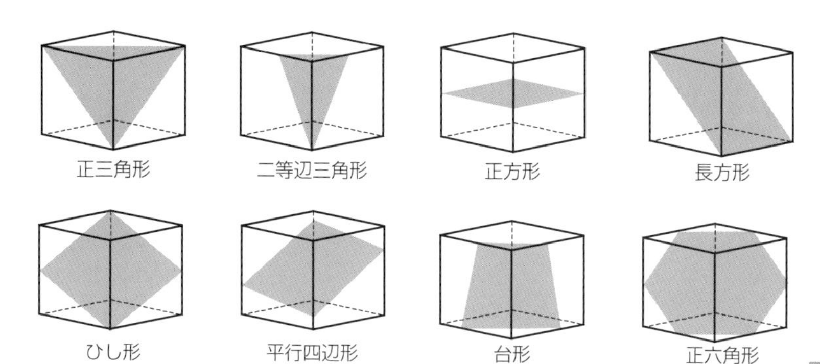

立体の最短距離

□**立体の表面の最短距離は、立体を展開し、2点を直線で結べばよい。**

例 図のような直方体の2点A、Bに、立体の表面上に線を結ぶとき、長さの最小値はいくらか。

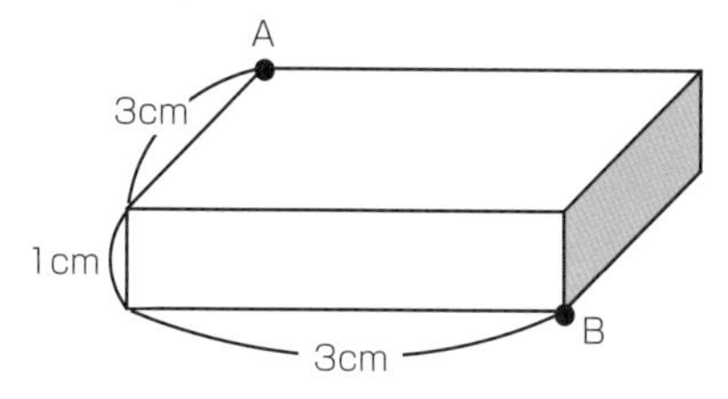

⇨ 立体を展開して**A、Bに直線を引く**と、三平方の定理より、**5**cm とわかる。

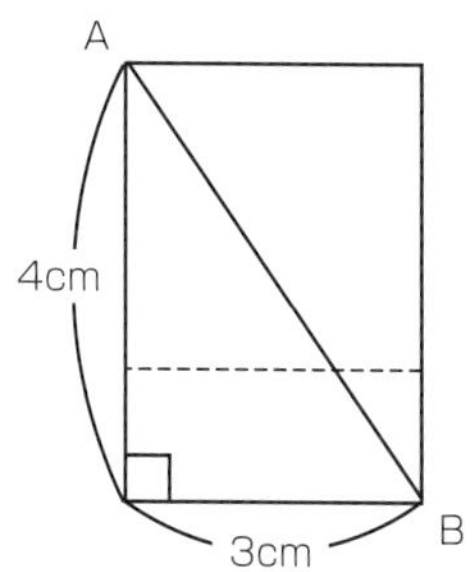

ポイント ちなみに、立方体の切断面に七角形以上の多角形は現れない

14 場合の数

●場合の数では丁寧に数えることを心がけよう。
●公式に振り回されないよう気を付けよう。

1 数の数え方

●頻出●　重要度 ★★★

樹形図

□基本的な数の数え方である。

例 サイコロを2回振って、偶数、奇数の順番で出る場合の数。

1回目	2			4			6		
2回目	1	3	5	1	3	5	1	3	5

表より9通りと分かる。

和の法則・積の法則

重要!

□**和の法則**

A（a通り）、B（b通り）という2つの事象において、互いが同時に起こることがない場合（要は場合分け）、その場合の数は**a＋b**通りとなる。

□**積の法則**

A（a通り）、B（b通り）という2つの事象において、Aが起こるa通りに対し、Bがb通り起こるなら、その場合の数は**a×b**通りとなる。

先ほどのサイコロを2回振る例では、1回目に偶数が出て（3通り）、2回目に奇数が出る（3通り）となるので、3×3＝9（通り）とすることもできる。

練習問題

漫画が4冊、小説が3冊、雑誌が2冊ある。ここから2冊選ぶとき違う種類になる選び方は何通りあるか。

解答 26通り

解説　①（漫画, 小説）②（小説, 雑誌）③（雑誌, 漫画）の選び方がある。

①の場合の数**4×3＝12**（通り）

②の場合の数**3×2＝6**（通り）

③の場合の数 $2\times4=8$（通り）

したがって、$12+6+8=26$（通り）

2 順列と組合せ

●頻出● 重要度 ★★★

順列　重要!

□順列

異なるn個のものからr個選び、それらを並べたときに起こり得る場合の数。

公式 $_{n}P_{r}=\underbrace{n\times(n-1)\times(n-2)\times\cdots\cdots\times(n-r+1)}_{r個}$（通り）

特に $_{n}P_{n}=n\times(n-1)\times(n-2)\times\cdots\cdots\times2\times1=n!$（nの階乗と読む）

例 A、B、C、D、E、Fの6チームのうち上位3チームの順位の予想をする。⇨ 6つから3つを選んで、3つの順位を並べる順列

$_{6}P_{3}=6\times5\times4=120$（通り）

□円順列

異なるn個のものを円形に並べたときの場合の数 公式 $(n-1)!$ **通り**

□区別がつかない順列

n個のものを並べるとき、そのうちr個のものとs個のものがそれぞれ区別がつかないとき、並べ方は、公式 $\dfrac{n!}{r!\times s!}$ **通り**となる。

例 10円玉3個と50円玉4個を並べる。

⇨ 10円玉が3つ、50円玉が4つ重複しているので、

$$\frac{7!}{3!4!}=\frac{7\cdot6\cdot5\cdot4\cdot3\cdot2\cdot1}{(3\cdot2\cdot1)\cdot(4\cdot3\cdot2\cdot1)}=35（通り）$$

組合せ　重要!

□組合せ

異なるn個のものからr個選んだときに起こり得る場合の数。組合せは「選ぶだけ」というところが順列と違う。

公式 $_{n}C_{r}=\dfrac{_{n}P_{r}}{r!}$（通り）

例 6人から2人掃除当番を決めるときの場合の数

⇨ $_{6}C_{2}=\dfrac{6\times5}{2\times1}=15$（通り）

算数 頻出度A 場合の数

ポイント 基本的には自分で書くことが大事

15 確率・数列

●確率は場合の数の応用であるから、場合の数の理解をおろそかにしないように。
●数列は等差数列の公式を理解して覚えること。

1 確率

●頻出●　重要度 ★★★

確率の定義

□全体でn通り起こり得る事象のうち、全体の一部である事象Aがa通り起こり得る場合、Aが起こる確率は、

$$\text{Aが起こる確率} = \frac{\text{事象Aが起こる場合の数}}{\text{起こり得るすべての場合の数}} = \frac{a}{n}$$

であらわされる。

練習問題

袋の中に黒玉が2個、赤玉が3個、白玉が4個入っている。袋の中から無作為に3個の玉を取り出したとき、3個の色がすべて異なっている確率はいくらか。

解答 $\frac{2}{7}$

解説　9個の玉から3個取るときに考えられ得るすべての場合の数は

${}_9C_3 = \frac{9\times8\times7}{3\times2\times1} = \mathbf{84}$(通り)である。3個とも色が異なる取り方は、

黒玉**2**通り×赤玉**3**通り×白玉**4**通り＝**24**(通り)であるから、確率は

$\frac{24}{84} = \frac{2}{7}$ となる。

余事象の確率

□事象Aの確率をp、Aではない事象(余事象)の確率を$\overline{p}$とすると、$p = 1 - \overline{p}$と考えることもできる(1とは100%のことである)。これはpの確率を求めるのが面倒なときに有効な手段である。

反復試行の確率

□「x回中y回○○が起こる確率」は反復試行の確率とよばれる。「○○」が1回起こる確率をpとすると、確率は次のようにあらわされる。

確率 ➡ 公式 $_{x}C_{y}\,p^{y}\times(1-p)^{x-y}$

例 サイコロを6回振って1が1回出る確率。

$$⇨ 確率 = {}_{6}C_{1}\left(\frac{1}{6}\right)^{1}\times\left(\frac{5}{6}\right)^{5}=\frac{3125}{7776}$$

2 数列

重要度 ★

等差数列

□等差数列 ➡ 同じ数（公差）を次々と足して得られる数列

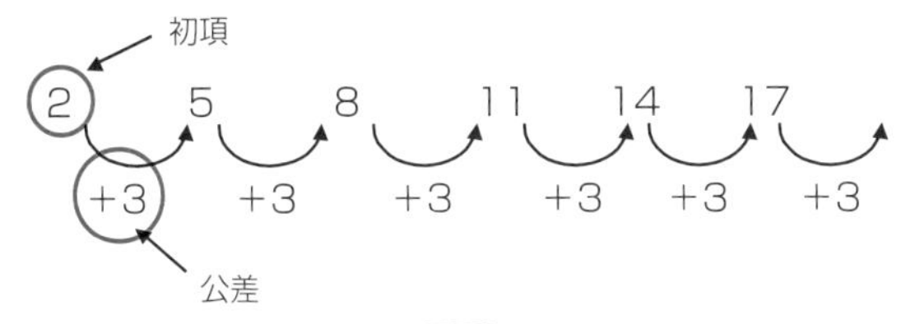

□一般項（n項目の数）➡ 公式 初項＋（n－1）×公差

□初項から末項までの和 ➡ 公式 $\frac{項数\times(初項+末項)}{2}$

□$1+2+3+\cdots\cdots+n$ ➡ 公式 $\frac{1}{2}n(n+1)$

階差数列

□階差数列 ➡ 隣り合う項の差をとることによってできる数列。

	初項	第2項	第3項	第4項	第5項
（元の）数列	1	5	13	25	41
階差数列	4	8	12	16	

□階差数列の元になった数列の一般項（n項目の数）

➡ 公式 初項＋階差数列の初項から第（n－1）項までの和

例

例えば、上の数列であれば、5項目の41は、

$1+(4+8+12+16)=41$

となっている。

ポイント カンタンな数列の例を書くことによって公式を覚えよう

01 学習指導要領① 目標

日付 ／

頻出度 A

●教科目標は極めて重要である。3つの柱をしっかり理解しよう。
●学年目標は内容と学年を関連付けられるようにする。

1 理科の目標

出題 埼玉・香川・愛媛　重要度 ★★★

自然に親しみ、理科の見方・考え方を働かせ、**見通し**をもって観察、実験を行うことなどを通して、**自然の事物・現象についての問題**を科学的に解決するために必要な**資質・能力**を次のとおり**育成**することを目指す。

(1)**自然の事物・現象**についての**理解**を図り、観察、実験などに関する基本的な技能を身に付けるようにする。

(2)**観察**、**実験**などを行い、問題解決の力を養う。

(3)自然を愛する心情や主体的に問題解決しようとする態度を養う。

□**3つの柱** ➡ 今回の改訂において、**各教科等において育成を目指す資質・能力が3つの柱で整理**されたことを踏まえ、小学校理科においても、その3つの柱に沿って、育成を目指す資質・能力を整理した。

初めに、**どのような学習の過程を通して資質・能力を育成するのか**を示し、次に(1)には、**育成を目指す資質・能力**のうち「**知識及び技能**」を、(2)には「**思考力**、**判断力**、**表現力等**」を、(3)には「**学びに向かう力**、**人間性等**」を示している。これらは**相互に関連し合うもの**であり、資質・能力を**(1)**、**(2)**、**(3)の順に育成するものではない**ことに留意が必要である。

2 理科の学年目標

出題 埼玉・香川・愛媛　重要度 ★★

	A物質・エネルギーにかかわる目標	B生命・地球にかかわる目標
第3学年	①物の性質、風とゴムの力の働き、光と音の性質、磁石の性質及び電気の回路についての**理解**を図り、**観察**、**実験などに関する基本的な技能**を身に付けるようにする。 ②物の性質、風とゴムの力の働き、光と音の性質、磁石の性質及び電気の回路について**追究**する中で、主に**差異点や共通点を基に**、**問題を見いだす力**を養う。	①身の回りの生物、太陽と地面の様子についての**理解**を図り、**観察**、**実験などに関する基本的な技能**を身に付けるようにする。 ②身の回りの生物、太陽と地面の様子について**追究**する中で、主に**差異点や共通点を基に**、**問題を見いだす力**を養う。

学年		
第3学年	③物の性質、風とゴムの力の働き、光と音の性質、磁石の性質及び電気の回路について**追究**する中で、**主体的に問題解決しようとする態度**を養う。	③身の回りの生物、太陽と地面の様子について**追究**する中で、**生物を愛護する態度**や**主体的に問題解決しようとする態度**を養う。
第4学年	①空気、水及び金属の性質、電流の働きについての**理解**を図り、**観察**、**実験などに関する基本的な技能**を身に付けるようにする。 ②空気、水及び金属の性質、電流の働きについて**追究**する中で、主に**既習の内容や生活経験を基に**、**根拠のある予想や仮説を発想する力**を養う。 ③空気、水及び金属の性質、電流の働きについて**追究**する中で、**主体的に問題解決しようとする態度**を養う。	①人の体のつくりと運動、動物の活動や植物の成長と環境との関わり、雨水の行方と地面の様子、気象現象、月や星についての**理解**を図り、**観察**、**実験などに関する基本的な技能**を身に付けるようにする。 ②人の体のつくりと運動、動物の活動や植物の成長と環境との関わり、雨水の行方と地面の様子、気象現象、月や星について**追究**する中で、主に**既習の内容や生活経験を基に**、**根拠のある予想や仮説を発想する力**を養う。 ③人の体のつくりと運動、動物の活動や植物の成長と環境との関わり、雨水の行方と地面の様子、気象現象、月や星について**追究**する中で、**生物を愛護する態度**や**主体的に問題解決しようとする態度**を養う。
第5学年	①物の溶け方、振り子の運動、電流がつくる磁力についての**理解**を図り、**観察**、**実験などに関する基本的な技能**を身に付けるようにする。 ②物の溶け方、振り子の運動、電流がつくる磁力について**追究**する中で、主に**予想や仮説を基に**、**解決の方法を発想する力**を養う。 ③物の溶け方、振り子の運動、電流がつくる磁力について**追究**する中で、**主体的に問題解決しようとする態度**を養う。	①生命の連続性、流れる水の働き、気象現象の規則性についての**理解**を図り、**観察**、**実験などに関する基本的な技能**を身に付けるようにする。 ②生命の連続性、流れる水の働き、気象現象の規則性について**追究**する中で、主に**予想や仮説を基に**、**解決の方法を発想する力**を養う。 ③生命の連続性、流れる水の働き、気象現象の規則性について**追究**する中で、**生命を尊重する態度**や**主体的に問題解決しようとする態度**を養う。
第6学年	①燃焼の仕組み、水溶液の性質、てこの規則性及び電気の性質や働きについての**理解**を図り、**観察**、**実験などに関する基本的な技能**を身に付けるようにする。 ②燃焼の仕組み、水溶液の性質、てこの規則性及び電気の性質や働きについて**追究**する中で、主にそれらの**仕組みや性質**、**規則性及び働き**について、**より妥当な考えをつくりだす力**を養う。 ③燃焼の仕組み、水溶液の性質、てこの規則性及び電気の性質や働きについて**追究**する中で、**主体的に問題解決しようとする態度**を養う。	①生物の体のつくりと働き、生物と環境との関わり、土地のつくりと変化、月の形の見え方と太陽との位置関係についての**理解**を図り、**観察**、**実験などに関する基本的な技能**を身に付けるようにする。 ②生物の体のつくりと働き、生物と環境との関わり、土地のつくりと変化、月の形の見え方と太陽との位置関係について**追究**する中で、主にそれらの**働きや関わり**、**変化及び関係**について、**より妥当な考えをつくりだす力**を養う。 ③生物の体のつくりと働き、生物と環境との関わり、土地のつくりと変化、月の形の見え方と太陽との位置関係について**追究**する中で、**生命を尊重する態度**や**主体的に問題解決しようとする態度**を養う。

ポイント これらの目標がどのように内容として具体化されているかを確認しよう

02 学習指導要領② 内容

日付 ／

頻出度 B

●理科の内容は多岐にわたるが、内容区分ごとに学年と内容をまず理解する。
●続いて同一分野（電気等）で学年による学習内容の違いを理解していく。

1 内容区分

重要度 ★★

A 物質・エネルギー

□エネルギー ➡ エネルギーの捉え方・エネルギーの変換と保存・エネルギー資源の有効利用

□粒子 ➡ 粒子の存在・粒子の結合・粒子の保存性・粒子のもつエネルギー

B 生命・地球

□生命 ➡ 生物の構造と機能・生命の連続性・生物と環境の関わり

□地球 ➡ 地球の内部と地表面の変動・地球の大気と水の循環・地球と天体の運動

2 内容構成（「解説」による）

重要度 ★★

A 物質・エネルギー

(1) エネルギー

学年	エネルギーの捉え方	エネルギーの変換と保存	エネルギー資源の有効利用
3年	風やゴムの力の働き ・風の力の働き ・ゴムの力の働き 光と音の性質 ・光の反射・集光 ・光の当て方と明るさや暖かさ ・音の伝わり方と大小	磁石の性質 ・磁石に引き付けられる物 ・異極同極 電気の通り道 ・電気を通すつなぎ方 ・電気を通す物	
4年		電流の働き ・乾電池の数とつなぎ方	

学年			
5年	**振り子の運動** ・振り子の運動	**電流がつくる磁力** ・鉄心の磁化、極の変化／・電磁石の強さ	
6年	**てこの規則性** ・てこのつり合いの規則性 ・てこの利用	**電気の利用** ・発電（光電池（小4より移行）を含む）、蓄電 ・電気の変換 ・電気の利用	

（2）粒　子

学年	粒子の存在	粒子の結合	粒子の保存性	粒子のもつエネルギー
3年			**物と重さ** ・形と重さ ・体積と重さ	
4年	**空気と水の性質** ・空気の圧縮 ・水の圧縮			**金属・水・空気と温度** ・温度と体積の変化／・温まり方の違い／・水の三態変化
5年			**物の溶け方**※ ・重さの保存 ・物が水に溶ける量の限度 ・物が水に溶ける量の変化	※溶けている物の均一性(中1より移行)を含む
6年	**燃焼の仕組み** ・燃焼の仕組み	**水溶液の性質** ・酸性、アルカリ性、中性 ・気体が溶けている水溶液 ・金属を変化させる水溶液		

□**内容の取扱い** ➡ ・ものづくりの種類は、3学年で3種類以上、4～6学年で各2種類以上行う。／・4学年での電池のつなぎ方は**直列つなぎ**と**並列つなぎ**を扱う。

実験の結果から得られた性質や働き、規則性などを活用したものづくりを充実させることが大切だ

ポイント 電気なら電気で、学年でどのように指導内容が変わるかをおさえよう

B 生命・地球

(1) 生　命

<table>
<tr><th>学年</th><th>生物の構造と機能</th><th>生命の連続性</th><th>生物と環境の関わり</th></tr>
<tr><td>3年</td><td colspan="3">身の回りの生物①
・身の回りの生物と環境との関わり
・昆虫の成長と体のつくり
・植物の成長と体のつくり②</td></tr>
<tr><td>4年</td><td>人の体のつくりと運動
・骨と筋肉
・骨と筋肉の働き③</td><td colspan="2">季節と生物④
・動物の活動と季節
・植物の成長と季節</td></tr>
<tr><td>5年</td><td></td><td>植物の発芽、成長、結実
・種子の中の養分⑤
・発芽の条件
・成長の条件
・植物の受粉、結実⑥

動物の誕生
・卵の中の成長
・母体内の成長⑦</td><td></td></tr>
<tr><td>6年</td><td>人の体のつくりと働き
・呼吸
・消化・吸収
・血液循環⑧
・主な臓器の存在⑨

植物の養分と水の通り道
・でんぷんのでき方
・水の通り道</td><td></td><td>生物と環境
・生物と水、空気との関わり⑩
・食べ物による生物の関係（水中の小さな生物⑪（小５から移行）を含む）
・人と環境</td></tr>
</table>

(2) 地　球

<table>
<tr><th>学年</th><th>地球の内部と地表面の変動</th><th>地球の大気と水の循環</th><th>地球と天体の運動</th></tr>
<tr><td>3年</td><td></td><td colspan="2">太陽と地面の様子
・日陰の位置と太陽の位置の変化⑫
・地面の暖かさや湿り気の違い</td></tr>
</table>

4年	**雨水の行方と地面の様子** ・地面の傾きによる水の流れ ・土の粒の大きさと水のしみ込み方	**天気の様子** ・天気による1日の気温の変化 ・水の自然蒸発と結露	**月と星** ・月の形と位置の変化 ・星の明るさ、色 ・星の位置の変化
5年	**流れる水の働きと土地の変化** ・流れる水の働き ・川の上流・下流と川原の石 ・雨の降り方と増水⑬	**天気の変化** ・雲と天気の変化 ・天気の変化の予想⑭	
6年	**土地のつくりと変化** ・土地の構成物と地層の広がり（化石を含む） ・地層のでき方⑮ ・火山の噴火や地震による土地の変化⑯		**月と太陽** ・月の位置や形と太陽の位置⑰

□**内容の取扱い** ➡ それぞれ、以下のように取り扱うものとする。

❶飼育・栽培を通して行う ／ ❷「植物の育ち方」については、夏生一年生の双子葉植物を扱う ／ ❸関節の働きを扱う ／ ❹1年を通して動物の活動や植物の成長を各2種類以上観察する ／ ❺でんぷんを扱う ／ ❻おしべ・めしべ・がく・花びらを扱い、受粉には風や昆虫などが関係していることにも触れる ／ ❼人の受精に至る過程は取り扱わない ／ ❽心臓の拍動と脈拍が関係することにも触れる ／ ❾主な臓器として、肺、胃、小腸、大腸、肝臓、腎臓、心臓を扱う ／ ❿水が循環していることにも触れる ／ ⓫水中の小さな生物を観察し、それらが魚などの食べ物になっていることに触れる ／ ⓬太陽が東から南、西へと変化することを取り扱う。また、太陽の位置を調べるときの方位は東、西、南、北を扱う ／ ⓭自然災害についても触れる ／ ⓮台風の進路による天気の変化や台風と降雨との関係及びそれに伴う自然災害についても触れる ／ ⓯流れる水の働きでできた岩石として礫(れき)岩、砂岩、泥岩を扱う ／ ⓰自然災害についても触れる ／ ⓱地球から見た太陽と月との位置関係で扱う

「B生命・地球」の指導に当たっては、自然環境の保全に関する態度を育成するという観点をもつことが大切となる

ポイント ここで示した内容はあくまでも概要なので、学習指導要領の本文にあたって正確な表現を確認しておこう。合わせて、「解説」にも触れておきたい

03 学習指導要領③ 指導計画の作成と内容の取扱い

頻出度 A

●配慮事項は少なめだがその分1項目ずつが重要となる。
●事故防止に関わる留意事項は対象薬品も含めて確実におさえておく。

1 指導計画作成上の配慮事項（第3-1） 重要度 ★★

（1）**単元など内容や時間のまとまり**を見通して、その中で育む資質・能力の育成に向けて、児童の主体的・対話的で深い学びの実現を図るようにすること。その際、**理科の学習過程の特質**を踏まえ、理科の見方・考え方を働かせ、見通しをもって観察、実験を行うことなどの、問題を科学的に解決しようとする**学習活動の充実**を図ること。

（2）**各学年で育成を目指す思考力、判断力、表現力等**については、**該当学年において育成することを目指す力のうち、主なものを示した**ものであり、実際の指導に当たっては、他の学年で掲げている力の育成についても十分に配慮すること。

□（1）➡ **単元など内容や時間のまとまり**を見通しながら、**児童や学校の実態、指導の内容**に応じ、「**主体的な学び**」「**対話的な学び**」「**深い学び**」（**アクティブ・ラーニング**）の視点から授業改善を図ることが重要である。

□（2）➡ **第３学年**では、**主に差異点や共通点を基に、問題を見いだす力**が、**第４学年**では、**主に既習の内容や生活経験を基に、根拠のある予想や仮説を発想する力**が、**第５学年**では、**主に予想や仮説を基に、解決の方法を発想する力**が、**第６学年**では、**主により妥当な考えをつくりだす力**が**問題解決の力**として示されている。**４年間を通して**、これらの**問題解決の力**を**意図的・計画的に育成する**ことを目指すものである。

□（3）➡ **障がい種別の指導の工夫**のみならず、**各教科等の学びの過程において考えられる困難さ**に対する**指導の工夫の意図**、**手立てを明確にする**ことが重要である。

□（4）➡ **理科と道徳教育との関連を明確に意識**しながら、**適切な指導を行う必要**がある。

2 内容の取扱いにおける配慮事項（第3-2） 重要度 ★★

（1）**問題を見いだし、予想や仮説、観察、実験などの方法**について考えたり説明したりする学習活動、観察、実験の結果を整理し考察する学習活動、科学的な言葉や概念を使用して考えたり説明したりする学習活動などを重視することによって、言語活動が充実するようにすること。

（2）**観察、実験などの指導**に当たっては、指導内容に応じて**コンピュータや情報通信ネットワークなどを適切に**活用できるようにすること。また、第1章総則の第3の1の（3）のイに掲げるプログラミングを体験しながら論理的思考力を身に付けるための学習活動を行う場合には、**児童の負担に配慮しつつ**、例えば第2の各学年の内容の〔第6学年〕の「A物質・エネルギー」の（4）における電気の性質や働きを利用した道具があることを捉える学習など、**与えた条件に応じて動作していることを考察し、更に条件を変えることにより、動作が変化することについて考える場面**で取り扱うものとする。

（4）**天気、川、土地などの指導**に当たっては、災害に関する基礎的な理解が図られるようにすること。

□（1）➡ 学級の中のグループや学級全体での話合いが繰り返されることにより**言語活動**が充実し、**思考力**、**判断力**、**表現力等の資質・能力が育成されるように指導**することが重要である。

□（2）➡ **意図した処理を行うよう指示することができる**といった体験を通して、**身近な生活でコンピュータが活用されていること**や、**問題の解決には必要な手順があること**に**気付くことを重視**している。

□（3）➡ **野外での学習活動**では、自然の事物・現象を断片的に捉えるのではなく、これらの**相互の関係を一体的に捉えるようにすること**が**大切**である。そのことが、**自然を愛する心情や態度などを養うこと**に**もつながる**。

□（4）➡ 理科においては、**自然の事物・現象の働きや規則性などを理解すること**が**大切**で、それが**自然災害に適切に対応することにつながる**と考える。

□（5）➡ 小学校理科で育成を目指す資質・能力を育む観点から、**自然に親しみ、見通しをもって観察、実験などを行い**、その**結果を基に考察**し、**結論を導きだす**などの**問題解決の活動**の、より一層の充実を図ることが大切である。

□（6）➡ **博物館や科学学習センター、植物園、動物園、水族館、プラネタリウムなどの施設や設備**は、**学校では体験することが困難な自然や科学に関する豊富な情報を提供してくれる貴重な存在**である。

3 事故防止、薬品などの管理（第3-3）

重要度 ★★

□**事故防止** ➡ 観察、実験などの指導に当たっては、**予備実験**を行い、**安全上の配慮事項を具体的に確認**した上で、**事故が起きないように児童に指導することが重要**である。

ポイント 事故防止に関わる留意事項は、対象の薬品も含めて確実におさえておきたい

04 力

日付 ／

●さまざまな力に関する計算問題が出題される。
●数値化することから覚えていこう。

1 力　重要度 ★★★

力のつり合い

□1つの物体にいくつかの力が同時にはたらいても、それらの**合力が0であるとき、これらの力はつり合っているという**。

2つの力は一直線上にあることに注意

重力

□**質量** ➡ 物体そのものがもつ量。場所によらない。

□**重力加速度 ➡ 地球上で物体が鉛直下方に受ける加速度**。gと表記する。
場所によって多少の差があるが、 $g \fallingdotseq 9.8 m/s^2$

□**重力** ➡ 公式 **質量×重力加速度**[mg]であらわすことができる。
鉛直下方にはたらく。

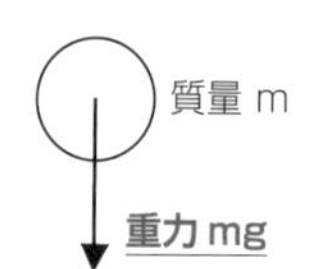

その他の力

□フックの法則 ➡ 公式 $F = kx$
(F：ばねが物体を引っ張る力　k：ばね定数　x：ばねの伸び)

□ばね定数の合成

公式 直列接続： $\frac{1}{k} = \frac{1}{k_1} + \frac{1}{k_2}$

公式 並列接続： $k = k_1 + k_2$

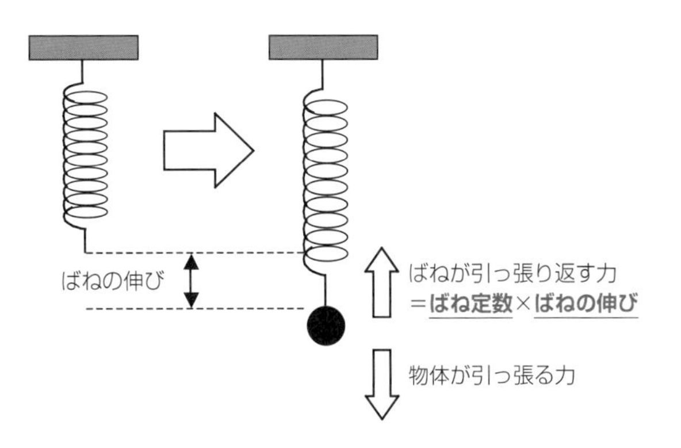

□**アルキメデスの原理** ➡ 液体中の物体は、それが排除している液体の重さに等しい大きさの力を受ける。

□浮力 ➡ **公式** $F=\rho Vg$

（F：浮力　ρ：液体の密度　V：物体の液体に浸かっている体積
g：重力加速度）

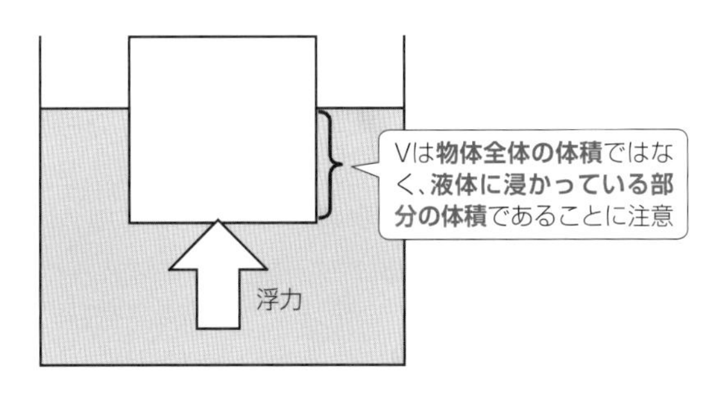

□てこ

物体の大きさを考えたとき、その物体を回転させるモーメントは、

公式 $M=F\times\ell$（M：モーメント　F：力　ℓ：支点から作用点までの長さ）で与えられる。

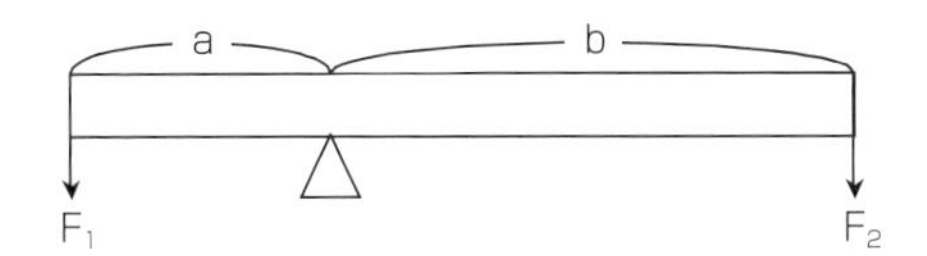

上図のときモーメントのつり合いは $F_1a=F_2b$ となる。

マメ フックの法則は、ばねそのものの長さ（自然長）は関係しない

05 力学(つり合い・物体の運動)

日付 ／

●滑車は同滑車の性質をおさえる。
●等加速度運動は実験結果から加速度を求めさせることが多い。

1 滑車

重要度 ★★★

定滑車と動滑車 重要!

□**定滑車**

天井などに固定された円盤を通して荷物などを引き上げることができる。このとき引き上げる力Fはおもりにはたらく重力Wと等しい。**滑車の役割は力の向きを変えることである**。

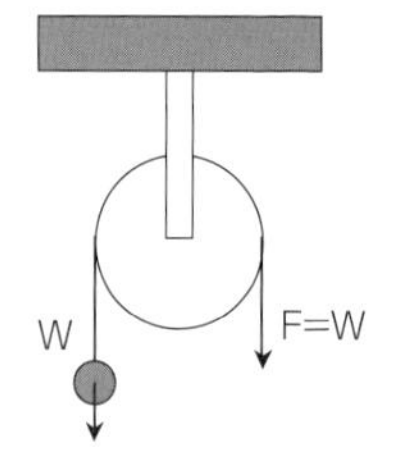

□**動滑車**

円盤に固定された(つるされた)荷物などをひもでもち上げるものである。このとき片方のひもを天井などに固定する。引き上げる力Fはおもりにはたらく重力Wの半分ですむが、巻き取るひもの長さは倍になる。

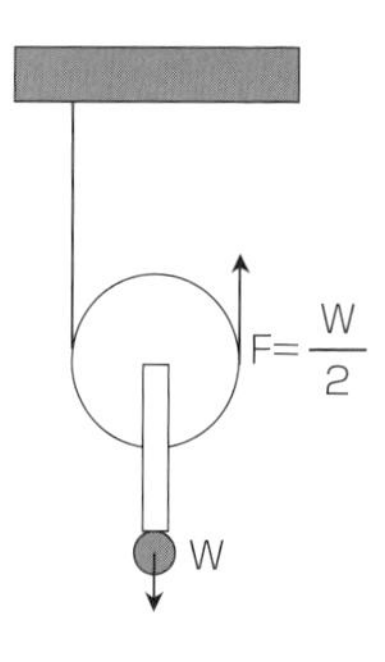

名称	力	巻き取るひもの長さ
定滑車	**おもりの重さ**	――――
動滑車	**おもりの半分**	**定滑車の倍**

2 物体の運動

重要度 ★★★

等速直線運動と等加速度直線運動

□**等速直線運動** ➡ 物体が**常に等しい速さ**で一直線上を運動するとき、その物体は等速直線運動をするという。移動距離x、速さv、時間tとすると、

公式 $v=\frac{x}{t}$ であらわされる。

□加速度 ➡ 速度の変化の割合(増えていく、減っていく割合)を**加速度**という。初速度 v_0[m/s]、時間 t[s]における速度を v[m/s]とすると、加速度 a は $a = \frac{v - v_0}{t}$[m/s²]となる。**加速度がマイナスということは減速している**ということである。

例 等加速度運動している物体を0.1秒間隔で撮影したときの様子が次のようであったとき、物体の加速度は、はじめの0.1秒の速度は0.01÷0.1=0.1[m/秒]で、次の0.1秒が0.014÷0.1=0.14[m/秒]であるから、$a = \frac{0.14 - 0.10}{0.1} = 0.4$[m/s²]である。

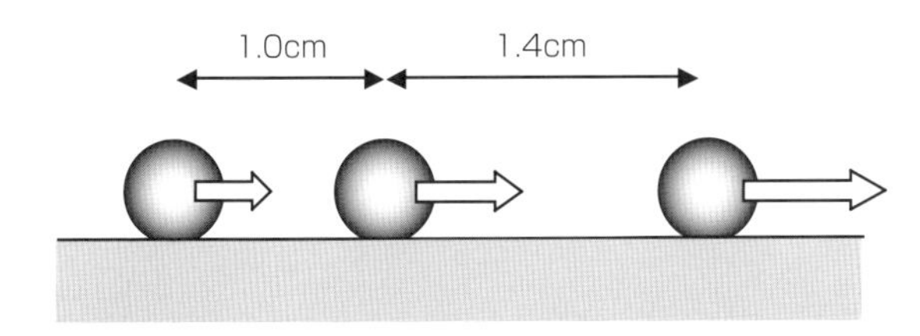

□**等加速度直線運動** ➡ 直線上を運動する物体の加速度が一定の場合の運動を等加速度直線運動という。

初速度 v_0、加速度 a、移動にかかった時間を t とし、t 秒後の移動距離を x、速度を v とすると、次の式が成り立つ。

公式 速度：$v = v_0 + at$

公式 変位：$x = v_0 t + \frac{1}{2}at^2$

重力による運動

□自由落下 ➡ 物体は重力加速度 g を受けるので、落下するときは等加速度運動となる。関係式は次のとおりである。なお、**自由落下とは初速度が0の場合をいう**。

公式 速度：$v = gt$

公式 変位：$x = \frac{1}{2}gt^2$

ポイント 滑車は次ページの「仕事」でも出てくる

06 仕事とエネルギー

頻出度 B

●仕事の意味を覚えよう。
●エネルギーと仕事の関係を理解していく。

1 仕事

重要度 ★★

仕事

□仕事 ➡ 物体に一定の力Fを加え続け、物体が力の向きに距離sだけ移動したとき、この力Fは物体に**仕事**をしたという。仕事Wは、公式 $W=Fs$（単位J）であらわされる。物体が仕事をする能力をもっているとき、その物体はエネルギーをもっているという。

例

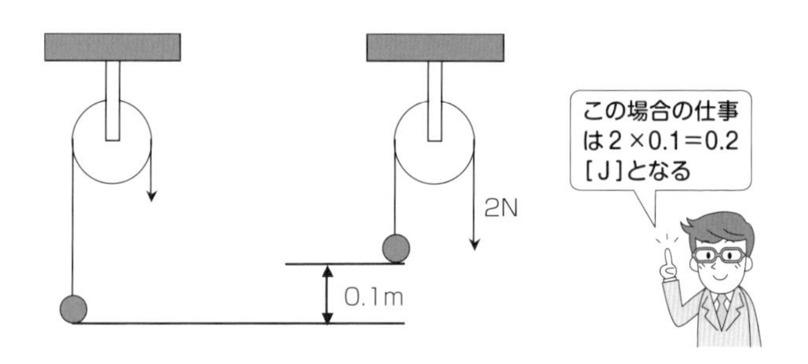

□仕事率 ➡ 単位時間あたりの仕事量。

公式 $\frac{\text{仕事量}}{\text{要した時間}}$ で求めることができる。

□先ほど学習した定滑車と動滑車は、一見すると動滑車のほうが半分の力で済むので、定滑車に比べ仕事が小さいように見えるが、引っ張るひもの長さが倍なので、**仕事としてはどちらも変わらないことになる**。これを**仕事の原理**という。例えば、山道はくねくねと曲がっており、長い距離を移動させられていると感じるが、こちらのほうが移動しているときの単位時間あたりの重力に逆らってする仕事が小さくて済むので楽に登ることができる。

力学的エネルギー　重要!

□**運動エネルギー** ➡ 運動している物体がもっているエネルギーのこと。

公式 $K=\frac{1}{2}mv^2$（m：質量　v：速さ）であらわされる。

□物体の運動エネルギーの変化は、物体がされた仕事量に等しい。

□**位置エネルギー** ➡ 物体は高い所にあったり、縮んだばねにつながっているだけで仕事をする能力がある。

□**重力による位置エネルギー** ➡ 公式 $U=mgh$（m：質量　g：重力加速度　h：高さ）

□**弾性力による位置エネルギー** ➡ 公式 $U=\frac{1}{2}kx^2$（k：ばね定数　x：ばねの伸び）

エネルギー保存則　重要!

□物体は外的な力を受けなければ、**エネルギーの総和は保存される**。

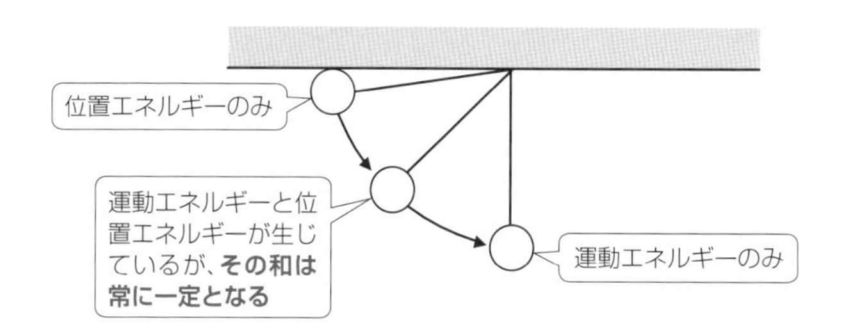

例 物体を高さhから静かに落とせば、落下後の速さは、エネルギー保存則より、

$\frac{1}{2}mv^2=mgh$

⇨ $v=\sqrt{2gh}$ となる。

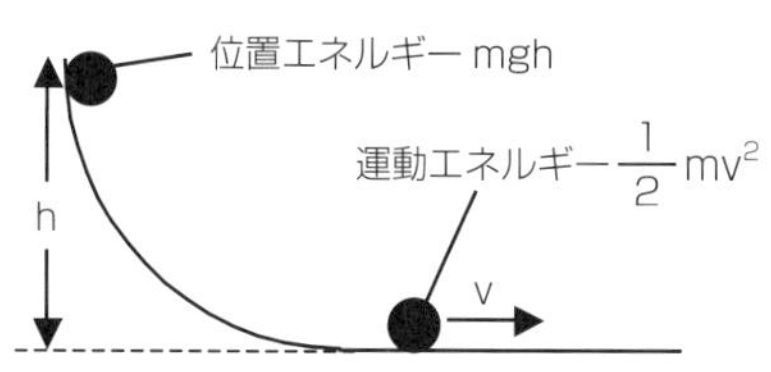

理科（物理）
頻出度 B
仕事とエネルギー

メモ 位置エネルギーはポテンシャルエネルギーともいう

07 波動

日付 ／

頻出度 C

●頻出事項ではないが、知識が問われることが多い。
●計算が苦手な人はできるようにしておくとよい。

1 波

重要度 ★

波

□**縦波と横波** ➡ 波には、進行方向と振動方向が垂直な**横波**と、平行な**縦波**がある。

名称	進行方向と振動方向	具体例
縦波	平行	音波、P波
横波	垂直	光波、S波

縦波、横波は地学でも出題される

□波の要素

波の波長：λ(ラムダ)[m]
波の振動数：f[Hz(ヘルツ)]
波の速さ：v[m／s]

以上3つの要素には次の関係がある。

公式 $v = f\lambda$

振動数(周波数)とは「1秒間に振動する波の回数」である。また、「1回振動するのに要する時間」を周期Tといい、公式 $f = \frac{1}{T}$ の関係がある。

2 波の性質

重要度 ★

波の性質

□**反射**(音、光) ➡ 波には直進性があり、常にまっすぐ進もうとする。しかし媒質が異なる境界面に達すると波の一部は反射する。**入射角と反射角は等しくなる**(反射の法則)。

□**屈折**(音、光) ➡ 2つの媒質の境界面で波は一部反射し、一部は透過する。透過する波は直進せずに、境界面で一度曲がる。なお、屈折率の**大きい媒質**

から小さい媒質へ通過するときは**全反射**を起こすことがある。具体例として**光ファイバー**がある。

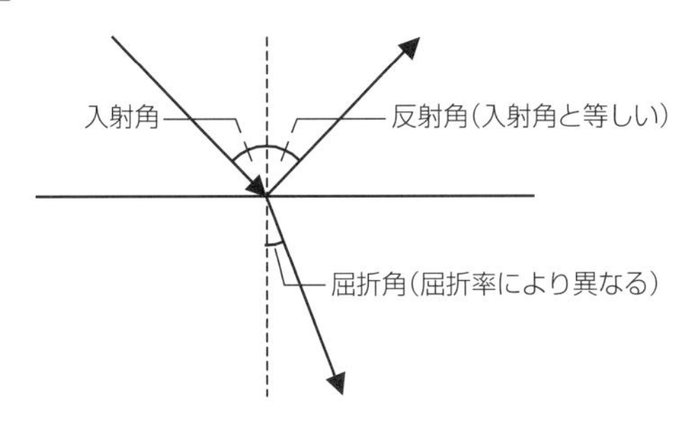

□屈折率は同じ空気でも温度によって異なる。この結果、**夜のほうが昼に比べ音がよく届く**。

□**回折**（音、光）➡ 障害物の後ろまで波がまわり込むこと。直接見えない塀の向こう側から聞こえてくる音は音波の回折によって起こるものである。光は波長が短いので、回折の程度が小さい。

□**干渉**（音、光）➡ 2つ以上の波が重なって強めあったり、弱めあったりすることをいう。**シャボン玉の膜に見える虹色の模様**は干渉によって見える。

□**散乱**（光）➡ 長波長の赤色の光よりも短波長の青色の光の方が屈折率が大きいので、目に入る光は青色が多くなるため、昼間の空は青く見える。このような現象を光の散乱という。

□**分散**（光）➡ 光をプリズムに当てると、波長の違いから光が赤〜紫に分かれて見える。**虹がこの原理に基づいている**。

3 凸レンズ

重要度 ★

□焦点距離が f の凸レンズの中心O から物体までの距離が a で、中心O から b の距離に実像ができたとき、$\frac{1}{a}+\frac{1}{b}=\frac{1}{f}$が成り立つ。

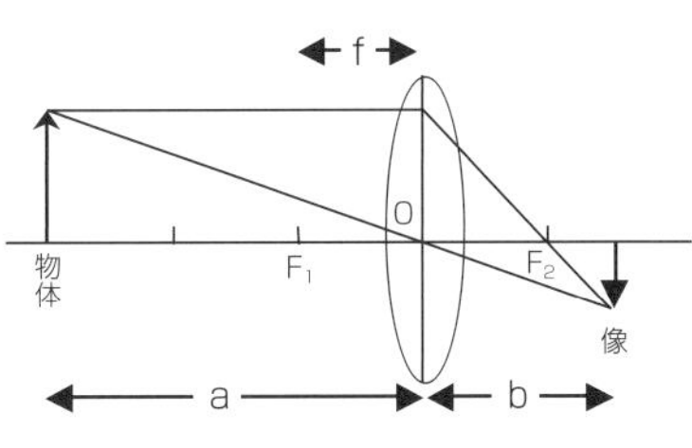

□a＜f のときは虚像ができるが、そのときは、$\frac{1}{a}-\frac{1}{b}=\frac{1}{f}$が成り立つ。

理科（物理）
頻出度 C
波動

マメ 油膜に見える虹模様も干渉

08 電気回路①

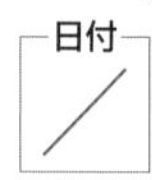

頻出度 A

●オームの法則だけでなく、回路の性質を理解していく。
●回路はイメージが重要である。

1 電流・電圧・抵抗の関係 出題 愛知・神戸市・愛媛・佐賀 重要度 ★★★

電流・電圧・抵抗の関係

□**電流** ➡ 単位時間あたりに導体の断面を通過する電気量を電流といい、A(アンペア)であらわす。

□**電圧** ➡ 2点間の電位の差を電位差または電圧という。電圧が大きいほど電流の値は大きくなる。これを**オームの法則**という。

イメージ図

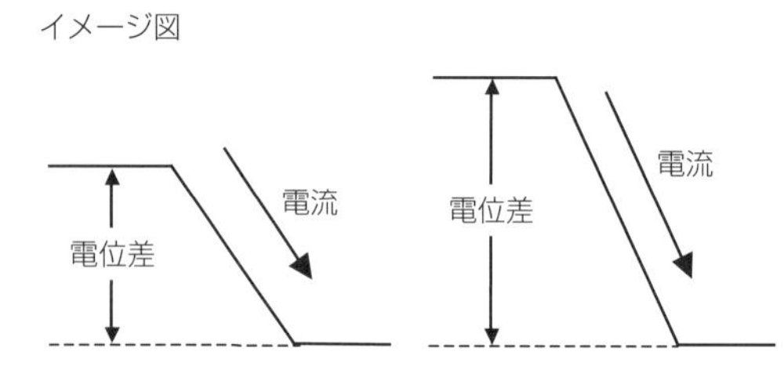

電流を物が落下していく様とたとえれば、高さがあったほうがその勢いがあることは想像しやすい。この高さが電圧と考えることができる

□**抵抗** ➡ 電圧と電流の大きさは比例関係にあるが、導線の長さ、材質によってその関係は変わってくる。この比例定数を抵抗という。導線にかかる抵抗は、導線の長さに**比例**し、断面積に**反比例**する。

公式 $R=\rho\frac{L}{S}$ (R：抵抗　ρ：抵抗率　L：長さ　S：断面積)

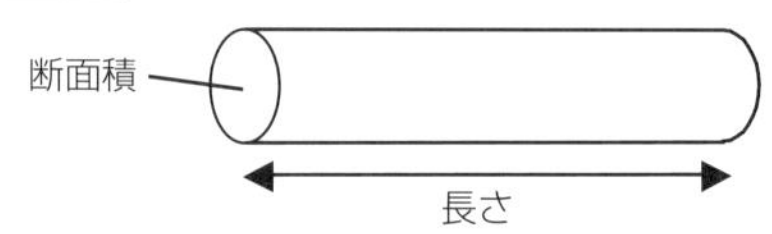

オームの法則

□オームの法則 ➡ 導線において、電流Ⅰ、電圧Ⅴ、抵抗Rには次の関係が成

り立つ。

公式 V＝ＩR

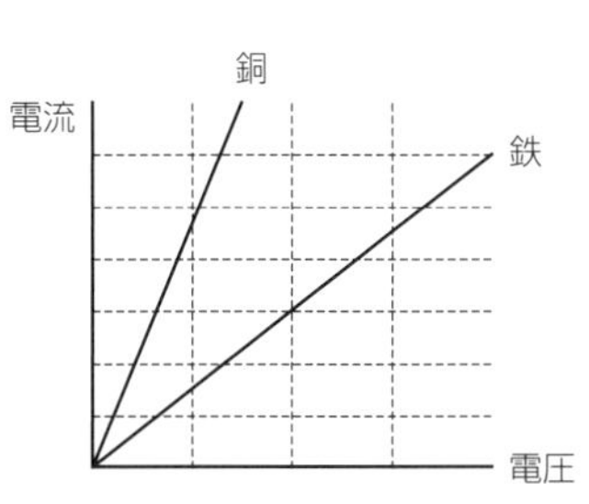

2 直流回路

出題 愛知・神戸市・愛媛・佐賀　重要度 ★★★

電池と回路

□電池 ➡ 電池は電位差（起電力）を作り出す装置である。これを用いて回路をつくる。

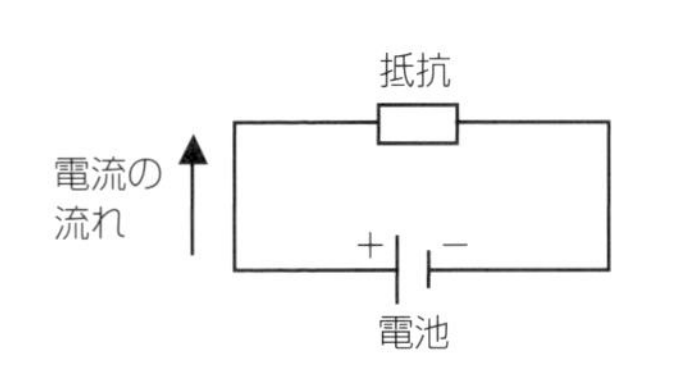

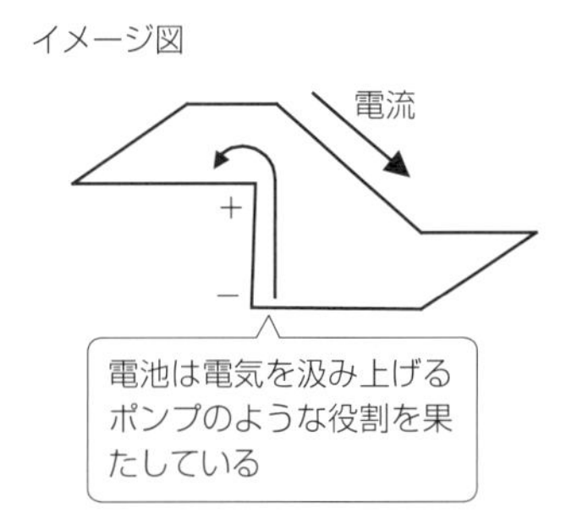

直列回路と並列回路

□**直列回路** ➡ 抵抗を直列につなぐと各抵抗に流れる電流は**等しい**。また、各抵抗にかかる電圧の総和は、**電池の起電力**と等しい。

□**並列回路** ➡ 抵抗を並列につないだとき、各抵抗にかかる電圧は**等しい**。また、各抵抗に流れる電流は抵抗の大きさに**反比例**する。

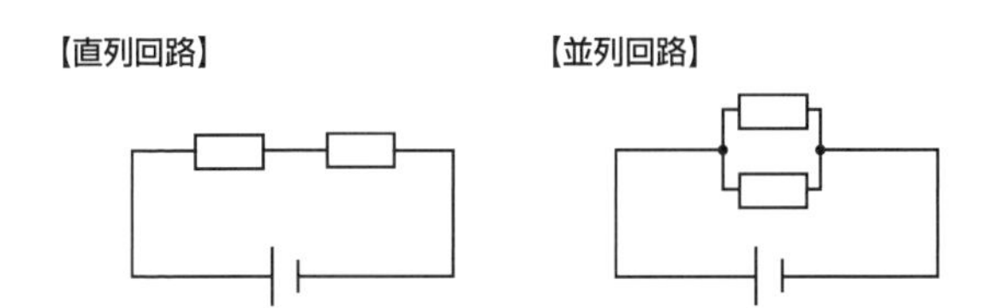

09 電気回路②

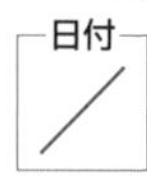

●直列回路と並列回路の性質の違いを理解する。
●豆電球の光の強さなどがよく出る。

1 直列回路・並列回路 出題 愛知・神戸市・愛媛・佐賀 重要度 ★★★

合成抵抗

□**抵抗の合成** ➡ 2つの抵抗は1つにみなすことができる。つなぎ方によってその関係は変わってくる。

公式 **直列接続**：$R=R_1+R_2$

公式 **並列接続**：$\frac{1}{R}=\frac{1}{R_1}+\frac{1}{R_2}$

例 図のような回路に10Vの電圧をかけたとき、回路全体に流れる電流を求める。

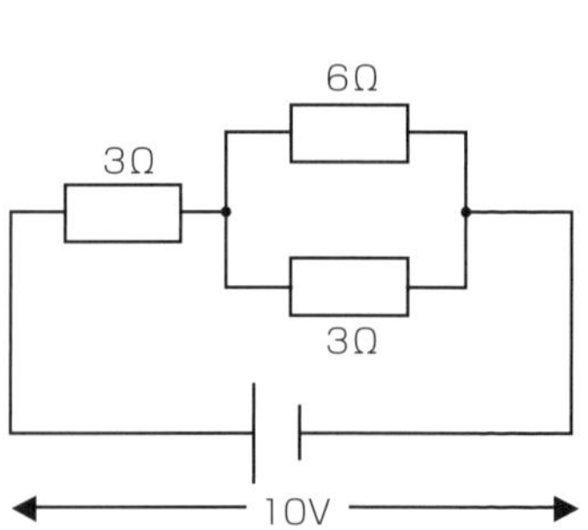

並列回路の抵抗の合成値をR_1とすると、

$\frac{1}{R_1}=\frac{1}{6}+\frac{1}{3}=\frac{3}{6}=\frac{1}{2}$ $R_1=2\Omega$

これが3[Ω]の抵抗と直列に接続されているから、全体の合成抵抗Rは、

$R=R_1+3=2+3=5$[Ω]

となる。

したがって、オームの法則より回路全体に流れる電流は、$I=\frac{10}{5}=2$[A]となる。

豆電球のつなげ方と明るさ

□**直列**の場合 ➡ 同じ電力の豆電球であれば、直列につなげるほど明るさは**弱くなる**。

□**並列**の場合 ➡ 並列に接続すると、各抵抗にかかる電圧は変わらないので、どれだけつないでも**明るさは変わらない**。

【直列回路】

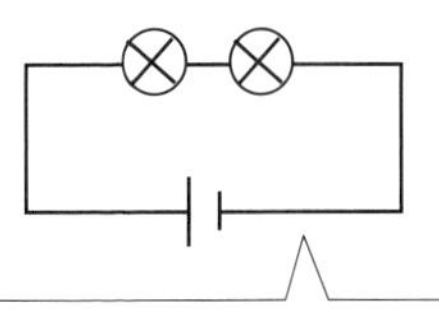

電池の起電力が均等に割り振られるので、電圧が小さくなり豆電球の明るさは弱くなる

【並列回路】

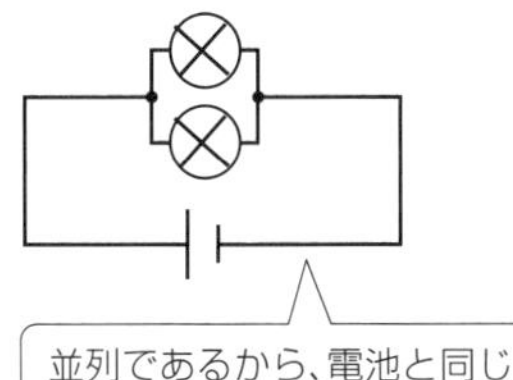

並列であるから、電池と同じ電圧がかかる

電池のつなげ方と豆電球の明るさ

□電池を直列につなぐ場合 ➡ その分起電力が上がるので、**明るくなる**。

□電池を並列につなぐ場合 ➡ 並列につなぐので起電力は上がらない。したがって、直列に比べ明るくはならないが、電流は半分になるので直列に比べ**長持ちする**。

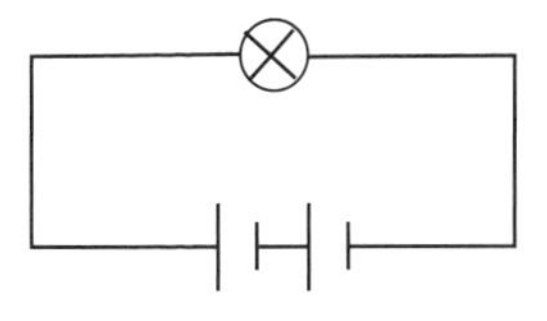

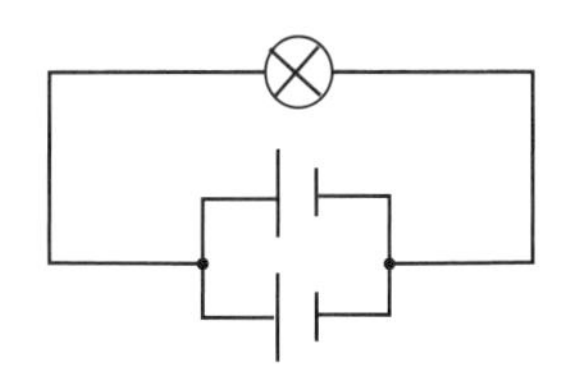

電流計と電圧計

□**電流計** ➡ 電流計は導線を流れる電流の大きさを計測する計器で、導線の途中に**直列**に接続する。

□**電圧計** ➡ 回路上の２点間の電位差を測定する計器で、２点間に**並列**に接続する。

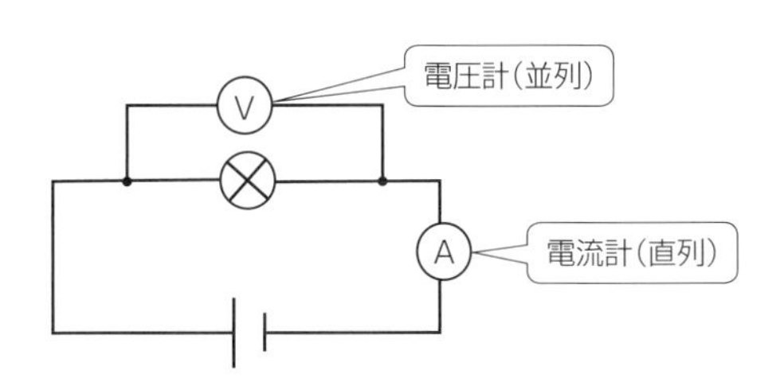

ポイント 電流計の内部抵抗は小さい！

10 電力・電磁気

頻出度 A

●電力の計算は公式を覚えよう。
●電流と磁場は、向きに関する問題が出題される。

1 ジュール熱・電力 出題 愛知・神戸市・愛媛・佐賀 重要度 ★★

ジュール熱

□**ジュール熱** ➡ 電熱線などの導体に電流が流れると熱が発生する。この熱をジュール熱という。

□アイロンはジュール熱を利用したものである。

□**ジュールの法則** ➡ R[Ω]の抵抗に電圧V[V]を加えて、電流I[A]をt秒間流すときの発熱量Q[J]は次のようにあらわされる。

公式 $Q=IVt=I^2Rt=\frac{V^2}{R}t$

オームの法則V＝IRを変形して代入すれば求めることができる

電力量と電力

□抵抗から発生するジュール熱は、抵抗に流れた電流がする仕事に等しい。

□**電力量** ➡ 電流がした仕事 公式 $W=IVt$（I：電流　V：電圧　t：時間）

□**電力** ➡ 単位時間あたりの電力量 公式 $P=W\div t=IV$

2 電流と磁場 出題 愛知・神戸市・愛媛・佐賀 重要度 ★★★

磁場

□磁場と磁力線 ➡ 磁気が発生している空間では磁場が生じている。

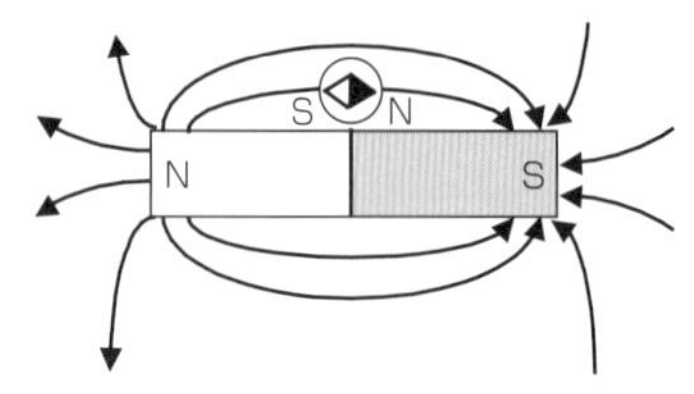

電流が作る磁場

□直線電流が作る磁場 ➡ 右ねじの進む向きに電流が流れるとき、**右ねじの回る向き**に磁場ができる。

□ソレノイドの電流が作る磁場 ➡ 右ねじのまわる向きに電流が流れるとき、**右ねじが進む向き**に磁場ができる。

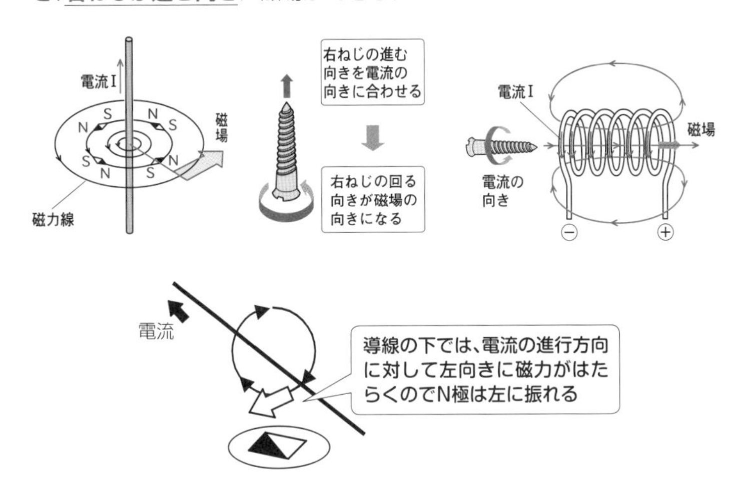

（注意）コンパスは地球の磁場の影響を受けるので、上の場合は、本来は、電流からの磁場と地球の磁場を合成したものになる。

電磁誘導

□**電磁誘導** ➡ 回路を貫く磁束が変化すると、回路に電圧が生じる。生じた電圧を誘導起電力といい、誘導起電力によって発生した電流を誘導電流という。誘導電流の向きは**レンツの法則**によって求めることができる。

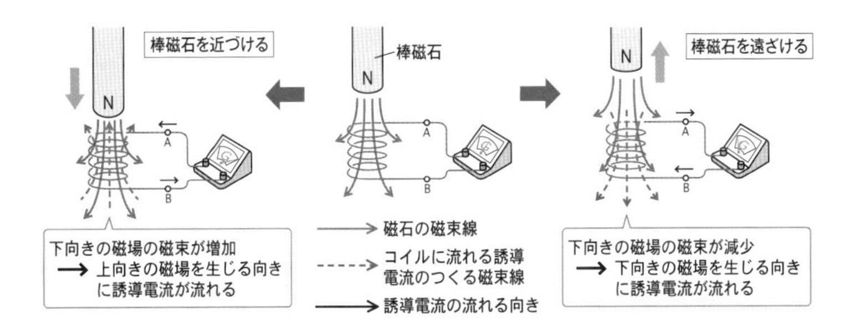

ポイント tの単位は「秒」。間違えないように

11 物質の状態

頻出度 **B**

●頻出事項なので暗記してしまうとよい。
●出題では実験に関する形式が多いので慣れておこう。

1 物質の三態

出題 千葉・熊本　重要度 ★

状態変化

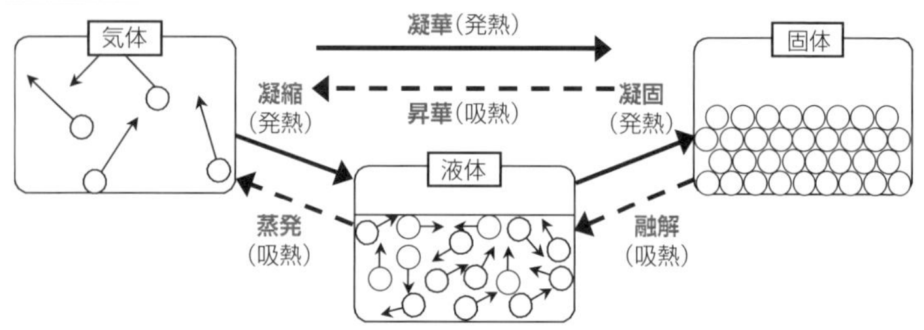

□昇華 ➡ 固体が液体にならずに気体になること(その逆は凝華)。

例 **二酸化炭素(ドライアイス)**

2 物質の溶解

出題 埼玉　重要度 ★

濃度

□溶媒と溶質 ➡ 物質を溶かしている液体を**溶媒**、溶けている物質を**溶質**という。溶媒と溶質が混ざった液体を**溶液**という。溶液の中では溶質が均一に広がる。

例 食塩水における水が溶媒、食塩が溶質

□濃度 ➡ 溶質が溶液に溶けている割合。

公式 $濃度 = \frac{溶質の質量}{溶液の質量} \times 100(\%)$

溶解度

□固体の溶解度 ➡ 一定量の溶媒に溶ける溶質の質量の最大値を溶解度という。固体の溶解度は溶媒100gに溶ける溶質の質量の最大値であらわされる。

公式 $\frac{溶質の質量}{飽和溶液の質量} = \frac{溶解度}{100 + 溶解度}$

□**再結晶** ➡ 温度によって溶解度が異なることを利用して、1種類の固体を析出する。

例 硫酸銅五水和物を含む硝酸カリウム

3 非金属元素の性質 重要度★★★

非金属元素の性質

□水素 ➡ **亜鉛**に**希硫酸**を加えると発生する。**水上置換法**で捕集する。無色無臭の気体で水に溶けにくい。**一番軽い**気体。**可燃性がある**。

□ヘリウム ➡ ヘリウムは、不燃性で水素についで軽いので、気球や飛行船などの**浮揚ガス**に使われている。単体で最も沸点が低いので、極低温の実験室や、リニアモーターカーの超伝導磁石の冷却材として用いられる。

□塩素 ➡ **黄緑**色の気体。さらし粉に塩酸を加えてつくる。

□酸素 ➡ 酸素O_2は空気の約**20**%を占める。**酸化マンガン(Ⅳ)を触媒として、過酸化水素を分解することによって得られる**。

【空気の構成】

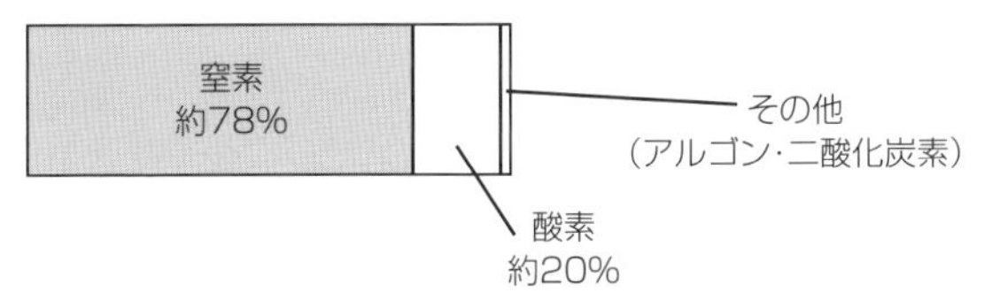

□アンモニア ➡ 無色で刺激臭がある。空気より**軽い**気体で、**水に溶けやすい**。水溶液は**弱塩基性**を示す。工業的には**ハーバー・ボッシュ法**により製造する。

□炭素 ➡ 単体には、**ダイヤモンド**、**黒鉛(グラファイト)**、フラーレンなどの**同素体**がある。ダイヤモンドの融点は約3600℃で、単体の中では最も硬い。黒鉛は**電気伝導性**がある。

□硫化水素 ➡ 無色・有臭**(腐卵臭)**で有毒な気体。

□ケイ素 ➡ ケイ素はゲルマニウム(Ge)と同様に、半導体の材料として重要である。ケイ素の地球上における存在率は**酸素についで第2位**である。

□一酸化炭素 ➡ **有毒**な気体で、水にはほとんど溶けない。血液中の**ヘモグロビン**と酸素との結合を阻害する(一酸化炭素中毒)。他の物質の酸素を奪う還元性がある。そのため、**製鉄**に利用されている。

□二酸化炭素 ➡ 水にわずかに溶けて炭酸水となり、弱酸性を示す。**石灰水に通ずると石灰水が白濁する**。

マメ CO_2は空気中に0.03～0.04%ある

12 物質の変化①

●化学式、化学反応式は問題演習を通じて覚えていくとよい。
●酸化は酸化銅に関する出題がよくある。

1 化学反応式

出題 長崎　重要度 ★★★

化学反応式

□化学反応式 ➡ 化学変化は、反応の前後で原子の数は必ず等しくなる。それをあらわすために、化学式に係数をつける。

例 水が生成する反応 ➡ $2H_2+O_2$ → $2H_2O$

例 メタンが燃焼する反応 ➡ CH_4+2O_2 → CO_2+2H_2O

2 酸・塩基

重要度 ★

酸・塩基

□pＨ ➡ その物質が酸性か塩基性(アルカリ性)であるかを示す尺度。7が**中性**で、7より小さいと**酸性**、7より大きいと**塩基性**となる。

酸	塩　基
HCl(塩酸) HNO_3(硝酸) CH_3COOH(酢酸) H_2SO_4(硫酸) H_2CO_3(炭酸)	NaOH(水酸化ナトリウム) KOH(水酸化カリウム) NH_3(アンモニア) $Ca(OH)_2$(水酸化カルシウム) $Ba(OH)_2$(水酸化バリウム)

酸・塩基の判定

□リトマス試験紙

物性	色の変化
酸性	**青色リトマス紙が赤になる**
塩基性	**赤色リトマス紙が青になる**

pHの指示薬として、BTB溶液、メチルオレンジなどがある

3 酸化

出題 愛知　重要度 ★★★

酸化

□酸化 ➡ 物質が反応し、酸素原子と化合することを酸化という。

例 銅の酸化　$2Cu+O_2$ → $2CuO$

例 マグネシウムの酸化　$2Mg+O_2$ → $2MgO$

量的関係

□**質量保存の法則** ➡ 化学変化の前後において、物質全体の質量の総和は変わらない。

例 下のグラフにおいて、銅2.0ｇと酸素が結合して酸化銅2.5ｇができているわけだから、結合した酸素の量は**2.5−2.0=0.5**[ｇ]とわかる。

□**定比例の法則** ➡ 同じ物質であれば、それを構成する原子の質量の比率は一定になる。

例 先ほどの酸化銅に対して、銅：酸素＝2.0ｇ：0.5ｇ＝4：1、及び定比例の法則より、酸化銅の銅と酸素の質量比が**4：1**とわかる。これによって下図のようなグラフを描くことができる。

【銅と酸化銅の量的関係】

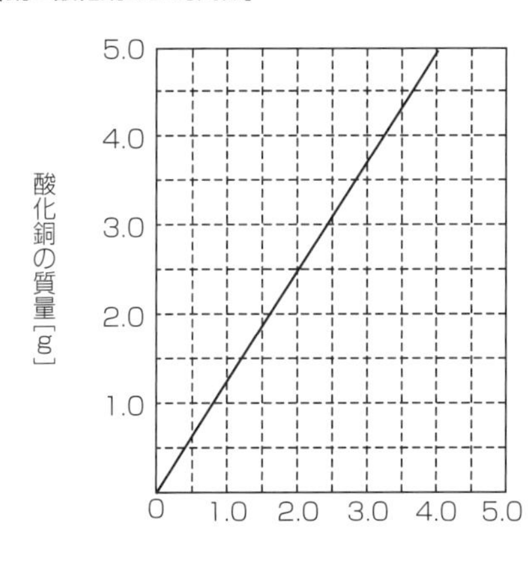

定比例の法則より、直線のグラフが描ける

13 物質の変化② 器具の取扱い

日付 ／

●電池及び電気分解について確実に理解する。
●器具の取扱いではガスバーナーがよく出る。

1 電池・電気分解

●頻出● 重要度 ★★

広義的な酸化還元の定義

	酸素原子	水素原子	電子	酸化数
酸化	受け取る	失う	**失う**	増加する
還元	失う	受け取る	**受け取る**	減少する

金属のイオン化傾向

重要!

□金属には酸化（イオン化）しやすいものもあれば、酸化しづらいものもある。水溶液中での陽イオンへのなりやすさを**イオン化傾向**という。

<table>
<tr><td>イオン化傾向</td><td colspan="9">大きい（酸化されやすい）</td><td colspan="8">小さい（酸化されにくい）</td></tr>
<tr><td>金属</td><td>Li</td><td>K</td><td>Ca</td><td>Na</td><td>Mg</td><td>Al</td><td>Zn</td><td>Fe</td><td>Ni</td><td>Sn</td><td>Pb</td><td>(H_2)</td><td>Cu</td><td>Hg</td><td>Ag</td><td>Pt</td><td>Au</td></tr>
<tr><td>乾燥空気との反応</td><td colspan="4">酸化される</td><td colspan="10">徐々に酸化される</td><td colspan="3">酸化されにくい</td></tr>
<tr><td>水との反応</td><td colspan="4">常温で反応</td><td colspan="4">高温で反応</td><td colspan="9">反応しにくい</td></tr>
<tr><td>希硫酸・希塩酸との反応</td><td colspan="11">反応する</td><td></td><td colspan="5">反応しない</td></tr>
<tr><td>硝酸・熱濃硫酸との反応</td><td colspan="15">反応する</td><td colspan="2">反応しない</td></tr>
<tr><td>王水との反応</td><td colspan="17">反応する</td></tr>
</table>

電池

□電池 ➡ 酸化還元反応に伴って放出されるエネルギーを電気エネルギーに変換する装置。電解液に金属を入れることになるが、**イオン化傾向の大きい金属が負極になる**。

負極から正極に向かって「電子」が流れる。「電流」の向きとは逆である

電気分解

電気分解の生成物の一例

水溶液	陽極	陰極
硫酸銅(Ⅱ)($CuSO_4$)	**酸素**	**銅**
硝酸銀($AgNO_3$)	**酸素**	**銀**
硫酸(H_2SO_4)	**酸素**	**水素**
塩化ナトリウム($NaCl$)	**塩素**	**水素**

2 器具の取扱い

●頻出● 重要度 ★★★

ガスバーナーの扱い方

①調節ねじを締める。
②ガスの元栓を開く。
③ガスバーナーのガス栓を開く。
④ガス調節ねじを開き、点火する。
⑤ガスの量を調節して、炎の高さを5cm程度にする。
⑥空気調節ねじを回して空気の量(炎の色)を調節する。

ガス調節ねじ　空気調節ねじ

回すときは下にあるガス調節ねじをおさえて回そう

試験管の加熱

□**沸騰石** ➡ 沸騰石を加熱している試験管に入れることによって**突沸**を防ぐ。

体積の測定

□メスシリンダーで液体の体積を測定するときの注意点

①**湾曲した液面の底に目線を合わせる。**
②液面の**底の目盛り**を、最小目盛りの10分の1まで読む。

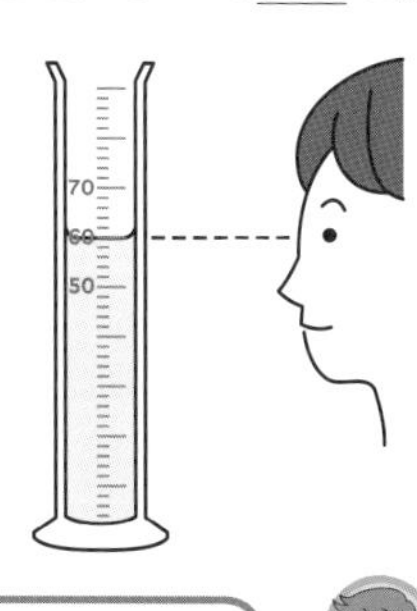

マメ 王水とは濃塩酸と濃硝酸を3:1の体積比で混ぜてつくったもの

14 細胞の構造・顕微鏡について

日付 ／

頻出度 B

●細胞小器官のはたらきが問われる。
●顕微鏡は各部位の名称と使い方を覚えよう。

1 細胞の構造

重要度 ★

細胞の構造

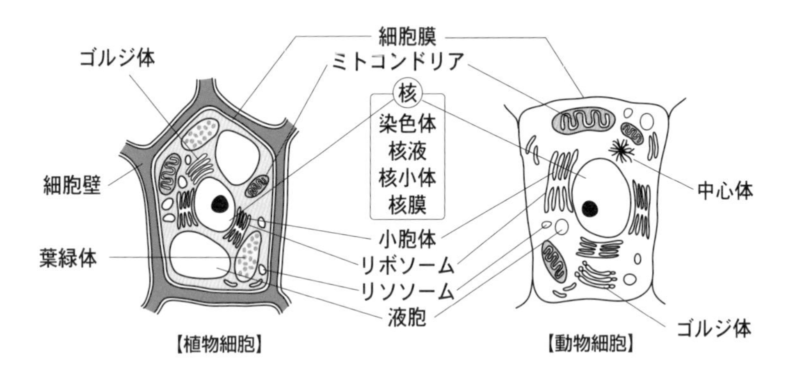

主な細胞小器官のはたらき

□**染色体** ➡ 遺伝情報のＤＮＡを含む。

□**葉緑体** ➡ 光合成の場となっている。動物にはない。

□**細胞壁** ➡ 細胞内部の物質を保護、補強する。動物にはない。

□**細胞膜** ➡ 物質の出入りを調節する。

単細胞生物と多細胞生物

□**単細胞生物** ➡ １個の細胞でできている生物。

□**多細胞生物** ➡ からだが多数の細胞でできている生物。

名称	代表例
単細胞生物	**ゾウリムシ、アメーバ、ミドリムシ**
多細胞生物	**ヒドラ、サンゴ**

2 細胞分裂

出題 愛知　重要度 ★

細胞分裂

□細胞分裂 ➡ 細胞分裂は**体細胞分裂**と**減数分裂**に大別できる。体細胞分裂は分裂後も染色体の数は変わらないが、**減数分裂は染色体の数が半減する。**

体細胞分裂

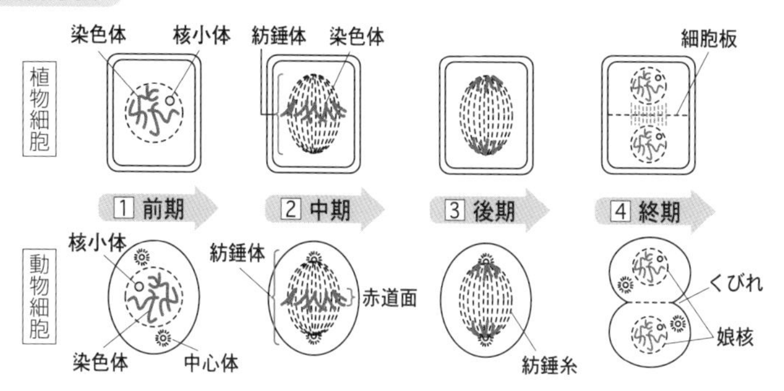

□**間期** ➡ ＤＮＡ量が倍加する。

□**前期** ➡ 核内の染色糸が染色体となり、核膜は消失する。

□**中期** ➡ 染色体が細胞の中央（赤道面）に集まり、細胞の両極から伸びてきた紡錘糸がこれと接続し、**紡錘体**（ぼうすいたい）が完成する。

□**後期** ➡ 染色体は紡錘糸に引かれて、両極へ移動する。

□**終期** ➡ 動物細胞はくびれ、植物細胞は細胞板が仕切ることで細胞が分かれる。

3 顕微鏡

重要度 ★★

各部位の名称とプレパラートの動かし方

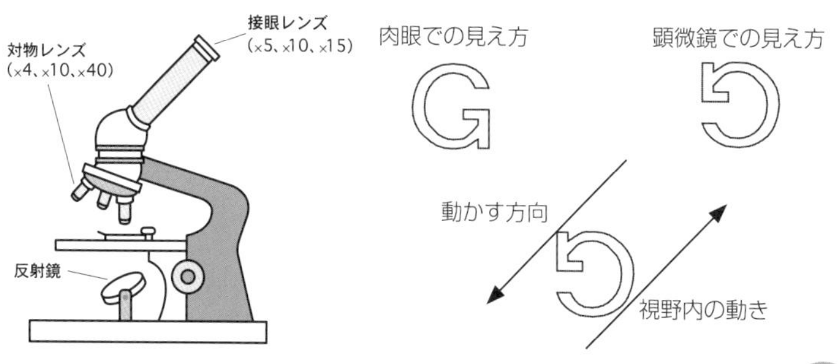

マメ 顕微鏡の中では上下左右が逆転するので注意が必要

15 植物①

●花のつくりをまず覚える。
●絵(図)とともに出題されることが多い。

1 花のつくり

•頻出• 重要度 ★★★

花をつくる4つの要素

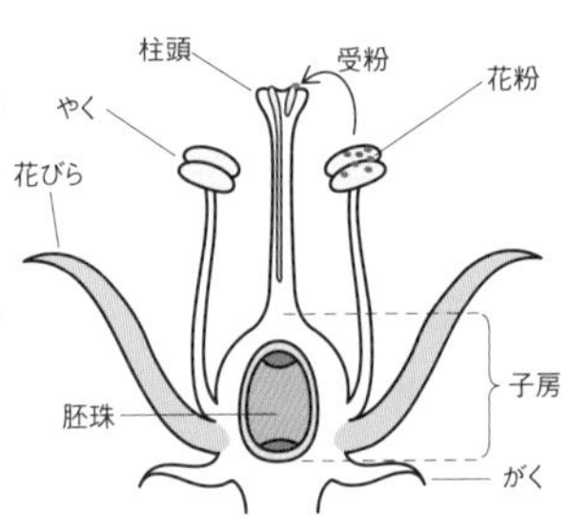

□**めしべ** ➡ めしべの先を**柱頭**(ちゅうとう)、根元の膨らんだ部分を**子房**(しぼう)という。柱頭は花粉を受け取るところで、受け取りやすくねばねばしている。子房の中には胚珠がある。

□**おしべ** ➡ 花粉が詰まった**やく**がある。

□**がく** ➡ 花全体を支えている。つぼみのときは中を守っている。

□**花びら** ➡ 花粉を受け取るときの標的になる。また、おしべやめしべを守るはたらきもある。

受粉

□**受粉** ➡ おしべでつくられた花粉がめしべの柱頭につくこと。めしべの子房が実となり、中の胚珠が種になる。花粉は虫に運ばれたり、風に運ばれたりする。

□**虫媒花** ➡ 昆虫によって花粉が運ばれる。昆虫の体に付着しやすいようにとげや毛が生えているものが多い。

□**風媒花** ➡ 風によって花粉が運ばれる。飛ぶように軽いつくりになっている。空気袋をもつものもある。

2 光合成

•頻出• 重要度 ★

光合成

□**光合成** ➡ 光エネルギーを利用して、吸収した二酸化炭素と水を使って**デンプン**などの養分を作り出す。その際酸素が放出される。

□光がないと光合成は行われない。したがって、通常植物は二酸化炭素を吸収し酸素を放出するが、光合成が行われない夜間では呼吸しかしないので酸素を吸収し、二酸化炭素を放出する現象を見せる。

光合成の実験

①ふ(葉緑体がない部分)入りの葉の一部を銀箔で覆って光を当てないようにする。

②熱湯に入れ葉を柔らかくし、エタノール(アルコール)に入れ色をぬく。

③この葉にヨウ素液を加える。

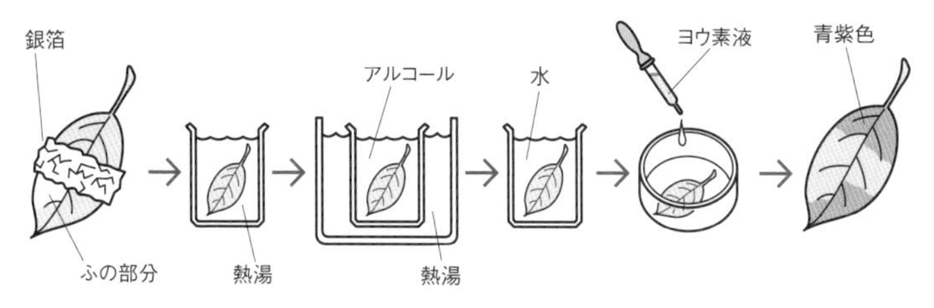

□結果 ➡ **ふの部分と銀箔で覆ったところは色の変化がなかったが、それ以外の部分は青紫色に変色した。**

□考察 ➡ **光合成には光と葉緑体が必要。**

練習問題

光合成の実験についての記述として正しいのはどれか。

1 「光合成には葉緑体が必要」という考察を得るには、葉に銀箔をする必要がある。

2 「光合成には光が必要」という考察を得るには、ふ入りの葉を用意する必要がある。

3 ヨウ素液にはデンプンと反応すると、デンプンを青紫色に変色させる性質がある。

解答 3

解説

1 誤 銀箔をした部分は変化が生じない。これは銀箔によって光が遮られたためである。したがって、銀箔をすることによって「光合成には光が必要」という考察が得られる。

2 誤 ふの部分は葉緑体がないので光合成を行うことができない。したがって、「光合成には葉緑体が必要」というためにはふ入りの葉を用意する必要がある。

3 正 記述のとおりである。

理科(生物) 頻出度A 植物①

ポイント 花については、いろいろな種類の構造を知っておくとよい

16 植物②

●分類では単子葉類と双子葉類がよく出題される。
●絵（図）とともに覚えるとよい。

1 植物の分類 ●頻出● 重要度 ★

裸子植物と被子植物

□**裸子植物** ➡ 胚珠がむき出しの植物。

□**被子植物** ➡ 胚珠が子房の中にある植物。

植物名	子房	果実	具体例
裸子植物	**なし**	**つくらない**	マツ、イチョウ、ソテツ
被子植物	**あり**	**つくる**	イネ、サクラ

単子葉類と双子葉類

□単子葉類 ➡ 子葉の数が1枚。

例 トウモロコシ、イネ、ムギ

□双子葉類 ➡ 子葉の数が2枚。

例 アサガオ、サクラ、インゲンマメ

2 植物のつくりと分類 ●頻出● 重要度 ★★★

根のつくり

□根毛 ➡ 根の先端付近にある毛のようなもの。水や養分を吸収するはたらきをもつ。

□双子葉類 ➡ **主根と側根からなる**。

□単子葉類 ➡ **ひげ根からなる**。

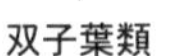

単子葉類

茎のつくり

□**道管** ➡ 根から吸収した水や、水に溶けた養分の通り道。

□**師管** ➡ 葉でつくられた養分の通り道。

□維管束 ➡ 道管と師管の束。道管は維管束の内側に、師管は維管束の外寄りにある。

□双子葉類 ➡ **維管束は輪の形に並ぶ。**

□単子葉類 ➡ **維管束は全体的に散らばる。**

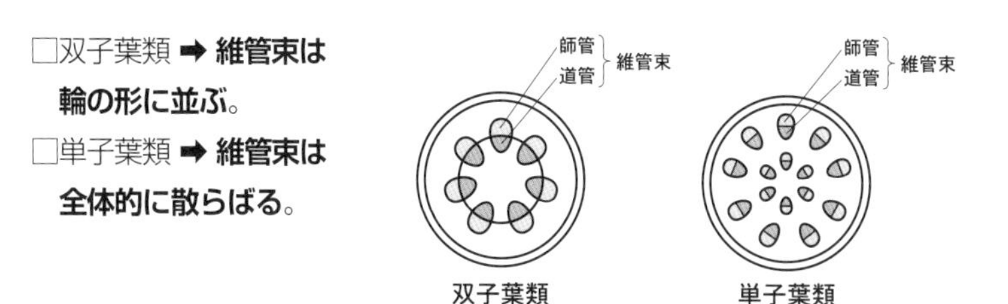

双子葉類　　単子葉類

葉のつくり

□気孔 ➡ 表皮にある隙間で、二酸化炭素などの気体の出入り口になっている。

□双子葉類 ➡ **葉脈が網目のようになっている。**

□単子葉類 ➡ **葉脈が平行になっている。**

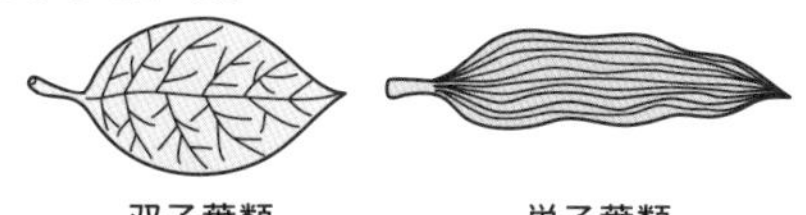

双子葉類　　単子葉類

3 植物のはたらき

●頻出●　重要度 ★

呼吸

□呼吸 ➡ 酸素を取り入れ、**光合成**によって得られた養分(**デンプン**など)を使ってエネルギーを取り出す。

□夜間になると植物は酸素を**吸収**し、二酸化炭素を**吐き出す**という昼間とは逆の行為をする。これは夜間光合成をしなくなり、呼吸のみを行っているからである。

蒸散

□蒸散 ➡ 道管を通って葉まで運ばれた水分が水蒸気となって気孔から排出されること。

4 種子の発芽

●頻出●　重要度 ★

種子

□無胚乳種子 ➡ 胚(子葉、幼芽、胚軸、幼根)と種皮からなる。発芽に必要な養分を子葉にたくわえる。

□有胚乳種子 ➡ **胚と胚乳**と種皮からなる。発芽に必要な養分を胚乳にたくわえる。

発芽

□発芽に必要な条件 ➡ **水**、**酸素**、**適度な温度**

ポイント 単子葉類と双子葉類の分類が大事

17 動物の特徴・生態系

頻出度 **A**

●メダカのつくりは頻出である。
●絵で描けるようにしよう。

1 体のつくり

●頻出● 重要度 ★★

昆虫の体のつくり

□頭部、胸部、腹部の3つからなる。6本(3対)の足は胸部についている。

【昆虫の体のつくり】

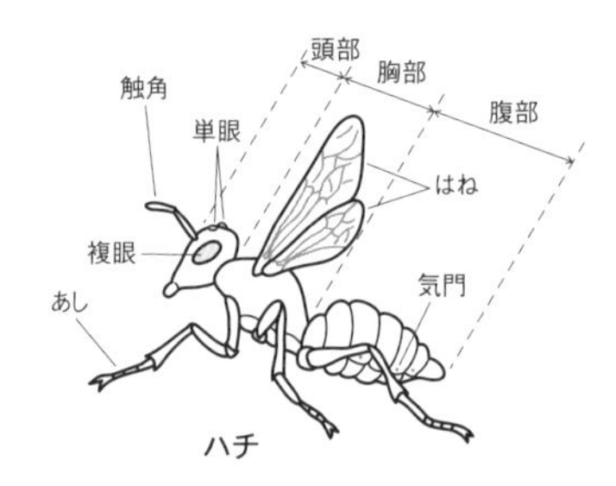

昆虫以外の体のつくり

種類	つくり	足	足がついている場所
クモ類	頭胸部、腹部の2つに分かれる	8本	**頭胸部**
甲殻類	頭胸部、腹部の2つに分かれる	10本	**頭胸部**
多足類	頭、胴の2つに分かれる	多数	**節ごとに2本**

【昆虫以外の体のつくり】

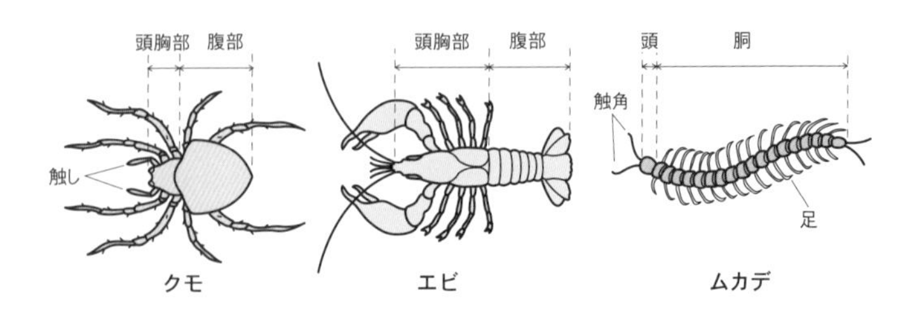

2 メダカについて

●頻出● 重要度 ★★★

オスとメスの違い

□背びれ ➡ **オスは背びれに切れ込みがあるがメスはない**。

□しりびれ ➡ **オスは平行四辺形の形をしているのに対して**、**メスは三角形に近い形をしている**。

性別	背びれ	しりびれ
オス	切れ込みがある	平行四辺形
メス	切れ込みがない	三角形のような形

3 生態系

重要度 ★★

生態系と食物連鎖

□**生産者** ➡ 光合成を行い、無機物（二酸化炭素）を有機物（デンプン）に変える生物。

□**消費者** ➡ 外界から有機物を取り入れエネルギー源としている生物。一次、二次、……と存在する。

□**分解者** ➡ 動植物の遺体や排せつ物を分解することによって栄養を得る生物。

【食物連鎖と量的関係】

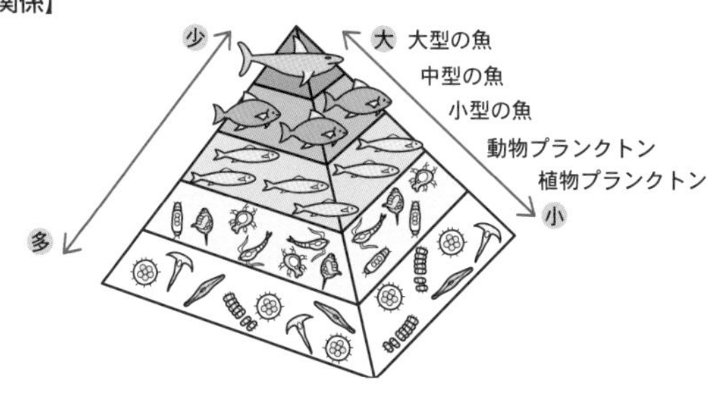

マメ 一次、二次となるにつれて大型になっていく

18 ヒトの体①

頻出度
A

●消化酵素を暗記しよう。
●どの酵素が「どこにあり」「何を分解するのか」を理解すること。

1 消化と吸収

出題 栃木・神戸市・佐賀　重要度 ★★★

消化と吸収

□**消化管** ➡ 口から肛門までつながる管。
口→食道→胃→十二指腸→小腸→大腸→肛門

□**十二指腸** ➡ **胆のうから胆汁**を、**すい臓からすい液**を受け取る。

□**小腸** ➡ 消化された養分を小腸の**柔毛**(じゅうもう)から吸収している。**柔毛**によって、小腸の表面積は非常に大きくなっている。

□**大腸** ➡ 一部の栄養素と**水を吸収**する。

【小腸】

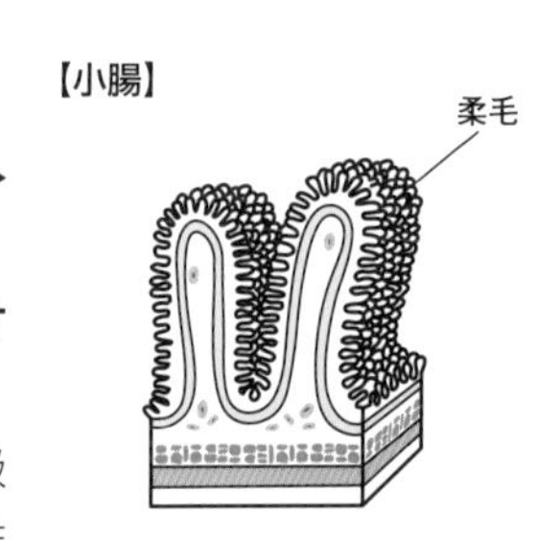

その他の消化器

□**すい臓** ➡ すい液を分泌する。

□**胆のう** ➡ 肝臓でつくられた胆汁を貯蔵しておく器官。

□**肝臓**のはたらき

① 物質代謝と体温の保持
② 胆汁の生成
③ 血液成分の生成
④ 解毒作用
⑤ 血液の貯蔵
⑥ **尿素の合成**

【消化器】

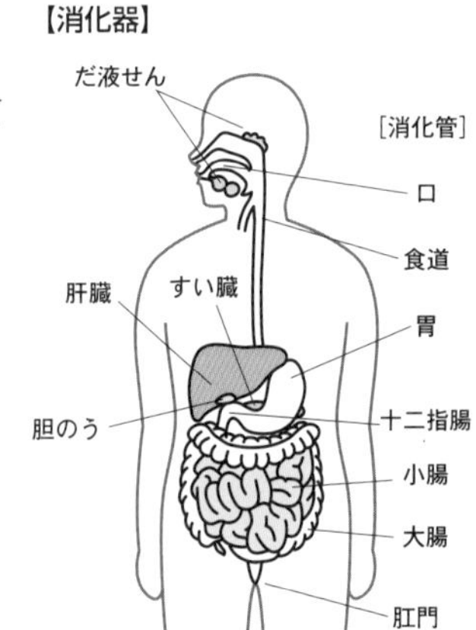

消化酵素

□**消化液** ➡ 消化の反応を速める消化酵素が含まれている。消化酵素は、分解する物質ごとに多数の種類が存在する。

酵素	酵素がある場所	分解する物質	備考
アミラーゼ	**だ液**	**デンプン**を分解し、**マルトース**にする。	デンプンは最終的にグルコースになる。
ペプシン	**胃液**	**タンパク質**を分解し、**ポリペプチド**にする。	タンパク質は最終的にアミノ酸になる。
リパーゼ	**すい液**	**脂肪**を分解し、**脂肪酸とモノグリセリド**にする。	脂肪は胆汁によって細かくなる。

2 腎臓

出題 栃木・神戸市・佐賀　重要度 ★★

腎臓のつくり

□**腎臓** ➡ こぶし大の大きさで左右に1個ずつある。

腎臓のはたらき

□**腎臓**のはたらき ➡ 血液中から尿素などの不要物をこし出す。こし出されたものは尿として排出される。

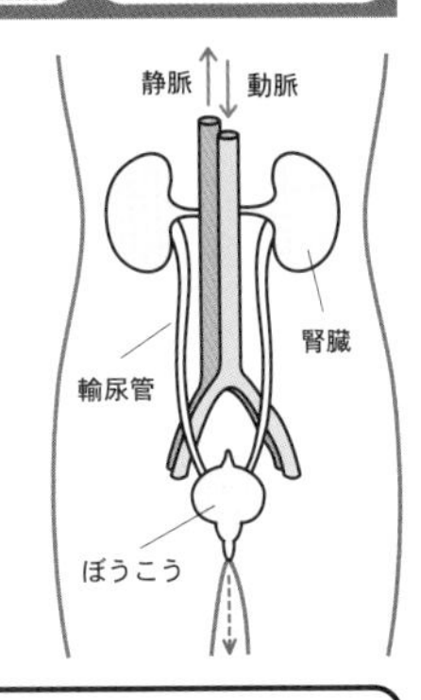

練習問題

消化・吸収に関して妥当な記述はどれか。

1 胃はアミラーゼによってタンパク質を分解する器官である。
2 大腸で養分の大部分を吸収する。大腸の柔毛が吸収を行う。
3 水分を吸収するのは小腸である。
4 尿素をつくるのは肝臓である。

解答 4

解説

1 誤 胃で分泌されるのはペプシンである。アミラーゼは主にだ液に含まれる。
2 誤 大部分の養分を吸収するのは小腸である。
3 誤 水分を吸収するのは大腸である。
4 正 記述のとおりである。なお、肝臓でつくられた尿素をこし出すのは腎臓の仕事である。

マメ アミラーゼはすい液にもある

19 ヒトの体②

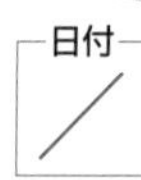

●血液は役割と循環に関する出題が多い。
●心臓の部位を確実に理解する。

1 血液

出題 栃木・神戸市・佐賀　重要度 ★★★

血液

血液にはさまざまなはたらきがある。また、血液は液体成分と、有形成分に大別できる。

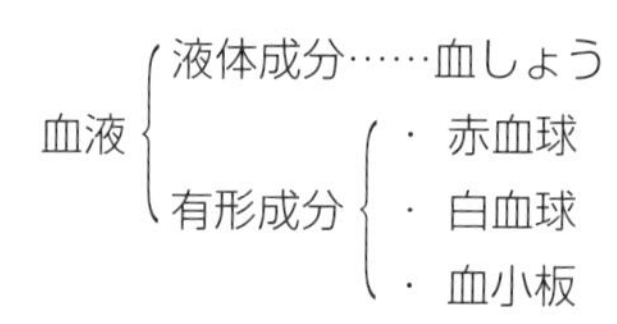

□血しょう ➡ **水が90%含まれている。薄い黄色みを帯びた液体。赤血球、白血球といった血液成分や、二酸化炭素、代謝物質、栄養素、ホルモン、抗体を運ぶ。**

□赤血球 ➡ **ヘモグロビン**を含む。**ヘモグロビンと結合した酸素を運搬する**。

□白血球 ➡ アメーバ状の細胞。**体内に侵入してきた細菌を殺す**。

□血小板 ➡ 血液の凝固に関係。

心臓

□ほ乳類の心臓 ➡ **2**心房**2**心室。

□心室・心房 ➡ 心室は血液が流れ出る。心房は血液が流れ込む。

□**左心房** ➡ 肺から送られてきた血液を左心室へ送る。

□**左心室** ➡ 全身へ血液を送り出す。

□**右心房** ➡ 全身から送られてきた血液を右心室へ送る。

□**右心室** ➡ 肺へ送り出す。

【心臓のつくり】

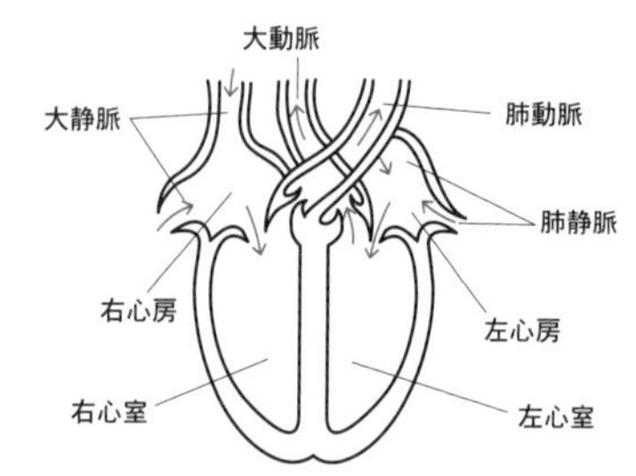

血管

□動脈 ➡ 動脈は心臓から流れ出る血管。

- 大動脈 ⇨ 左心室から全身へ送り出される。
- 肺動脈 ⇨ 右心室から肺へ送り出される。

□静脈 ➡ 静脈は心臓へ向かう血管。

- 大静脈 ⇨ 全身から右心房へ戻る血液が流れている。
- 肺静脈 ⇨ 肺から左心房へ戻る血液が流れている。

□体循環 ➡ **心臓と全身の循環。動脈には動脈血が、静脈には静脈血が流れる。**

□肺循環 ➡ **肺と心臓の間の循環。肺静脈には動脈血が、肺動脈には静脈血が流れる。**

□動脈血・静脈血 ➡ 動脈血は酸素を多く含んだ血液。静脈血は酸素が少ない血液。

血の種類	色	血管
動脈血	**鮮やかな赤**	**大動脈・肺静脈**
静脈血	**黒ずんだ赤**	**大静脈・肺動脈**

【血液の循環】

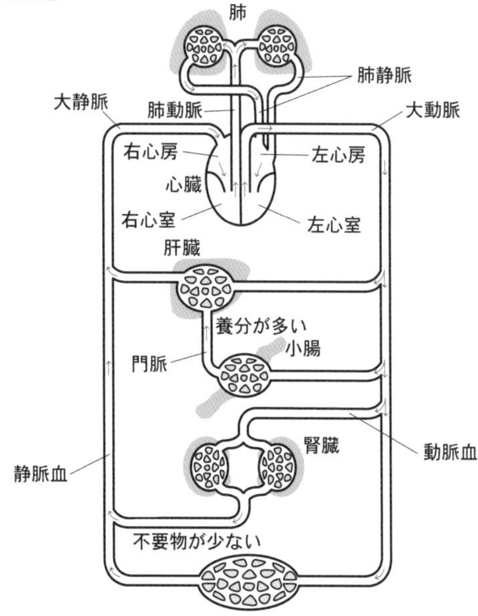

ポイント 肺循環は体循環と血液の種類が逆になっているので注意

20 地震

日付 ／

頻出度 C

●S波、P波の違いに注意する。
●震度、マグニチュードについても説明できるようになっておく。

1 地震

重要度 ★★

地震波

□**P波** ➡ 圧縮と膨張が伝わる縦波であり、固体、液体、気体とも伝わる。速さはS波より速いが振幅は小さく、**コトコト揺れる**。**初期微動に関与する**。

□**S波** ➡ S波はゆがみが伝わる横波であり、固体しか伝わらない。速さはP波より遅いが振幅は大きく、**ユラユラ揺れる**。**主要動に関与する**。

名称	伝播場所・媒体	速度	種類
P　波	**地球内部(固体・液体)**	**5～7km / s**	**縦　波**
S　波	**地球内部(固体)**	**3～4km / s**	**横　波**

【縦波のイメージ】波の進行方向に対し、**平行(水平)**に振動する

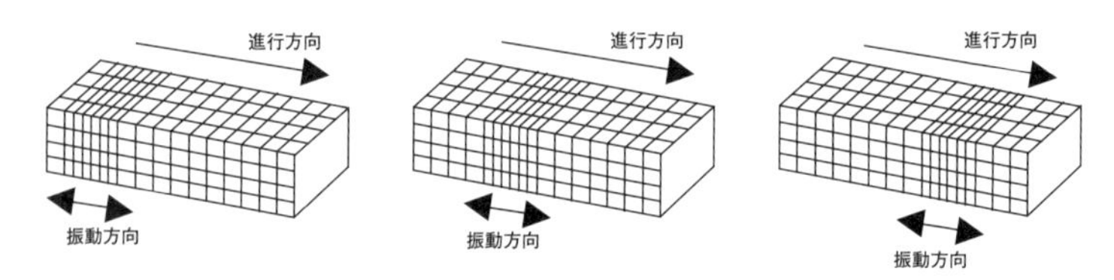

【横波のイメージ】波の進行方向に対し、**垂直**に振動する

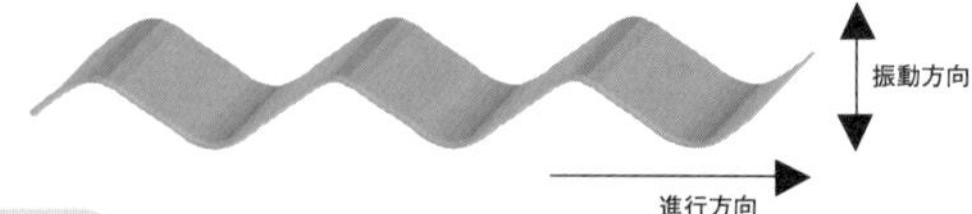

初期微動継続時間

□**初期微動継続時間** ➡ P波が到達してからS波が到達するまでの時間。震源から遠いほど長くなる。

□震源の距離 ➡ 震源までの距離をd、初期微動継続時間をt、P波の速度をV_p、S波の速度をV_sとすると、**公式** $t=\frac{d}{V_s}-\frac{d}{V_p}$ という関係が成り立つ。

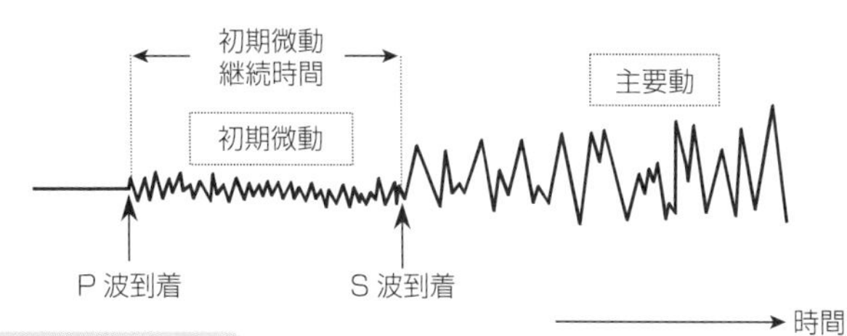

震度・マグニチュード

□震度 ➡ 各観測地点での揺れの大きさをあらわす尺度。1996年度から日本の震度は**10階級**に分かれている（**0**、**1**、**2**、**3**、**4**、**5弱**、**5強**、**6弱**、**6強**、**7**）。

□マグニチュード ➡ 地震の規模をあらわす尺度。マグニチュードが１大きくなると地震のエネルギーは**約32倍**になり、マグニチュードが**2大きくなるとエネルギーは1000倍になる**。

2 火成岩

重要度 ★★

□火成岩 ➡ マグマが冷えて固まった岩石。

深度による分類

□火山岩 ➡ **地表に噴出して急に冷え固まってできた火成岩**。急に冷えるので結晶が成長しない。大粒の結晶（斑晶）とガラス質（石基）からなる**斑状組織**。

□深成岩 ➡ 地下深くでゆっくり冷え固まってできた火成岩。ゆっくり冷えるので結晶の粒が成長する。結晶の粒がほぼ揃った**等粒状組織**。

二酸化ケイ素濃度による分類

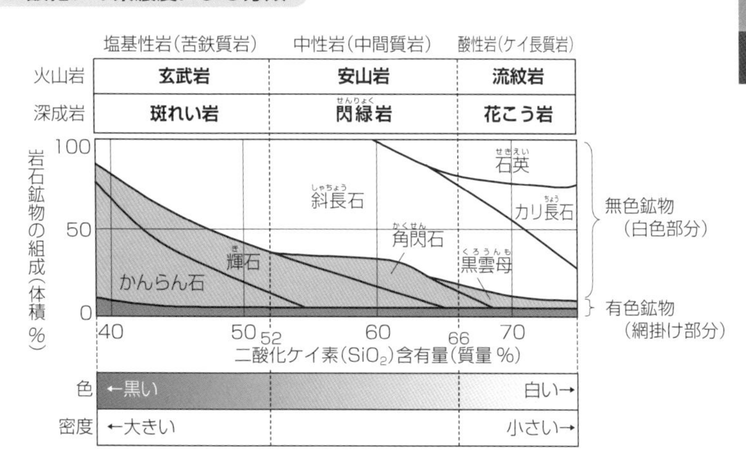

21 火山・地層・化石

頻出度 **B**

- 化石の分類や、堆積岩の種類など、暗記で対処できるものが多い。
- 地層は順序関係の問題に慣れておく。

1 堆積岩

重要度 ★

分類	堆積するもの	堆積岩の名称
砕屑岩	れきが堆積	**れき岩**
	砂が堆積	**砂岩**
	泥が堆積	**泥岩**
火山砕屑岩	火山噴出物が堆積	**凝灰岩**
生物岩	生物の殻・遺骸などが堆積	**石灰岩（サンゴ・フズリナ）** **チャート（放散虫）** **ケイ藻土（ケイ藻）**

2 火山

重要度 ★★

火山の分類

火山はマグマの質で、その形状が大きく異なる。

マグマの種類	**玄武岩質**	**流紋岩質**
マグマ	**さらさら**	**ねばねば**
噴火の仕方	**おだやか**	**爆発的**
噴火後	**溶岩が流れる**	**火砕流**
火山の形	**楯状火山**	**溶岩円頂丘** **溶岩ドーム**

ねばねばしている火山は**二酸化ケイ素を多く含み、日本に多い**

3 地層 重要度 ★★

地層の種類

□地層累重の法則 ➡ **堆積物は下から上に重なり地層を形成する。しゅう曲などによる逆転がない場合は下の単層が古く上の単層が新しい。**

□整合 ➡ 一枚一枚の単層が大きな**地殻変動もなく連続して堆積したもの。**

□不整合 ➡ 一度水中で堆積した地層が、隆起や海面低下により陸化し、風化・侵食を受け、再び沈降して上に地層が堆積する場合を**不整合**という。

【整　合】

【不整合】

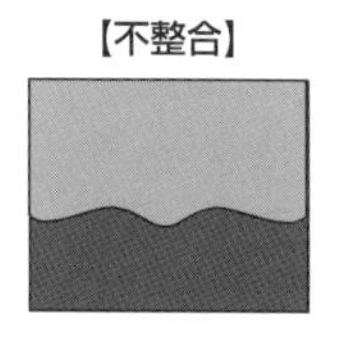

□**正断層** ➡ **張力**によって断層面に対して上盤がずり下がるものを正断層という。

□**逆断層** ➡ **圧力**によって断層面に対して上盤がずり上がるものを逆断層という。

【正断層】

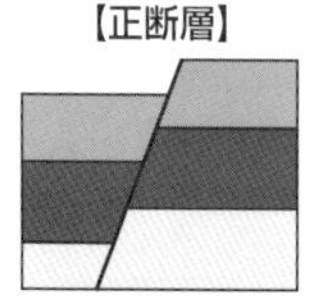

【逆断層】

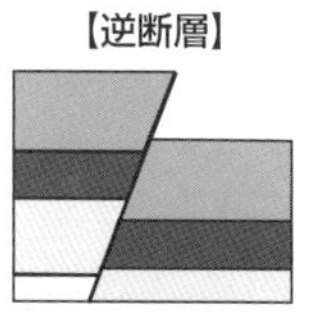

4 化石 重要度 ★★

化石の分類

□**示準化石** ➡ **地層の新旧を決定する**のに役立つ化石。

□**示相化石** ➡ 化石が含まれる**地層の当時の自然環境を知る**手がかりになる化石。

示準化石	古生代：**三葉虫（前期）・フズリナ（後期）** 中生代：**アンモナイト・恐竜** 新生代：**ほ乳類（デスモスチルス第三紀、マンモス第四紀）**、有孔虫
示相化石	サンゴ：**温かい浅い海** シジミ：淡水と海水の混じる河口

22 気象①

日付 ／

頻出度 B

●気象の基本をしっかりとおさえておくこと。
●高気圧と低気圧の比較を確実にしておこう。

1 飽和水蒸気量と湿度

重要度 ★

飽和水蒸気量

□飽和水蒸気量 ➡ 空気１m^3中に含むことができる水蒸気の最大量。**気温が低くなるとこの値も低くなる**。気温が低くなり続けると、含みきれなくなった水蒸気は水滴として出てくる。このときの気温を**露点**（ろてん）という。

□湿度 ➡ 公式 $\dfrac{\text{空気}1\text{m}^3\text{中に含まれている水蒸気の量}}{\text{その温度での飽和水蒸気量}}$

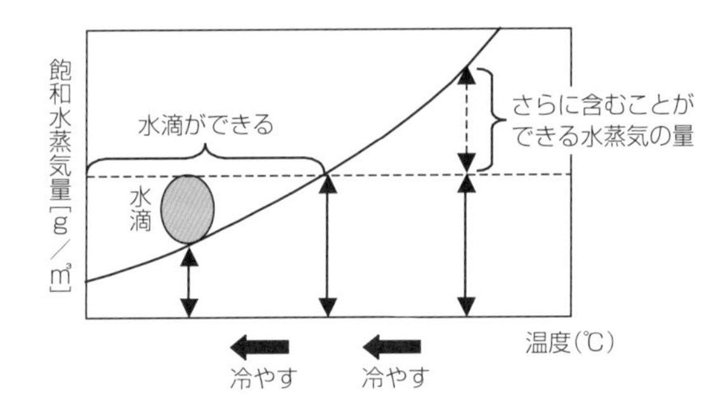

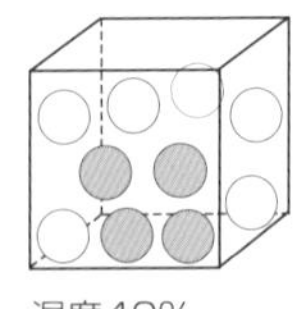

湿度40%

冷やす

湿度100%

冷やす

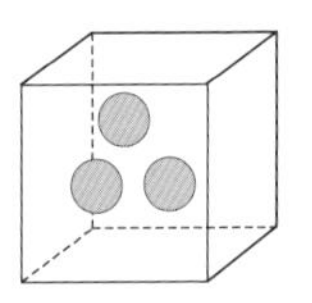

露点より低くなったので
水滴として出てくる。

○入っていられる水蒸気の容量
●実際入っている水蒸気の容量

2 気温の変化

重要度 ★

空気と地面の温まり方

□地面 ➡ 太陽の熱によって温められる。

□空気 ➡ 太陽に温められた地面の熱で温められる。

□**地温**は**午後１時**、**気温は午後２時**ごろに最も高くなる。

南中高度と気温の変化

□夏至の日 ➡ **南中高度が最高**。夏至の日より１カ月遅れて地温が最大になり、２カ月遅れて気温が最高になる。

□冬至の日 ➡ **南中高度が最低**。冬至の日より１カ月遅れて地温が最低になり、２カ月遅れて気温が最低になる。

3 高気圧と低気圧

重要度 ★★

高気圧と低気圧の比較

□高気圧 ➡ 周囲より気圧の高い区域。

□低気圧 ➡ 周囲より気圧の低い区域。熱帯地方で発生する低気圧を**熱帯低気圧**といい、その他の地方で発生する低気圧を**温帯低気圧**という。

高気圧	特徴	低気圧
時計回りに吹き出す	風	**反時計回りに吹き込む**
下降気流	気流	**上昇気流**
良い	天気	**悪い**

低気圧で生じる上昇気流

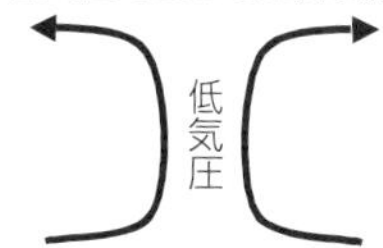

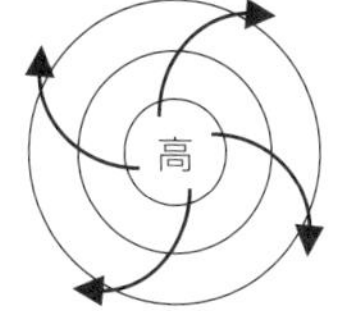

高気圧のまわりの
風の吹き方（地表付近）

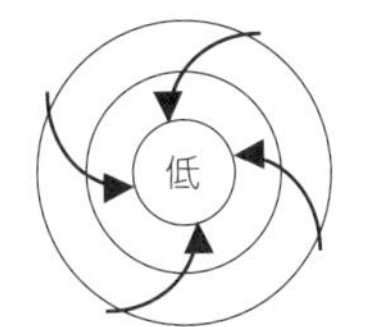

低気圧のまわりの
風の吹き方（地表付近）

ポイント 南中高度については178ページを参照

23 気象②

日付 ／

頻出度 A

●日本の天気を季節ごとに分類しておこう。
●季節特有の気団や気象現象が問われる。

1 前線

重要度 ★★★

寒冷前線と温暖前線

□**前線** ➡ 暖かい空気の塊(暖気)と、冷たい空気の塊(寒気)がぶつかったときにできる境界面。

□**温暖前線** ➡ 暖かい空気が冷たい空気の上にはい上がり、**冷たい空気を押す**。広い範囲で穏やかな雨を降らせる。

□**寒冷前線** ➡ 冷たい空気が暖かい空気の下に入りながら、**暖かい空気を押す**。狭い範囲で強い雨を降らせる。

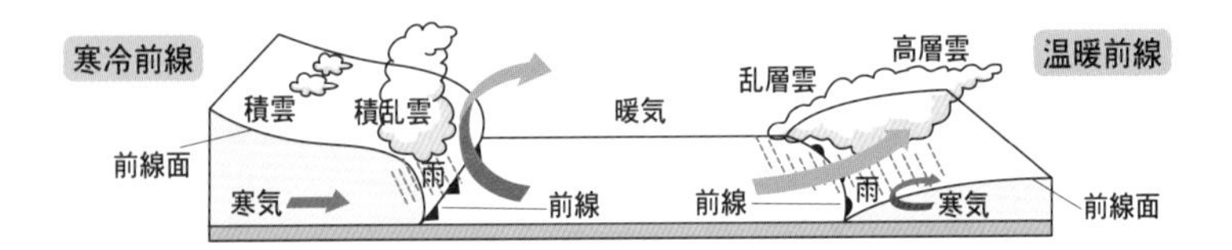

その他の前線

□**閉塞前線** ➡ 寒冷前線が温暖前線に追いついてできる前線。

□**停滞前線** ➡ 暖気と寒気の勢力が均衡しているときにできる前線。

2 日本の天気　重要度 ★★★

日本付近の気団と気圧

□日本付近の気団 ➡ **シベリア気団**、**オホーツク海気団**、**小笠原気団**の３つからなり、温暖か寒冷か、乾燥か湿潤かで分類をすることができる。

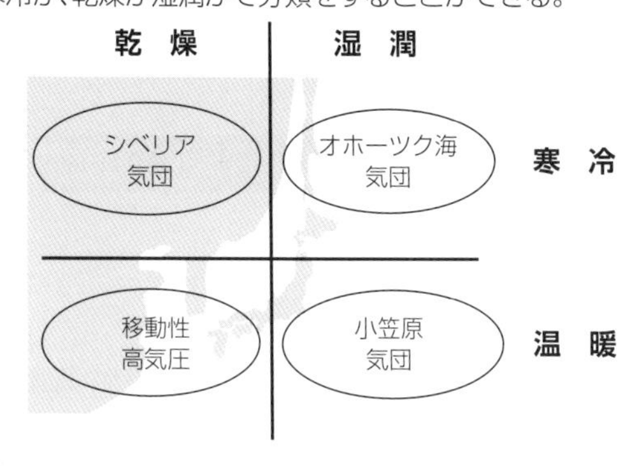

日本の天気

□冬 ➡ **シベリア気団**が発達し、**西高東低の気圧配置**になる。**北西の季節風**が吹く。日本海側で大雪を降らせる。

□春 ➡ 高気圧と低気圧が西から交互に日本にやってくる。これを**移動性高気圧**という。移動性高気圧は**シベリア気団**が発達したものである。**春の天気は変わりやすい**。

□梅雨 ➡ 北の寒冷な**オホーツク海気団**と、南の温暖な**小笠原気団**の勢力が均衡し、**停滞前線**を発生させる。これを**梅雨前線**という。

□夏 ➡ **小笠原気団**が日本全体を覆うようになると、梅雨が明け夏となる。このころは南に高気圧、北に低気圧ができる**南高北低の気圧配置**となる。湿った南東の季節風が吹き、蒸し暑い日が続く。

□秋 ➡ 春と同様に移動性高気圧と低気圧が交互に日本にやってくる。

□台風 ➡ 熱帯地方で発生した**熱帯低気圧**の中でも最大風速が秒速17.2m以上のもの。

夏型

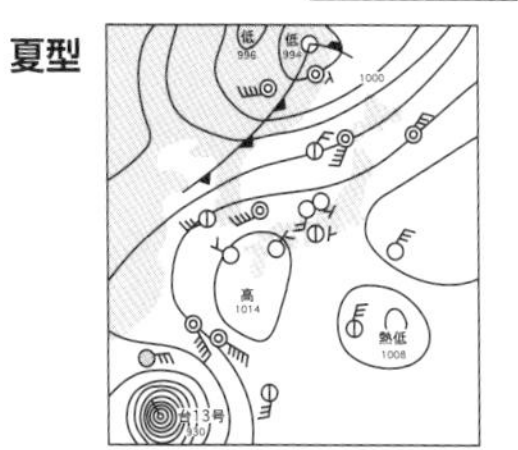

冬型

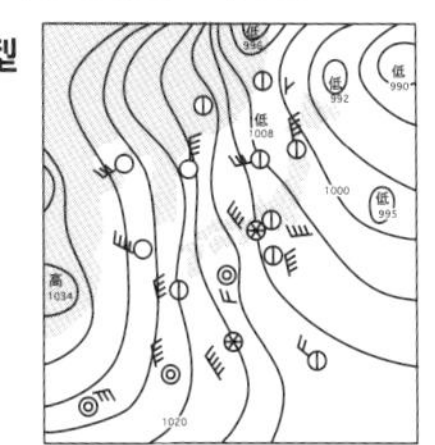

ポイント 天気図から季節が読み取れるようにしよう

24 天体①

●南中高度は暗記する。
●月については単純に暗記するより、実際に描いたほうが理解しやすい。

1 太陽の位置の変化

出題 神奈川・沖縄　重要度 ★★★

太陽の1日の位置の変化

□太陽は東の方から出てきて、西の方へ沈んでいく。＊小学校では南を通る場合を取り扱う。

□南中 ➡ 太陽が真南にくること。そのときの高度を**南中高度**という。

太陽の1年の位置の変化

二至二分	日の出	日の入り	南中高度
春分・秋分	**真東**	**真西**	**90°－その場所の緯度**
夏至	**真東より北側**	**真西より北側**	**90°－その場所の緯度＋23.4°**
冬至	**真東より南側**	**真西より南側**	**90°－その場所の緯度－23.4°**

□地軸 ➡ 地球の自転軸。地球の自転軸は**23.4°**傾いている。そのため昼の長さや南中高度に変化が生じる。

例 北緯35°の地域の夏至と冬至の南中高度を求めよ。

⇨ 夏至＝90°－35°＋23.4°＝78.4°

冬至＝90°－35°－23.4°＝31.6°

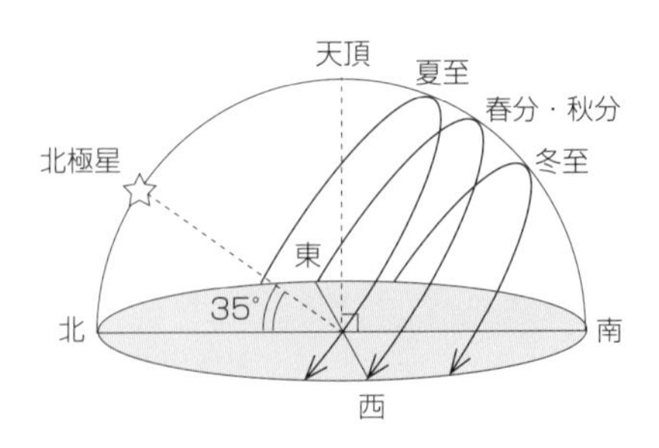

2 月

出題 神奈川・沖縄　重要度 ★★★

月

□月は東の方から出てきて、西の方へ沈んでいく。

□月の自転周期は約27.3日であり、公転周期も約27.3日と自転周期と公転周期がほぼ一致しているので、**常に地球に対して同じ面を見せながら公転している**。

□月の満ち欠け ➡ 約29.5日の周期。太陽の光が当たった面が明るく輝いて見える。

□満ち欠けの順番 ➡ **新月**→**上弦の月**→**満月**→**下弦の月**

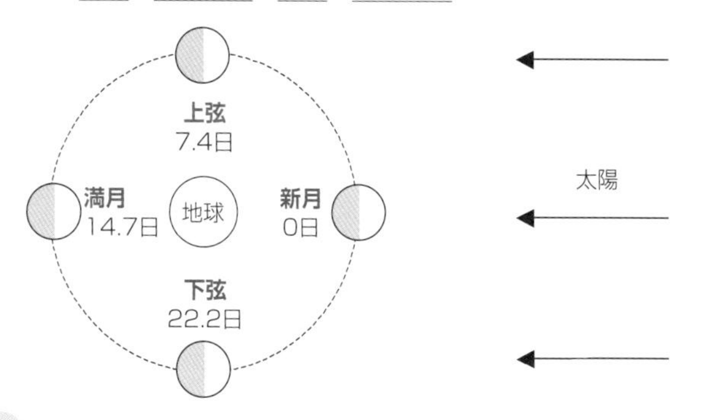

日食・月食

□日食 ➡ **太陽と地球の間に月が入って**地上に月の影ができる。太陽全体が隠される**皆既日食**と、太陽の周りがはみ出して見える**金環日食**、部分的に太陽が隠される**部分日食**がある。

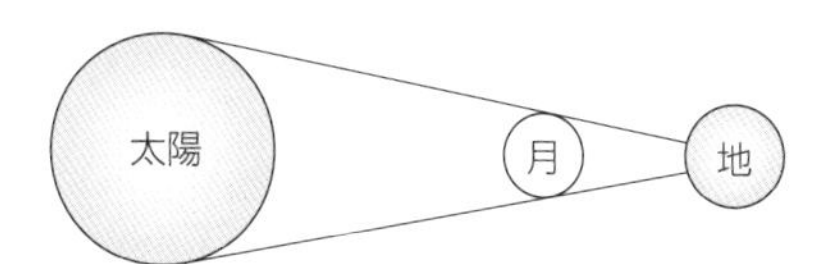

□月食 ➡ **月が地球の影に入った状態**。

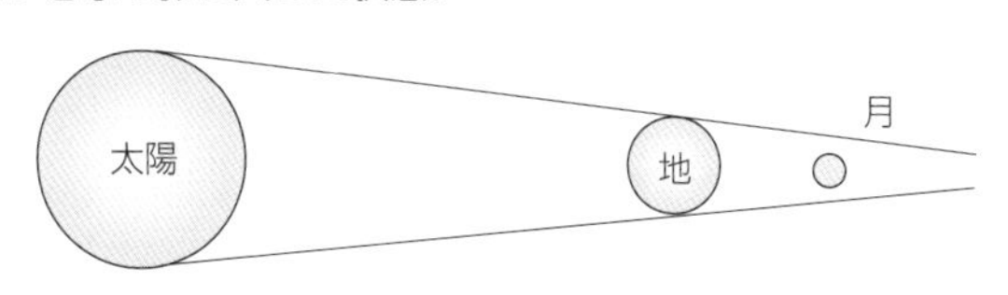

マメ 月でも地震は発生する

25 天体②

●太陽系の惑星の特徴をしっかりとおさえておくこと。
●金星の見え方は、図を描いて理解しよう。

1 太陽系の惑星

出題 神奈川・沖縄　重要度 ★★★

地球型惑星・木星型惑星

□太陽系の惑星 ➡ 太陽から近い順に、**水星→金星→地球→火星→木星→土星→天王星→海王星**　＊冥王星は太陽系外縁天体と定義されている。

□地球型惑星・木星型惑星 ➡ 太陽系の惑星は火星と木星を境に大きく2つのタイプに分けることができる。

	地球型惑星	木星型惑星
惑星	水星、金星、地球、火星	木星、土星、天王星、海王星
質量	**小**	**大**
半径	**小**	**大**
密度	**大**	**小**
成分	**金属の核と岩石**	**水素、ヘリウム**
大気	**薄い**	**厚い**
環	無	有
衛星	少ない	多い

天王星、海王星は成分が木星のそれと異なる。

惑星の特徴

□水星 ➡ **大気をもたず、昼と夜の温度差が非常に大きい。**

□金星 ➡ **二酸化炭素**による**温室効果**のため表面温度は460℃に達する。**自転方向は他の惑星と逆である。**

□火星 ➡ 大気は金星と同様に二酸化炭素を主成分としているが、金星に比べて非常に**薄い**。極地方は低温のため二酸化炭素と水が固体となった**極冠**が見られる。

□木星 ➡ **太陽系の惑星の中で最大の大きさ**をもつ。大気の表面には、乱流、縞模様、巨大な渦である**大赤斑**(だいせきはん)が見られる。**イオ**(火山活動がある)、エウロパなど

95個(2024年6月現在)の衛星が発見されている。

□土星 ➡ **太陽系で最小の密度**。大きなリング(環)が存在する(環は木星にもある)。タイタンなど146個(2024年6月現在)の衛星が発見されている。

金星の見え方

□太陽から最も東側に離れたときを**東方最大離角**、太陽から最も西側に離れたときを**西方最大離角**という(太陽が沈んだ後に見える金星を**宵の明星**、太陽が昇る前に見える金星を**明けの明星**という)。

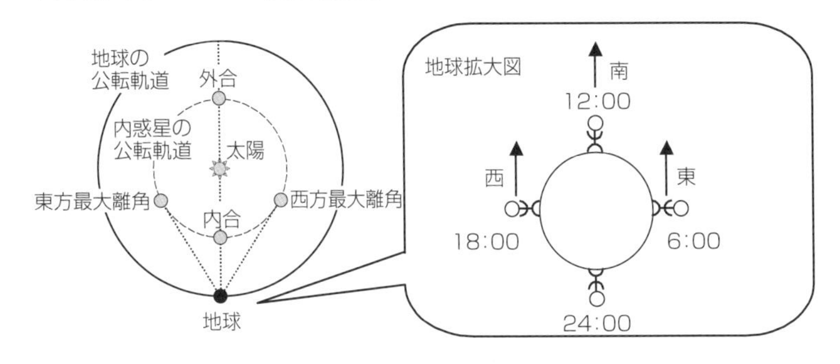

2 星座

出題 神奈川・沖縄　重要度 ★★

星の1日の動き

□北の空 ➡ 北極星を中心として**反時計回り**に動く。

□南の空 ➡ **東から西に時計回り**に動く。

□東の空 ➡ 右上がりに上っていく。

□西の空 ➡ 右下がりに沈んでいく。

□星全体の動き ➡ 北極星を中心に東から西へ**1時間に15°**移動している。

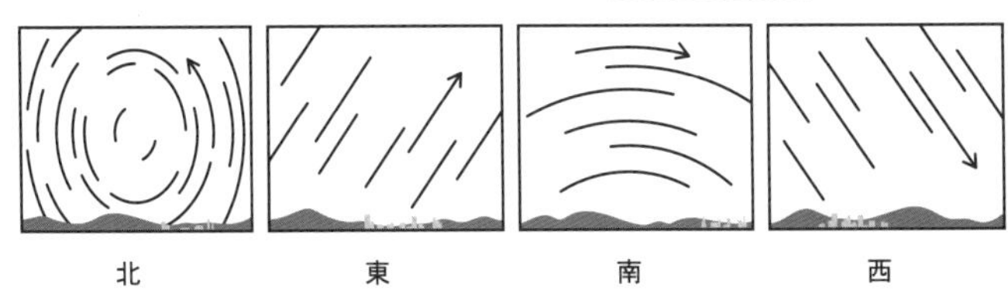

ポイント 金星の見え方は丸暗記しないで図を描くこと

01 学習指導要領

頻出度 A

- ●教科目標は全文暗記してしまうとよい。
- ●各学年の目標と内容は穴埋め問題などに対応できるようにしておこう。

1 生活科の目標

出題 埼玉・山口・愛媛　重要度 ★★★

具体的な活動や体験を通して、身近な生活に関わる見方・考え方を生かし、自立し生活を豊かにしていくための資質・能力を次のとおり育成することを目指す。
（１）活動や体験の過程において、自分自身、身近な人々、社会及び自然の特徴やよさ、それらの関わり等に気付くとともに、生活上必要な習慣や技能を身に付けるようにする。
（２）身近な人々、社会及び自然を自分との関わりで捉え、自分自身や自分の生活について考え、表現することができるようにする。
（３）身近な人々、社会及び自然に自ら働きかけ、意欲や自信をもって学んだり生活を豊かにしたりしようとする態度を養う。

□**教科目標** ➡ 具体的に**3つの目標を明示**し、**生活における育成**を目指す。

□**具体的な活動や体験** ➡「**見る**、**聞く**、**触れる**、**作る**、**探す**、**育てる**、**遊ぶ**などして直接働きかける学習活動である」

□**自立し生活を豊かにしていくための資質・能力** ➡ **学習上の自立**（**自分の思いや考え**などを適切な方法で表現できる）、**生活上の自立**（**習慣や技能**を身に付け、社会及び自然と適切に関わることができる）、**精神的な自立**（**自分のよさや可能性**に気付き、意欲や自信をもち、前向きに生活していくことができる）。

2 生活科の学年目標及び内容

出題 愛媛　重要度 ★★

第１学年・第２学年の目標

□**学年の目標 ➡ （１）自分と人や社会との関わり、（２）自分と自然との関わり、（３）自分自身**

（1）学校、家庭及び地域の生活に関わることを通して、自分と身近な人々、社会及び自然との関わりについて考えることができ、それらのよさやすばらしさ、自分との関わりに気付き、地域に愛着をもち自然を大切にしたり、集団や社会の一員として安全で適切な行動をしたりするようにする。
（2）身近な人々、社会及び自然と触れ合ったり関わったりすることを通して、それらを工夫したり楽しんだりすることができ、活動のよさや大切さに気付き、自分たちの遊びや生活をよりよくするようにする。
（3）自分自身を見つめることを通して、自分の生活や成長、身近な人々の支えについて考えることができ、自分のよさや可能性に気付き、意欲と自信をもって生活するようにする。

第１学年・第２学年の内容

□（1）**学校生活に関わる活動 ➡ 学校生活を支えている人々**や**友達について考えることができ、安全な登下校**ができる。

□（2）**家庭生活に関わる活動 ➡ 家族**のことや**自分の役割について考え、家庭での生活は互いに支え合っていることが分かり、規則正しく健康に気を付けて生活**する。

□（3）**地域に関わる活動 ➡ 自分達の生活**と**地域との関わり**を理解する。

□（4）**公共物や公共施設を利用する活動 ➡ みんなで使うものを大切**にし、**正しく利用**することができる。

□（5）**季節の変化と生活 ➡** 季節や地域の行事に関わるなどの活動を通して、**それらの違いや特徴を見付ける**ことができ、**四季の変化**や季節によって**生活の様子が変わること**に気付く。

□（6）**自然や物を使った遊び ➡ 自然の不思議に気付き**、みんなと楽しみながら**遊びを創り出そう**とする。

□（7）**動植物の飼育・栽培 ➡** 生き物に対して親しみをもち、**継続的に世話をして、繰り返し関わる過程が大切。2年間にわたって飼育・栽培両方を行っていく。**

□（8）**生活や出来事の交流 ➡ 身近な人々**と関わり、**進んで触れ合い交流**しようとする。

□（9）**自分の成長 ➡ 多くの人々の支え**があって**成長できていることへ感謝し**、意欲的に生活することができる。

ポイント 生活科は体験重視の学習活動

02 学習指導と評価

頻出度 A

●生活科の学習の基礎は児童理解である。
●児童の様子を見ながら指導、評価に役立てていくことが大切であると理解しておく。

1 指導計画の作成と内容の取扱い　重要度 ★★★

年間の授業時数(第1学年102単位時間、第2学年105単位時間)に配慮する。

指導計画の作成

□**資質・能力の育成 ➡ 主体的・対話的で深い学びの実現**を図る。具体的な活動、体験を通し、**校外での活動を積極的に取り入れる。**

□**児童の発達段階や特性を踏まえる ➡ 2学年間を見通して学習活動を設定する。**

□**動植物の継続的な飼育と栽培 ➡ 2学年にわたって取り扱う**ことで、**成長を見守り、生命の尊さを実感する。**

□**他教科との連携 ➡ 積極的に連携を図る**ことで、**指導効果を高め、中学年以降の教育への円滑な接続**ができるようにする。

□**障がいのある児童への配慮 ➡** 学習活動を行う場合に生じる困難さに応じた**指導内容や方法の工夫を計画的、組織的に行う。**

□**道徳科などとの関連 ➡** 道徳教育の目標に基づいた適切な指導を行う。

内容の取扱い

□**地域の人々、社会及び自然を一体的に扱う ➡ 児童の生活圏の社会、自然、環境**を意識する。

□**具体的な活動や体験 ➡ 気付いたこと**を基に考えさせるため、**見付ける、比べる、たとえる、試す、見通す、工夫する**などの多様な学習活動の工夫。

□**情報機器 ➡ 児童の発達の段階や特性に応じて適切に活用。**

□**身近な幼児や高齢者、障がいのある児童生徒などとの触れ合い ➡ 他者を尊敬する気持ち**を育む。

□**生活上必要な習慣や技能の指導 ➡** 児童を取り巻く人々との**触れ合いや体験**を通して学ぶ。

学習指導の進め方

□試行錯誤や繰り返す活動 ➡ **製作**、**栽培**などを通して、試行錯誤を繰り返し、いろいろな条件を変えて試してみるうちに、**児童の気付きが高められていく**。

□伝え合い交流する場を工夫 ➡ 児童が体験し、調べていく中で、**自分で発見したことを友達に伝える**。また友達が発見したことを比べ、**類似点**、**相違点を見付ける**。

□振り返り表現する機会を設ける ➡ **気付いたことを基に**、**比べたり**、**たとえたりしながら気付きの質を高めていく**。**言語表現を育む**助けとなる。

□児童の多様性を生かす ➡ 児童一人一人の違い、**特性を尊重し**、**児童の思いや願いを育てる**。

2 評価

重要度 ★★

生活科の評価に当たっては、継続的に児童の変化を見ながら、その評価を次の指導に生かすことが大切である。

児童の発達・成長への配慮

□低学年の児童は身近な学校や地域をどのように捉えていくか ➡ 少しずつ**各自の行動範囲が広がっていく**。

□低学年の児童は過去をどのように捉えているか ➡ 順序だてて想起できるとは限らない。**自己の成長を振り返る活動などを通して**、**時間に対する感覚が成長していく**。

□低学年の児童一人一人の技能の違い ➡ **習熟の実態を把握**した上で、**安全性に配慮して学習活動を考える**。

評価の在り方

□学習過程において ➡ **児童の関心・意欲・態度や思考・表現**を評価。

□行動観察 ➡ 教師が観測記録を作成し、長期にわたる観察。

□発言分析 ➡ **学習中の児童の発言全般を読み取る**。

□作品分析 ➡ **作文**、**絵**など、**工夫している箇所**を作品から読み取る。

□自己評価 ➡ **児童自身の記録ノート**、**感想文**などから判断する。

□相互評価 ➡ 活動する**児童全体を見て**、**相互関係**や**会話**などから読み取る。

□児童理解 ➡ **「学習活動の進展と共に深化し、活用されていく。児童の思いや願いの実現を目指した授業を創り出すには、共感的な児童理解の力を、教師が日々の授業を通して高めていくことが不可欠なのである」**

ポイント 地域の特性、児童の実態を考慮する

03 動植物の飼育・栽培

頻出度 B

●教師側の体験や慣れが必要な分野なので、経験を積むことが望ましい。
●動植物を通じて他者を思いやる気持ちを育てることを理解する。

1 動物の飼育

出題 新潟・山梨　重要度 ★★

飼育の注意点

□**うさぎ** ➡ 暑さ寒さに弱い。**野菜、野草、果物など、食べやすいように口元に近づけて与える**。うさぎの**歯は鋭い**ので注意する。抱くときは、**耳はもたず**、しりを抱えるようにする。

□**アメリカザリガニ** ➡ 2023年に**条件付特定外来生物に指定**されたことで、学校での飼育は可能であるものの、教材としての購入や飼育の際に制約が加わることとなった。

【うさぎの抱き方】

やさしく話しかけながら、
頭や背中をなでる。

アメリカザリガニの野外への放出や購入などは原則禁止

□**メダカ** ➡ 水槽の**適温は18℃から30℃**。成長しても4cm 位。金魚の餌や生きている**イトミミズ**を与える。

□**カイコ** ➡ 飼育容器は空箱などを利用する。直接日光に当たらないようにする。**1日に2～3回新鮮なクワの葉を与える。通常4回の脱皮**を経て、**体が透き通った黄色になると、まゆを作り始める**。その後**2週間位で羽化**する。

□**アゲハチョウの幼虫** ➡ チョウは**完全変態**で成長。**柑橘類を好む**。

□**モンシロチョウの幼虫** ➡ **キャベツの葉**を与える。

虫の越冬方法

□サナギのまま、木の幹や枝などで越冬 ➡ アゲハチョウ、モンシロチョウ
□卵のまま土の中で越冬 ➡ トノサマバッタ、キリギリス、スズムシ
□成虫で、木の皮の下や、幹にできた隙間などで越冬 ➡ テントウムシ
□幼虫のまま腐葉土などの土の中で越冬 ➡ カブトムシ、クワガタ

2 植物の栽培

出題 新潟・山梨　重要度 ★★

種をまく時期・植え方

□春植えに適した植物 ➡ アサガオ、ヒマワリ、ミニトマト、サツマイモ
□秋植えに適した植物 ➡ チューリップ、ヒヤシンス、アブラナ、大根
□アサガオ ➡ 5月上旬、種は一昼夜水に浸してからまく。2cm 位の深さにまき、土を軽くかけ、十分に水をやる。1～2週間で双葉が出揃う。発芽温度は20℃以上。7～8月に花が咲く。種子は十分熟してから取る。
□ミニトマト ➡ 4～5月に苗の植え付け。風通し、日当たりのよい場所。40cm 間隔で苗を植える。わき芽が出てきたら、摘み取る。本枝が大きくなったら、支柱に結びつける。花が咲いて1カ月後、7～8月に収穫できる。
□サツマイモ ➡ 苗の植え付けは5～7月上旬。40cm の深さ、30cm の間隔で植える。植え付けの前後には十分に水をまく。日当たりのよい場所。8月頃に雑草取りを行う。植え付け後、約3カ月で収穫。
□ジャガイモ ➡ 種イモの植え付けは2～3月下旬。発芽までに2、3週間かかる。芽が5～6本成長したら、10cm 以上の茎を1、2本残し、残りは芽かきする。5月に花が咲く。6月頃収穫。

植物を使った遊び

□シロツメクサ(クローバ) ➡ 茎を次々とからませて首飾り、腕輪などをつくる。
□タンポポ ➡ 茎が比較的丈夫なので、からめて腕輪などを作る。綿毛になっているものは吹いて遊ぶ。
□オオバコ ➡ 松葉と同じように、茎を切り取って引っ張り合いをする。

図鑑で確認し、子どもの頃の遊びを思い出しておこう

□ナズナ(ペンペン草) ➡ 葉は食べられる。振るとパラパラと音がする。
□スズメノテッポウ ➡ 笛のように音を出して遊ぶ。
□オナモミ ➡ 投げて服などにくっつけて遊ぶ。

ポイント 動植物に関わることで、他者を思いやる気持ちを育てる

04 身近な人々及び地域

日付 ／

●具体的な学習指導についての出題が多い。
●発達段階に応じた指導が求められる。

1 学校・地域の探検

出題 新潟・山梨　重要度 ★★

自分の町探検 各自に探検カードをもたせ、**安全に行動**できるように指導。	あらかじめ、**危険な場所**、**信号機**、**狭い道路**、**歩道橋**、**池などをチェック**。自分が住む町を調べ、実際に人々との交流を通して、**自分が地域の人々との関わりの中で生活していることに気付く**。
公園で四季を探そう 他の人々に迷惑をかけないよう、**ルール**や**マナー**を身に付ける。	**四季の草花を観察したり**、**遊びを工夫したりする**。全員リレーや、冬は雪遊びなどを行う。これらは**体育科との連携**が可能。
学校探検 特に1年生が学校の施設、学校で働く人々や友人のことが分かり、**安全に遊びや生活ができるため**の活動。	少人数のグループごとに校内見学をする。他の教師に図書室、保健室などの説明をしてもらう。**校庭**、**飼育小屋**、**ビオトープ**など、**安全面に配慮した指導**を行う。1年生と2年生合同で学校探検を行う場合は、2年生が**1年生の反応や状況に配慮**し、**2年生の経験を生かして伝えることの大切さを指導**する。
秋を見付けよう **国語科の話す・聞く能力を活用**させる。	校庭や公園の**木々の観察**、**虫の発見**などを通して、**気付いたことを発表**するなど。
木の実や木の葉で遊ぶ **図画工作科の技能や発想を活用**させる。	公園や野原で、木の実や木の葉を集め、飾りやおもちゃを作る。また、**自然の中から**草笛などを「**音を出す楽器**」として利用して**音楽科と連携**した学習とする。
落ち葉	**赤色** ➡ **イロハモミジ**、サルスベリなど **黄色** ➡ **イチョウ**、**イタヤカエデ**、カツラなど

2 地域の人々との触れ合い 出題 新潟・山梨 重要度 ★★

学習指導要領解説　内容(8)より

□「生活や出来事の交流」➡ 平成20年の改訂で新設された項目である。「人との関わりが希薄化している現在、よりよいコミュニケーションを通して情報の交換をし、互いの交流を豊かにすることが求められている。特に生活科においては、児童が、身近な幼児や高齢者、障がいのある児童生徒などの多様な人々と触れ合うことを大切にしている」➡ さまざまな人々との豊かなコミュニケーションは、児童にとって自信や達成感につながる。さらに情緒を安定させ、人と関わることの楽しさが分かるようになる。

触れ合いを求める活動例

友達との関わり	自分が発見したことを友達に伝えることに楽しさを見出す。
地域の人々	目的に応じていろいろな質問をして、情報を集める。最初は慣れなくとも、少しずつ交流することの楽しさを得ることができる。
幼児との交流	最寄りの保育園や幼稚園との交流を通して、「相手に分かりやすく伝えること」の大切さを体験する。
高齢者との触れ合い	お年寄りを招いたり、近くの老人クラブなどを訪問したりする。昔の遊びや簡単な玩具の作り方を教わる。児童からは「歌」や「劇」などをして触れ合う。
図書館利用	図書を借りるときの手続き方法、大切に扱うこと、返却日を厳守する、図書館での決まりを守り、館内では静かにすることなどを学ぶ。
公共施設	公共施設を支える人々は、皆が気持ちよく利用できるように配慮してくださっていることを学習する。
近所の商店見学	日常的な関わりを深め、そこで働く人々との関わり方を体験する。

2年生の指導・自分の成長を感じるとき

自分の成長についての実感	1年生で書いた自分の名前や絵を用意し、2年生の現在の自分の字や絵と比べる。
家族や恩師への取材	保育園、幼稚園当時の先生への取材を通して、自分の成長の気付きを意識できる。

ポイント 体験！発見！共感！実感！

01 学習指導要領① 目標

日付 ／

頻出度 A

●音楽科で最も出題される分野である。
●穴埋めで出題されることも多いので対応できるようにしておこう。

1 音楽科の目標 暗記 出題 岩手・福島・愛媛・高知 重要度 ★★★

表現及び鑑賞の活動を通して、音楽的な見方・考え方を働かせ、生活や社会の中の音や音楽と豊かに関わる資質・能力を次のとおり育成することを目指す。
（1）曲想と音楽の構造などとの関わりについて理解するとともに、表したい音楽表現をするために必要な技能を身に付けるようにする。
（2）音楽表現を工夫することや、音楽を味わって聴くことができるようにする。
（3）音楽活動の楽しさを体験することを通して、音楽を愛好する心情と音楽に対する感性を育むとともに、音楽に親しむ態度を養い、豊かな情操を培う。

□**要点** ➡ 育成を目指す資質・能力別に整理し、（1）は「**知識及び技能**」の習得、（2）は「**思考力**、**判断力**、**表現力等**」の育成、（3）は「**学びに向かう力**、**人間性等**」の涵養（かんよう）に関する目標を示すことで構成している。

□**生活や社会の中の音や音楽と豊かに関わる資質・能力** ➡ （1）、（2）及び（3）に示している。

□（1）➡ **「知識及び技能」の習得**に関する目標を示したもの。

□（2）➡ **「思考力、判断力、表現力等」の育成**に関する目標を示したもの。

□（3）➡ **「学びに向かう力、人間性等」の涵養**に関する目標を示したもの。

2 各学年の目標 出題 岩手・福島・愛媛・高知 重要度 ★★★

学年の目標は、**低学年**・**中学年**・**高学年とも以下の3項目**である。
（1）「知識及び技能」の習得に関する目標
（2）「思考力、判断力、表現力等」の育成に関する目標
（3）「学びに向かう力、人間性等」の涵養に関する目標

「知識及び技能」の習得に関する目標

【第1学年及び第2学年】

（1）曲想と音楽の構造などとの関わりについて気付くとともに、音楽表現を楽しむために必要な歌唱、器楽、音楽づくりの技能を身に付けるようにする。

【第3学年及び第4学年】

（1）曲想と音楽の構造などとの関わりについて気付くとともに、表したい音楽表現をするために必要な歌唱、器楽、音楽づくりの技能を身に付けるようにする。

【第5学年及び第6学年】

（1）曲想と音楽の構造などとの関わりについて理解するとともに、表したい音楽表現をするために必要な歌唱、器楽、音楽づくりの技能を身に付けるようにする。

「思考力、判断力、表現力等」の育成に関する目標

【第1学年及び第2学年】

（2）音楽表現を考えて表現に対する思いをもつことや、曲や演奏の楽しさを見いだしながら音楽を味わって聴くことができるようにする。

【第3学年及び第4学年】

（2）音楽表現を考えて表現に対する思いや意図をもつことや、曲や演奏のよさなどを見いだしながら音楽を味わって聴くことができるようにする。

【第5学年及び第6学年】

（2）音楽表現を考えて表現に対する思いや意図をもつことや、曲や演奏のよさなどを見いだしながら音楽を味わって聴くことができるようにする。

「学びに向かう力、人間性等」の涵養に関する目標

【第1学年及び第2学年】

（3）楽しく音楽に関わり、協働して音楽活動をする楽しさを感じながら、身の回りの様々な音楽に親しむとともに、音楽経験を生かして生活を明るく潤いのあるものにしようとする態度を養う。

【第3学年及び第4学年】

（3）進んで音楽に関わり、協働して音楽活動をする楽しさを感じながら、様々な音楽に親しむとともに、音楽経験を生かして生活を明るく潤いのあるものにしようとする態度を養う。

【第5学年及び第6学年】

（3）主体的に音楽に関わり、協働して音楽活動をする楽しさを味わいながら、様々な音楽に親しむとともに、音楽経験を生かして生活を明るく潤いのあるものにしようとする態度を養う。

ポイント 似ているけれど、よく見ると違った表記に要注意！

02 学習指導要領② 内容

日付 ／

頻出度 A

●頻出分野である。
●低学年、中学年、高学年の微妙な違いが問われることが多いので確実に理解していこう。

1 音楽科の内容

出題 青森・茨城・埼玉・愛媛　重要度 ★★

音楽科の内容は、「A表現」、「B鑑賞」及び〔共通事項〕で構成される。

□「A表現」と「B鑑賞」は、音楽を経験する2つの領域である。

□「A表現」は、**歌唱、器楽、音楽づくり**の3つの分野からなる。

□「B鑑賞」は、それ自体が1つの領域である。

□〔共通事項〕は、表現及び鑑賞の学習において共通に必要となる内容である。

2 A・表現（学習指導要領の要約）

出題 青森・茨城・埼玉・愛媛　重要度 ★★★

各学年に共通する事柄として、ア～ウがある。

□ア「思考力、判断力、表現力等」に関する資質・能力

□イ「知識」に関する資質・能力

□ウ「技能」に関する資質・能力

歌唱

学年	内容
低学年	ア **歌唱表現についての知識や技能を得たり生かしたり**しながら、**曲想を感じ取って表現を工夫し、どのように歌うかについて思いをもつ**こと。 イ **曲想と音楽の構造**との関わり、**曲想と歌詞のあらわす情景や気持ち**との関わりについて気付くこと。 ウ **思いに合った表現**をするために必要な技能を身に付けること。
中学年	ア **歌唱表現についての知識や技能を得たり生かしたり**しながら、**曲の特徴を捉えた表現を工夫し、どのように歌うかについて思いや意図をもつ**こと。 イ **曲想と音楽の構造**や**歌詞の内容**との関わりについて気付くこと。 ウ **思いや意図に合った表現**をするために必要な技能を身に付けること。
高学年	ア **歌唱表現についての知識や技能を得たり生かしたり**しながら、**曲の特徴にふさわしい表現を工夫し、どのように歌うかについて思いや意図をもつ**こと。 イ **曲想と音楽の構造**や**歌詞の内容**との関わりについて理解すること。 ウ **思いや意図に合った表現**をするために必要な技能を身に付けること。

器楽

学年	内容
低学年	ア **器楽表現についての知識や技能を得たり生かしたり**しながら、**曲想を感じ取って表現を工夫し、どのように演奏するかについて思いをもつ**こと。 イ 次の(ア)及び(イ)について気付くこと。 (ア) **曲想**と**音楽の構造**との関わり (イ) **楽器の音色**と**演奏の仕方**との関わり ウ **思いに合った表現**をするために必要な次の(ア)から(ウ)までの技能を身に付けること。 (ア) **範奏**を聴いたり、**リズム譜**などを見たりして演奏する技能 (イ) 音色に気を付けて、旋律楽器及び打楽器を演奏する技能 (ウ) 互いの楽器の音や伴奏を聴いて、**音を合わせて演奏する技能**
中学年	ア **器楽表現についての知識や技能を得たり生かしたり**しながら、**曲の特徴を捉えた表現を工夫し、どのように演奏するかについて思いや意図をもつ**こと。 イ 次の(ア)及び(イ)について気付くこと。 (ア) **曲想**と**音楽の構造**との関わり (イ) **楽器の音色や響き**と**演奏の仕方**との関わり ウ **思いや意図に合った表現**をするために必要な次の(ア)から(ウ)までの技能を身に付けること。 (ア) **範奏**を聴いたり、**ハ長調**の楽譜を見たりして演奏する技能 (イ) 音色や響きに気を付けて、旋律楽器及び打楽器を演奏する技能 (ウ) 互いの楽器の音や副次的な旋律、伴奏を聴いて、**音を合わせて演奏する技能**
高学年	ア **器楽表現についての知識や技能を得たり生かしたり**しながら、**曲の特徴にふさわしい表現を工夫し、どのように演奏するかについて思いや意図をもつ**こと。 イ 次の(ア)及び(イ)について理解すること。 (ア) **曲想**と**音楽の構造**との関わり (イ) **多様な楽器の音色や響き**と**演奏の仕方**との関わり ウ **思いや意図に合った表現**をするために必要な次の(ア)から(ウ)までの技能を身に付けること。 (ア) **範奏**を聴いたり、**ハ長調及びイ短調**の楽譜を見たりして演奏する技能 (イ) 音色や響きに気を付けて、旋律楽器及び打楽器を演奏する技能 (ウ) 各声部の楽器の音や全体の響き、伴奏を聴いて、**音を合わせて演奏する技能**

音楽づくり

学年	内容
低学年	ア **音楽づくりについての知識や技能を得たり生かしたり**しながら、次の(ア)及び(イ)をできるようにすること／ (ア)**音遊び**を通して、音楽づくりの発想を得ること／(イ)どのように音を音楽にしていくかについて思いをもつこと イ 次の(ア)及び(イ)について、それらが生み出す面白さなどと関わらせて気付くこと／(ア)**声や身の回りの様々な音**の特徴／(イ)**音やフレーズのつなげ方**の特徴 ウ **発想を生かした表現**や、**思いに合った表現**をするために必要な次の(ア)及び(イ)の技能を身に付けること／(ア)設定した条件に基づいて、即興的に音を選んだりつなげたりして表現する技能／(イ)音楽の仕組みを用いて、**簡単な音楽をつくる技能**

ポイント 言葉の意味をまず理解。分かっていれば暗記も楽に！

中学年	ア **音楽づくりについての知識や技能を得たり生かしたり**しながら、次の(ア)及び(イ)をできるようにすること／(ア)**即興的に表現**することを通して、音楽づくりの発想を得ること／(イ)音を音楽へと構成することを通して、どのようにまとまりを意識した音楽をつくるかについて思いや意図をもつこと イ 次の(ア)及び(イ)について、それらが生み出すよさや面白さなどと関わらせて気付くこと／(ア)**いろいろな音の響きやそれらの組合せ**の特徴／(イ)**音やフレーズのつなげ方や重ね方**の特徴 ウ **発想を生かした表現**や、**思いや意図に合った表現**をするために必要な次の(ア)及び(イ)の技能を身に付けること／(ア)設定した条件に基づいて、即興的に音を選択したり組み合わせたりして表現する技能／(イ)音楽の仕組みを用いて、音楽をつくる技能
高学年	ア **音楽づくりについての知識や技能を得たり生かし**たりしながら、次の(ア)及び(イ)をできるようにすること／(ア)即興的に表現することを通して、音楽づくりの様々な発想を得ること／(イ)音を音楽へと構成することを通して、どのように全体のまとまりを意識した音楽をつくるかについて思いや意図をもつこと イ 次の(ア)及び(イ)について、それらが生み出すよさや面白さなどと関わらせて理解すること／(ア)**いろいろな音の響きやそれらの組合せ**の特徴／(イ)**音やフレーズのつなげ方や重ね方**の特徴 ウ **発想を生かした表現**や、**思いや意図に合った表現**をするために必要な次の(ア)及び(イ)の技能を身に付けること／(ア)設定した条件に基づいて、即興的に音を選択したり組み合わせたりして表現する技能／(イ)音楽の仕組みを用いて、音楽をつくる技能

表現教材 ＊共通教材に関しては、本文の中で詳述する。

学年	内容
低学年	ア 主となる歌唱教材については、各学年とも共通教材を含めて、**斉唱**及び**輪唱**で歌う曲／イ 主となる器楽教材については、既習の歌唱教材を含め、主旋律に簡単なリズム伴奏や低声部などを加えた曲 **〔共通教材〕** **第1学年：「うみ」「かたつむり」「日のまる」「ひらいたひらいた」** **第2学年：「かくれんぼ」「春がきた」「虫のこえ」「夕やけこやけ」**
中学年	ア 主となる歌唱教材については、各学年とも共通教材を含めて、斉唱及び**簡単な合唱**で歌う曲／イ 主となる器楽教材については、既習の歌唱教材を含め、簡単な**重奏**や**合奏**などの曲 **〔共通教材〕** **第3学年：「うさぎ」「茶つみ」「春の小川」「ふじ山」** **第4学年：「さくらさくら」「とんび」「まきばの朝」「もみじ」**
高学年	ア 主となる歌唱教材については、各学年とも**共通教材の中の3曲**を含めて、**斉唱**及び**合唱**で歌う曲／イ 主となる器楽教材については、楽器の演奏効果を考慮し、簡単な重奏や合奏などの曲 **〔共通教材〕** **第5学年：「こいのぼり」「子もり歌」「スキーの歌」「冬げしき」** **第6学年：「越天楽今様（えてんらくいまよう）」「おぼろ月夜」「ふるさと」「われは海の子」**

3 B・鑑賞（学習指導要領の要約） 出題 青森・茨城・埼玉・愛媛 重要度 ★★★

鑑賞教材で「日本の音楽」を重視していることに注意。日本の音階、琉球音階、日本の歌、楽器などを覚えておこう。

鑑賞の活動

学年	内容
低学年	ア 鑑賞についての知識を得たり生かしたりしながら、**曲や演奏の楽しさ**を見いだし、曲全体を味わって聴くこと／イ **曲想と音楽の構造との関わり**について気付くこと
中学年	ア 鑑賞についての知識を得たり生かしたりしながら、**曲や演奏のよさなど**を見いだし、曲全体を味わって聴くこと／イ **曲想及びその変化と、音楽の構造との関わり**について**気付く**こと
高学年	ア 鑑賞についての知識を得たり生かしたりしながら、**曲や演奏のよさなど**を見いだし、曲全体を味わって聴くこと／イ **曲想及びその変化と、音楽の構造との関わり**について**理解する**こと

鑑賞教材

学年	内容
低学年	ア 我が国及び諸外国の**わらべうた**や**遊びうた**、行進曲や踊りの音楽など**体を動かすことの快さを感じ取りやすい音楽**、日常の生活に関連して**情景を思い浮かべやすい音楽**など、いろいろな種類の曲／イ **音楽を形づくっている要素の働き**を感じ取りやすく、**親しみやすい曲**／ウ **楽器の音色や人の声の特徴**を捉えやすく親しみやすい、**いろいろな演奏形態による曲**
中学年	ア **和楽器**の音楽を含めた**我が国の音楽**、**郷土の音楽**、諸外国に伝わる**民謡**など**生活との関わりを捉えやすい音楽、劇の音楽、人々に長く親しまれている音楽**など、いろいろな種類の曲／イ **音楽を形づくっている要素の働き**を感じ取りやすく、聴く楽しさを得やすい曲／ウ **楽器や人の声による演奏表現の違いを聴き取りやすい**、独奏、重奏、独唱、重唱を含めたいろいろな演奏形態による曲
高学年	ア **和楽器**の音楽を含めた**我が国の音楽**や諸外国の音楽など**文化との関わりを捉えやすい音楽、人々に長く親しまれている音楽**など、いろいろな種類の曲／イ **音楽を形づくっている要素の働き**を感じ取りやすく、聴く喜びを深めやすい曲／ウ **楽器の音や人の声が重なり合う響きを味わう**ことができる、合奏、合唱を含めたいろいろな演奏形態による曲

共通事項 （「A 表現」及び「B 鑑賞」の共通指導事項）

□**ア** ➡ 音楽を形づくっている要素を聴き取り、それらの働きが生み出す**よさ**や**面白さ**、**美しさ**を**感じ取り**ながら、聴き取ったことと感じ取ったこととの関わりについて考えること。

□**イ** ➡ 音楽を形づくっている要素及びそれらに関わる**音符**、**休符**、**記号**や**用語**について、音楽における働きと関わらせて理解すること。

ポイント 共通教材のメロディーと歌詞は絶対に暗記。試験で必ず役立つ！

03 学習指導要領③ 指導計画の作成と内容の取扱い

日付 ／

頻出度 B

●細かい部分の出題はあまり見られない。
●赤字の部分を中心に学習していこう。

1 指導計画の作成上の配慮事項　重要度 ★★

学習指導要領より抜粋して作成。

□**児童の主体的・対話的で深い学びの実現**を図るようにすること。その際、音楽的な見方・考え方を働かせ、**他者と協働しながら、音楽表現を生み出したり音楽を聴いてそのよさなどを見いだしたりする**など、**思考、判断し、表現する一連の過程を大切にした学習の充実を図る**こと。

□**国歌「君が代」は、いずれの学年においても歌えるよう指導する**こと。

□**低学年**においては、**他教科等との関連を積極的に図り、指導の効果を高める**ようにするとともに、**幼稚園教育要領等に示す幼児期の終わりまでに育ってほしい姿との関連を考慮**すること。特に、**小学校入学当初**においては、**生活科を中心とした合科的・関連的な指導や、弾力的な時間割の設定を行うなどの工夫**をすること。

□**障がいのある児童**などについては、**学習活動を行う場合に生じる困難さに応じた指導内容や指導方法の工夫を計画的、組織的に行う**こと。

□**道徳科などとの関連を考慮**しながら、第３章特別の教科道徳の第2に示す内容について、**音楽科の特質に応じて適切な指導**をすること。

2 内容の取扱いに関する配慮事項　重要度 ★★

□和音の指導に当たっては、合唱や合奏などの活動を通して**和音のもつ表情**を感じ取ることができるようにすること。また、長調及び短調の楽曲においては、**Ⅰ、Ⅳ、Ⅴ及びV_7などの和音を中心に指導**すること。

➡ **Ⅰの和音**：ド・ミ・ソの組合せ／**Ⅳの和音**：ファ・ラ・ドの組合せ／**Ⅴの和音**：ソ・シ・レの組合せ／**V_7の和音**：ソ・シ・レ・ファの組合せ

□児童が様々な感覚を働かせて音楽への理解を深めたり、主体的に学習に取り組んだりすることができるようにするため、**コンピュータや教育機器を**

効果的に活用できるよう**指導を工夫**すること。

□**我が国や郷土の音楽**の指導に当たっては、そのよさなどを感じ取って表現したり鑑賞したりできるよう、音源や楽譜等の示し方、伴奏の仕方、曲に合った歌い方や楽器の演奏の仕方などの指導方法を工夫すること。

□歌唱の指導については、次のとおり取り扱うこと。

ア **歌唱教材**については、我が国や郷土の音楽に愛着がもてるよう、共通教材のほか、長い間親しまれてきた**唱歌**、**それぞれの地方に伝承されているわらべうた**や**民謡などの日本のうた**を含めて取り上げるようにすること。

イ **相対的な音程感覚**を育てるために、適宜、**移動ド唱法**※を用いること。

※ドが調により移動することによる命名(**階名唱法**)⇔固定ド唱法(音名唱法)

ウ 変声以前から自分の声の特徴に関心をもたせるとともに、**変声期の児童に対して適切に配慮すること**。

□各学年の「A表現」の(2)の**楽器**について(要点)(実態を考慮して選択)

ア 各学年での**打楽器**:**木琴**、**鉄琴**、**和楽器**、**諸外国に伝わる様々な楽器**

イ 低学年での**旋律楽器**:**オルガン**、**鍵盤ハーモニカ**など

ウ 中学年での**旋律楽器**:**既習の楽器**、**リコーダー**、**鍵盤楽器**、**和楽器**など

エ 高学年での**旋律楽器**:**既習の楽器**、**電子楽器**、**和楽器**、**諸外国の楽器**など

□各学年の「A 表現」の**(3)**の**音楽づくり**の指導について(要点)

ア **音遊びや即興的な表現**:身近なものから**多様な音**を探す、**リズムや旋律を模倣**→音楽づくりのための**発想が得られるように指導**/イ どのような音楽を、どのようにしてつくるか:児童の実態に応じて**具体的な例を示して指導**/ウ つくった音楽について:必要に応じて**記録**させる/エ **拍のないリズム**、**我が国の音楽に使われている音階や調性にとらわれない音階**など:児童の実態に応じて取り上げる

□各学年[共通事項]のイの「**音符、休符、記号や用語**」については、児童の学習状況を考慮して、**次に示すものを取り扱う**こと。

➡ 配当学年は示されておらず、6年間を通して身に付けさせる。

【音符、休符、記号や用語】

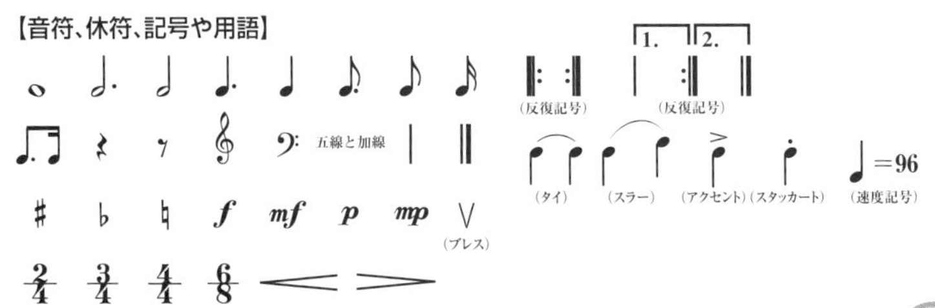

ポイント 記号の数々も楽譜の中で理解すれば、応用もきく

04 1・2年生の音楽①

頻出度 A

●学習指導要領に記載の教材が中心となる。
●共通教材を理解できるようにする。

1 1・2年生で学ぶ内容 重要度 ★★★

リズム譜と階名（どんぐりころころ）

基本的な2種類の表記を覚えよう。

☐**リズム譜** ➡ タンタタタタタタ｜タンタタタントン

☐**階名** ➡ ソミミファミレド｜ソミミレ

2 1・2年生で学ぶ音楽の基本要素 重要度 ★★★

音楽の要素

１年生と２年生で学ぶことは学習指導要領にも書かれてある。

☐**音色** ➡ 音が波であり、**波形によりその違いが生まれる**。

☐リズム ➡ 拍子の中のまとまりのあるグループ。

☐**拍の流れ** ➡ リズムの周期の中で繰り返される強弱の各部分。

☐速度 ➡ ♪＝69　メトロノーム記号。楽譜の最初に書かれる。この場合は1分間に八分音符が69の速さということ。

☐**旋律** ➡ メロディー。音が継時的につながったまとまり。ハーモニー（和声）、リズム（律動）とともに西洋音楽の３要素の１つ。

☐強弱 ➡ ダイナミクスという。さまざまな記号であらわす（217ページ参照）。

☐**フレーズ** ➡ 音楽の中のまとまり。楽譜では見えにくい。

☐**「問いと答え」** ➡ １・２小節が「問い」で3・４小節が「答え」になっている例。

3 1・2年生でよく利用する楽器

重要度 ★★

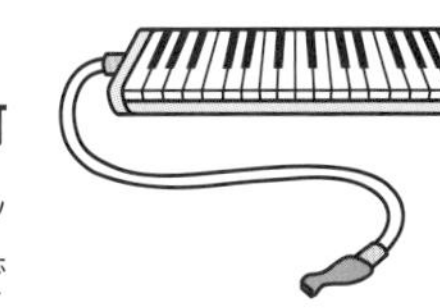

□鍵盤ハーモニカ ➡ 昭和40年代から小学校で用いられるようになった**管楽器と鍵盤楽器の両方の性質をもつ楽器**。

□**鍵盤ハーモニカのメリット** ➡ **和音の演奏が可能**、軽くてもち運びが便利、送り込む空気を調節して**音量の変化が可能**、鍵盤が小さいので子どもでも無理なく演奏ができる、など。

□ハーモニカ ➡ ド、ミ、ソは吹いて、レ、ファ、ラ、シは吸って音を出す。**息継ぎせずに長い曲を演奏できる**。半音を出せるものもあり。

□タンバリン ➡ **縁に付いている金属はジングル**という。たたいたり、振ったりして音を出す。手をまるめて指先で軽くたたく。

□すず ➡ 片手でもち、**もう片方の手でもっている手の手首をたたく**。振って音を出す。

□カスタネット ➡ 木製が基本。片方の手の平に乗せ、**もう片方の手で上からたたく**。

□トライアングル ➡ 金属製。**金属を三角形に曲げたもの**で、上を吊るしてもち、下の部分を金属の棒でたたく。トレモロ(連打)するときは角の部分を利用。

4 国歌

重要度 ★★★

国歌「君が代」はいずれの学年においても指導する(学習指導要領に記載)。

音　楽

05 1・2年生の音楽②

頻出度 A

●リズム譜から楽譜への移行に注意する。
●鑑賞教材に実際に接しておくことが望ましい。

1 共通教材

★超頻出★　重要度 ★★★

□1年の共通教材 ➡ メロディーを覚えておこう。

曲名	楽譜
「うみ」 文部省唱歌　林柳波作詞　井上武士作曲	
「かたつむり」 文部省唱歌	でんでん むしむし かたつむり おまえの あたまは
「日のまる」 文部省唱歌　高野辰之作詞　岡野貞一作曲	し ろ じ に あ か く
「ひらいたひらいた」 わらべうた	ひらいた ひらいた なんの はなが ひらいた

□2年の共通教材 ➡ ハ長調の曲ばかりなので分かりやすい。

曲名	楽譜
「かくれんぼ」 文部省唱歌　林柳波作詞　下総皖一作曲	
「春がきた」 文部省唱歌　高野辰之作詞　岡野貞一作曲	はるがきた はるがきた どこにきた
「虫のこえ」 文部省唱歌	あれまつむしが ないている チンチロチンチロチンチロリン
「夕やけこやけ」 中村雨紅作詞 草川信作曲	

2 小学校学習指導要領で示してきた鑑賞教材(参考) 重要度 ★★

現在では、担当教員の判断でさまざまな音楽が鑑賞教材に利用されている。参考程度に覚えておいてほしい。多くはネットで聴くことができる。

第1学年

曲名	作曲家	特徴など
「アメリカン・パトロール」	F.W.ミーチャム(アメリカ、1856－1909)	3種類のアメリカ民謡を取り入れた行進曲。
「おどる子ねこ」	L.アンダソン(アメリカ、1908－1975) セミクラシック作品と呼ばれる多数の曲を残している。	「おどる子ねこ」は1950年の作品。曲の中では、子ねこの鳴き声風の音が演奏されている。「タイプライター」「そりすべり」「ブルー・タンゴ」など。
「おもちゃの兵隊の行進曲」	L.イェッセル(ドイツ、1871－1942)	行進曲。4分の2拍子で軽快なイメージ。
「ガボット」	F.J.ゴセック(ベルギー、1734－1829)	**ガボットとは4分の4拍子や2分の2拍子のフランスの古い舞曲。**
「森のかじや」	T.ミヒャエリス(ドイツ、1831－1887)	「かじや」は「鍛冶屋」のこと。トンテンカンと金属をたたくリズムを音楽に。

第2学年

曲名	作曲家	特徴など
「おどる人形」	E.ポルディーニ(ハンガリー、1869－1957)	ポルディーニは「ジャポネーズ」という練習曲も残している。
「かじやのポルカ」	ヨーゼフ・シュトラウス(オーストリア、1827－1870)	**ポルカとは1830年ごろに生まれたチェコの踊りの音楽。**
「かっこうワルツ」	J.E.ヨナッソン(スウェーデン、1886－1956)	**ワルツは日本語では円舞曲という。3拍子の音楽。**
「出発」(組曲「冬のかがり火」から)	S.プロコフィエフ(ロシア、1891－1953)	**「ピーターと狼」**でも有名。「冬のかがり火」も「ピーターと狼」も子どものために作曲された。
「トルコ行進曲」	L.v.ベートーベン(ドイツ、1770－1827)	劇付随音楽「アテネの廃墟」の中の第5曲。
「メヌエット」(歌劇「アルチーナ」から)	G.F.ヘンデル(ドイツ、1685－1759)	**メヌエットは4分の3拍子のフランスの古い舞踊曲に由来。**「メヌエット」はビゼーによるものとベートーヴェンによるものが3年生の鑑賞共通教材になっていたことにも注意。
「ユーモレスク」	A.ドヴォルザーク(チェコ、1841－1904)	交響曲「新世界より」や「アメリカ」などの作品あり。

マメ 「トルコ行進曲」はモーツァルトも同名の音楽を作曲しているので注意！

06 3・4年生の音楽①

頻出度 A

●1・2年生に比べて内容が高度になるので注意する。
●和音の基礎はしっかり理解しよう。

1 リコーダー 重要度 ★★★

□リコーダーの意味 ➡「記録する」という意味。

□歴史 ➡ 中世から存在し、**ルネサンス**、**バロック**の時代には盛んになった。

□素材 ➡ 木製が基本だが、最近では樹脂のものも多い。

□種類 ➡ 音が高い順に、**ソプラニーノ**、**ソプラノ**、**アルト**、**テノール**、**バス**といった種類がある。**小学校で使うのは主にソプラノ**。

□**ジャーマン式**と**バロック式**

もともとはバロック式であったが、20世紀になり、ジャーマン式が教育目的（ファの指運びが簡単）で開発された。

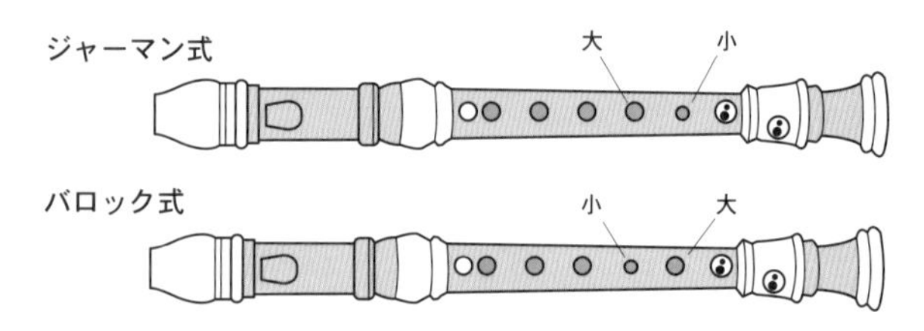

□**タンギング** ➡ 舌を使って区切ること。**トゥ、トゥーと発音**するときのようにする。

□リコーダーの仲間 ➡ **オーボエやクラリネット**。フルートやピッコロは横笛。

2 リズム楽器 重要度 ★★

□マラカス ➡ もともとはマラカの実でつくられた。両手で振る。

□ギロ ➡ ヒョウタンの外側に刻みを入れて、棒でこする。

□カウベル ➡ 牛の首につける鈴をスティックでたたく。

□クラベス ➡ 硬質な木材でできた棒状のもの同士をたたく。

3 和音で伴奏　重要度 ★★★

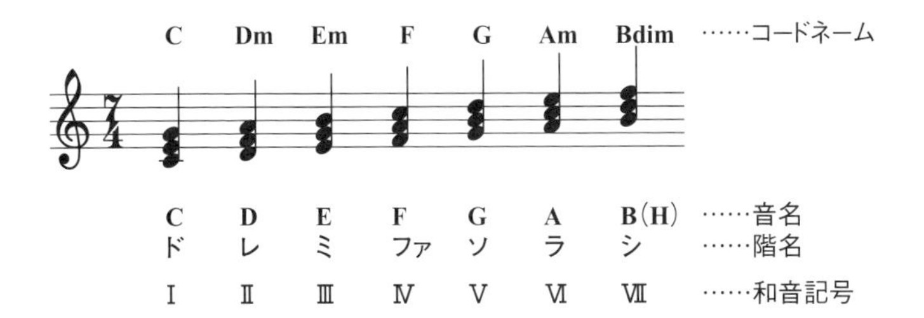

□**コードネーム** ➡ 上記の楽譜の上の部分に書かれているもの。

□**和音の番号(和音記号)** ➡ 一番下のローマ数字のもの。クラシックで使用。

上の音楽では**1小節目がⅠ**、**2小節目前半がⅣ**(**後半はⅠ**)、**3小節目がⅠ**、**4小節目がⅤ**が標準的な伴奏となる。

4 簡単な作曲　重要度 ★★

4年生の教科書では、簡単な作曲についての記述が見られる。

□**作曲の進め方** ➡ ①好きな音階を選ぶ→②音階の中から音を選択して音形(音の流れ)をつくる→③先に作成した音形を基にそれを展開する(展開とは例えば「**ミミミ**」なら「**ミ**ファ**ミ**レ**ミ**ミ」などとすること)→④低音を加える(そのときに、曲の初めや終わりに使われる音を使うとつくりやすい)→⑤最後に旋律をつくる。

□**作曲問題での注意事項** ➡ 使用している音階からはずれないこと。

5 日本の音楽　重要度 ★★

4年生の教科書では**「日本のお祭り」**や**「日本の民謡」**を多く扱っている。祭りの際に演じられる音楽。

□**お囃子(はやし)に使う楽器** ➡ 締太鼓(しめだいこ)、大太鼓(長胴(ながどう)太鼓)、篠笛(しのぶえ)(竹笛と呼ぶこともある)、鉦(しょう)(「かね」ともいう。金属の打楽器)を使うのが一般的。締太鼓の仲間の「付け太鼓」(締太鼓をつるしたもの)も使うことがある。

□**お囃子の音階** ➡ 「レ、ミ、ソ、ラ、シ、(レ)」が基本。

ポイント 自分が受験する地域のお祭りはチェック！

07 3・4年生の音楽②

頻出度 A

●共通教材、鑑賞教材については、簡単に理解し、覚えておこう。
●できれば楽譜が読めるようになっておくこと。

1 共通教材

★超頻出★ 重要度 ★★★

□３年の共通教材 ➡ ト長調の楽譜を読めるようにすることが大切。

曲名	楽譜
「うさぎ」 日本古謡	う さ ぎ う さ ぎ な に み て は ね る
「茶つみ」 文部省唱歌	な つ も ち か づ く は ち じゅ う は ち や
「春の小川」 文部省唱歌　高野辰之作詞　岡野貞一作曲	は ー る の お が わ は さ ら さ ら い く よ
「ふじ山」 文部省唱歌　巌谷小波(さざなみ)作詞	あ た ま を く も ー の う え に だ ー し

□４年の共通教材 ➡ メロディーがやや複雑化することに注意。

曲名	楽譜
「さくらさくら」 日本古謡	さくら さくら のやまも さとーも みわたす かぎーり
「とんび」 葛原しげる作詞 梁田貞作曲	と べとーべー とーんび そらたーかー く
「まきばの朝」 文部省唱歌 船橋栄吉作曲	た だーい ち めんに たちーこ め た ま
「もみじ」 文部省唱歌　高野辰之作詞　岡野貞一作曲	あ きのゆ う ひ に て るーや ま も みーじ

2 小学校学習指導要領で示してきた鑑賞教材(参考) 重要度 ★★

現在では、担当教員の判断でさまざまな音楽が鑑賞教材に利用されているが、参考程度に覚えておいてほしい。

第3学年

曲名	作曲家	特徴など
「おもちゃのシンフォニー」	F. J. ハイドン(オーストリア、1732－1809)	ハイドンの作曲ではないとの説もある。
「金婚式」	**G. マリー**(フランス、1852－1928)	**三部形式で弱起の曲。なお、「弱起」とは楽曲が第一拍から始まらないもの。**
「金と銀」	F. レハール(ハンガリー、1870－1948)	オペレッタ「メリー・ウィドウ」は有名。「金と銀」は管弦楽曲(ワルツ)。
歌劇「軽騎兵」序曲	F. v. スッペ(オーストリア、1819－1895)	スッペは**オペレッタ**で有名。
「メヌエット」(組曲「アルルの女」より)	G. ビゼー(フランス、1838－1875)	ビゼーの作品としては**歌劇「カルメン」**が有名。
「メヌエット」ト長調	L. v. ベートーベン(ドイツ、1770－1827)	メヌエットの説明は201ページ参照。
「ポロネーズ」(管弦楽組曲2番から)	J. S. バッハ(ドイツ、1685－1750)	**ポロネーズ**とはポーランド起源の舞踊音楽。ゆったりとした4分の3拍子の音楽が基本。

第4学年

曲名	作曲家	特徴など
「ガボット」	J. P. ラモー(フランス、1683－1764)	ガボットの説明は201ページ参照。
「軍隊行進曲」	F. シューベルト(オーストリア、1797－1828)	元々はピアノの連弾曲。
「スケーターズワルツ」	E. ワルトトイフェル(フランス、1837－1915)	「女学生」(ワルツ)など軽やかな曲に特徴がある。
「ノルウェー舞曲」第2番 イ長調	E. H. グリーグ(ノルウェー、1843－1907)	**「ノルウェー舞曲」ではオーボエが活躍。グリーグ**は国民楽派。組曲**「ペールギュント」**が有名。
「白鳥」	C. サン・サーンス(フランス、1835－1921)	「白鳥」は「動物の謝肉祭」全14曲の中の13曲目。**チェロ**による。
ホルン協奏曲第1番 ニ長調 第1楽章	W. A. モーツァルト(オーストリア、1756－1791)	ホルンの独奏と管弦楽による協奏曲(コンチェルト)。

マメ 中学年では舞踊曲が多い

08 5・6年生の音楽①

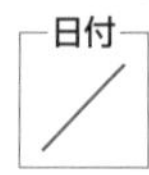

頻出度 A

●採用試験ではこの範囲からの出題が多い。
●難しく感じられる部分もあるが、しっかり理解しておこう。

1 よく出題される調(♯、♭が3つまで) 重要度 ★★★

嬰種長・短音階

嬰音(えいおん)(♯)のある長・短音階を指す。

	長調	短調
日	ハ長調	イ短調
英	C major	a minor
日	ト長調	ホ短調
英	G major	e minor
日	ニ長調	ロ短調
英	D major	b minor
日	イ長調	嬰ヘ短調
英	A major	f-sharp minor
日	ホ長調	嬰ハ短調
英	E major	c-sharp minor
日	ロ長調	嬰ト短調
英	B major	g-sharp minor

調を見分けて「ド」の場所を確認。その「ド」が、「ハ、ニ、ホ、ヘ、ト、イ、ロ」のどこになるかで調名判断。ハ長調は「ド」が「ハ」(音名)の位置だからハ長調

変種長・短音階

変音(♭)のある長・短音階を指す。

□**調の見分け方** ➡ 五線譜の最初につける記号で、何調で演奏するかを指示する。**調号の最も右側が♯の場合はそこが「シ」**、**♭の場合は「ファ」の位置**となるので、階名で読むことができる。

2 5・6年生の教科書から 重要度 ★★

□**変奏曲** ➡ 主題のメロディーが形を変えながら繰り返して演奏されるもの。シューベルトの「ます」は**ピアノ五重奏曲**。**ピアノ**、**バイオリン**、**ビオラ**、**チェロ**、**コントラバス**で演奏。その第４楽章が変奏曲形式である。

【「ます」の楽譜】

□「ます」の変奏の例 ➡ 主題（バイオリン）→第１変奏（ピアノ）→第2変奏（ビオラ）→第３変奏（チェロ、コントラバス）→第4変奏（全楽器）→第５変奏（チェロ）→コーダ（バイオリン、チェロ）

□**アンサンブル** ➡ フランス語で「**いっしょに**」の意味。２人以上がいっしょに演奏すること。規模はさまざま。

□アンサンブルの種類 ➡ 弦楽四重奏（バイオリン２台、ビオラ、チェロ）、ピアノ三重奏（ピアノ、バイオリン、チェロ）など。ビッグバンド（サックス、トロンボーン、トランペット、リズム楽器が中心）は主にジャズバンドとして演奏、吹奏楽（管楽器が中心）なども。

□**カノン** ➡ １つの旋律をいくつかのパートが一定の間隔をあけて演奏を始め、追いかけるように進む音楽。輪唱と訳すが、**輪唱がまったく同じ旋律**を演奏するのに対して、**カノンの場合は一定の規則に基づいて変形された旋律**（拡大カノン、反行カノン、逆行カノンなど）が演奏されることもある。

□**箏**（そう） ➡ 「**琴**」**は別の楽器なので注意**。箏は弦の下に柱（「じ」と呼ぶ）を置き、それぞれの弦を曲に合う高さに整える。弦は全部で13本、演奏者から遠い方から**１から10**、**斗**（と）、**為**（い）、**巾**（きん）と並ぶ。指には爪をつけてはじく。生田流が角爪、山田流が丸爪。

□**尺八** ➡ 標準的な長さが**一尺八寸**（**約54.5cm**）からついた名称。竹で作製する。穴は前面に４つ、後面に１つというのが一般的。構造的にはフルートに似ている。最近ではポピュラー音楽にも使用される。**武満徹の「ノヴェンバー・ステップス」でも使われる**。

□**スコア** ➡ 合奏用の楽譜で、全パートのすべての音が記載されている。

ポイント 高学年になると内容が高度になる

09 5・6年生の音楽②

頻出度 A

●共通教材、旧鑑賞教材については、簡単に理解し、覚えておこう。
●できれば楽譜が読めるようになっておくこと。

1 共通教材

★超頻出★　重要度 ★★★

□5年の共通教材 ➡「子もり歌」などちょっと難しい曲でも楽譜が読めるように。

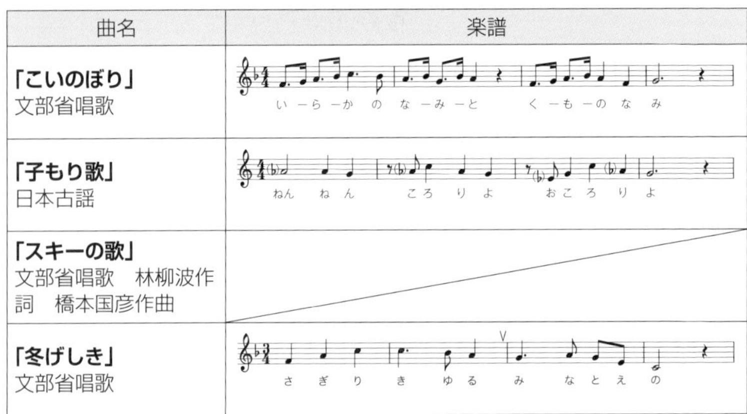

曲名	楽譜
「こいのぼり」 文部省唱歌	い ー ら ー か の な ー み ー と く ー も ー の な み
「子もり歌」 日本古謡	ねん ね ん こ ろ り よ お こ ろ り よ
「スキーの歌」 文部省唱歌　林柳波作詞　橋本国彦作曲	
「冬げしき」 文部省唱歌	さ ぎ り き ゆ る み な と え の

□6年の共通教材 ➡「おぼろ月夜」は弱起の曲、「われは海の子」は二長調。

曲名	楽譜
「越天楽今様」 日本古謡 慈鎮和尚作歌	は る の や よ い の あ け ぼ の に
「おぼろ月夜」 文部省唱歌　高野辰之作詞　岡野貞一作曲	*p* *mp* な の は な ば た け ー に い り ひ う す れ み わ
「ふるさと」 文部省唱歌　高野辰之作詞　岡野貞一作曲	*mf* う さ ぎ お い し か の や ま
「われは海の子」 文部省唱歌	*mf* わ れ は う み の こ し ら な み の

□**越天楽今様** ➡「越天楽」とは雅楽の演目の１つ。舞はすでに絶えており、残されていない。「越天楽今様」はそれに歌詞をつけたもの。「黒田節」は「越天楽」に「酒は飲め飲め……」の歌詞をつけたもの。

2 小学校学習指導要領で示してきた鑑賞教材(参考) 重要度 ★★

第５学年 「ます」はよく出題されるのでメロディーを頭に入れておくこと。

曲名	作曲家	特徴など
歌劇「ウィリアム・テル」序曲	G.ロッシーニ(イタリア、1792－1868)。作品：**「セビリアの理髪師」**	**ウィリアム・テル**は14世紀初めの**スイスの英雄**といわれている。
「管弦楽のための木挽歌(こびきうた)」	小山清茂(日本、1914－2009)	**「木挽歌(唄)」は労作歌。木挽が木材を挽くときに歌う。**
組曲「くるみ割り人形」	P.I.チャイコフスキー(ロシア、1840－1893)	バレエ組曲。**ホフマンのクリスマス童話「くるみ割り人形とねずみの王様」**が題材。
「荒城の月」、「箱根八里」、「花」のうち１曲	滝廉太郎(日本、1879－1903)	七五調の歌詞(今様形式)に西洋風メロディーが調和した曲。
「タンホイザー行進曲」	**R.ワーグナー**(ドイツ、1813－1883)	「**タンホイザー**」という**オペラの曲**。
ピアノ五重奏曲「ます」第４楽章	F.シューベルト(オーストリア、1797－1828)	ダニエル・シューバルトの歌詞によるリートも有名。

第６学年 「春の海」はよく出題される。

曲名	作曲家	特徴など
「赤とんぼ」、「この道」「待ちぼうけ」のうちの１曲	山田耕筰(こうさく)(日本、1886－1965)	「赤とんぼ」「この道」「待ちぼうけ」のうちの１曲。
「第９交響曲」から合唱の部分	L.v.ベートーベン(ドイツ、1770－1827)	**シラーの「歓喜に寄す」の詞**による。
組曲「道化師」	D.カバレフスキー(ロシア、1904－1987)	全10曲からなる管弦楽曲。**2曲目の「ギャロップ」が有名。**
「春の海」	宮城道雄(日本、1894－1956)。**十七弦箏の発明家でもある。**	**箏(そう)と尺八で演奏するのが一般的**だが、**尺八の代わりにバイオリンを使って演奏するものもある。**
組曲「ペール・ギュント」	E.H.グリーグ(ノルウェー、1843－1907)	「ペール・ギュント」は**イプセンの戯曲**。
「流浪の民」	R.シューマン(ドイツ、1810－1856)	**歌詞はガイベル**による。ロマ(ジプシー)の悲しい生活がその内容。
「六段」	**八橋検校(やつはしけんぎょう)**(日本、1614－1685)	「検校」とは盲官(目が見えない官僚)の最高位。

マメ 鑑賞用の教材の多くはネットを利用すれば聴くことができる。ぜひ一度聴いておいてほしい

10 音楽の基礎

日付 ／

頻出度 A

●基本的な要素についてはある程度マスターしておく必要がある。
●長調・短調、楽曲の形式は暗記してしまおう。

1 オーケストラについて

•頻出• 重要度 ★★

オーケストラの配置

演奏する曲により、さまざまな編成が利用される。

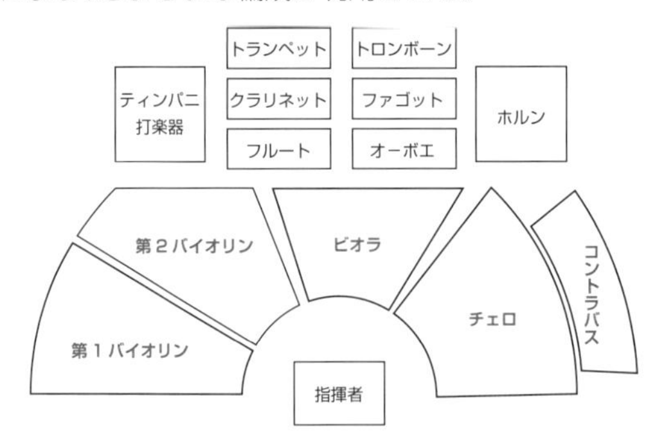

□**二管編成** ➡ 総勢50人程度。第１バイオリン10名、第２バイオリン８名、ビオラ６名、チェロ４名、コントラバス４名、木管、金管各２名程度。

□**四管編成** ➡ 総勢100人程度。第１バイオリン16名、第２バイオリン14名、ビオラ12名、チェロ10名、コントラバス８名、木管、金管各４名程度。他にピッコロ、イングリッシュホルン、バスクラリネット、チューバなどが加わることもある。

2 さまざまな楽器

•頻出• 重要度 ★★

□弦楽器 ➡ バイオリン、ビオラ、チェロ、コントラバス、ギター、ハープなど。

□木管楽器 ➡ **フルート**、**オーボエ**、**クラリネット**、ファゴットなど。

□金管楽器 ➡ **ホルン**、**トランペット**、**トロンボーン**、チューバなど。

□打楽器 ➡ ティンパニ、マリンバ、ドラム、シンバルなど。

□鍵盤楽器 ➡ ピアノ、オルガン、チェンバロ、アコーディオンなど。

3 歌、合唱について

●頻出● 重要度 ★★

□**女性の声** ➡ 高い方から**ソプラノ**→**メゾソプラノ**→**アルト**

□**男性の声** ➡ 高い方から**テノール**→**バリトン**→**バス**

テノールより高音の男性の声に「カウンターテナー」がある。

□**歌の演奏形態** ➡ **独唱**は１つの旋律を１人で歌う形態、**斉唱は１つの旋律を２人以上で歌う形態**、**重唱**は複数の旋律をそれぞれ１人ずつ歌う形態、**合唱**は複数の旋律をそれぞれ２人以上で歌う形態。

□合唱の形態 ➡ 男声合唱、女声合唱、混声合唱がある。

女性二部合唱：ソプラノ、アルト　**「花」（滝廉太郎作曲）**

女性三部合唱：ソプラノ、メゾソプラノ、アルト

男性四部合唱：第一テノール、第二テノール、バリトン、バス
「箱根八里」（滝廉太郎作曲）

混声四部合唱：ソプラノ、アルト、テノール、バス

□**リート** ➡ ドイツ語では「歌」を意味する。試験には**「魔王」**（作曲はシューベルト、詩はゲーテ）がよく出題されている。**バリトン歌手が１人で父**、**子ども**、**魔王の３役**を歌う。

4 長調と短調

●頻出● 重要度 ★★

□**長調** ➡ メジャースケール。ド、レ、ミ、ファ、ソ、ラ、シ、ド。

３音と４音（ミとファ）の間と７音と８音（シとド）の間が半音。

明るい感じの曲想となる。

□**短調** ➡ マイナースケール。ラ、シ、ド、レ、ミ、ファ、ソ、ラ。

２音と３音（シとド）の間と５音と６音（ミとファ）の間が半音。

暗い感じの曲想となる。

□和声短音階 ➡ ７音（ソ）に♯をつけ、半音上げる。

5 楽曲の形式

●頻出● 重要度 ★★★

歌の形式

□**一部形式** ➡ ａａ’形式とａｂ形式（**「うみ」**）がある。

□**二部形式** ➡ ａａ’ｂａ’形式（**「春の小川」**や**「荒城の月」**）とａａ’ｂｂ’形式がある。

□三部形式 ➡ ａｂａ形式が最も単純な形式。「きらきら星」

ポイント 基本が分かっていると、音楽も理解しやすい

11 音楽史(西洋音楽)

頻出度 A

●概要を確認しておこう。
●よく出題される作品は実際に聞いておくとよい。

1 古代・中世・ルネサンスの音楽　重要度 ★★

□**古代** ➡ 祭りや儀式で音楽を使用。**音階の誕生**。
□**中世** ➡ 7世紀の「グレゴリオ聖歌」。楽譜(ネウマ記譜法)発明。
□**ルネサンス期** ➡ 多声声楽曲が発達。後半には器楽音楽も発展。

2 バロック音楽　出題 愛知　重要度 ★★★

□特徴 ➡ 1600年から1750年ごろ。宮廷音楽が発達。多声音楽が完成。**チェンバロの完成**やバイオリンとその仲間の弦楽器が発達。歌劇(オペラ)やソナタ、協奏曲なども成立した。

代表的な作曲家

作曲家	略歴	作品
ヴィヴァルディ	18世紀前半に活躍したイタリアの作曲家。	**バイオリン協奏曲「四季」**(音楽で春、夏、秋、冬を表現)
バッハ(J.S.バッハ)	18世紀前半に活躍したドイツの作曲家。**音楽の父**。オルガン奏者でもあった。	「ブランデンブルク協奏曲」「マタイ受難曲」など1000曲を超える作品を残す。
ヘンデル	18世紀前半に活躍したドイツの作曲家。音楽の母。	オラトリオ「メサイヤ」、**管弦楽曲「水上の音楽」**

3 古典派の音楽　出題 愛知　重要度 ★★★

□特徴 ➡ 18世紀後半から19世紀初めを中心とする。ドイツやオーストリア中心。音楽の構成の秩序や美しさを重視。

代表的な作曲家

作曲家	略歴	作品
ハイドン	18世紀後半のオーストリアの作曲家。古典派の確立。	「おもちゃのシンフォニー」、オラトリオ「天地創造」

モーツァルト	18世紀に活躍したオーストリアの作曲家。35年の生涯で600曲以上の作品を残す。	「ドン・ジョヴァンニ」「魔笛」「フィガロの結婚」(以上歌劇)
ベートーヴェン	18世紀から19世紀初めに活躍したドイツの作曲家。晩年は強度の難聴に。楽聖。	**交響曲**(**5番「運命」**、**6番「田園」**、**9番「第九　合唱付」**)、ピアノ協奏曲「皇帝」

4 ロマン派の音楽

出題 愛知・愛媛　重要度 ★★★

□特徴 ➡ 標題音楽の発達。音楽が詩や文学と結びつく。個性を重視し、形式にとらわれない音楽の発展。

代表的な作曲家

作曲家	略歴	作品
シューベルト	19世紀初めに活躍したオーストリアの作曲家。リートの父。	**ピアノ五重奏曲「ます」**、「魔王」「未完成交響曲」「野ばら」
ショパン	19世紀前半に活躍した**ポーランド**の作曲家。ピアノ曲多数。**ピアノの詩人**。	「子犬のワルツ」「軍隊ポロネーズ」、ピアノ協奏曲1番・2番、マズルカ、エチュード、バラードなど
シューマン	19世紀前半に活躍したドイツの作曲家。ピアノ曲多数。	「子供の情景」(トロイメライが有名)、「謝肉祭」
リスト	19世紀中ごろに活躍したハンガリーの作曲家。ピアノ曲多数。	「愛の夢」「ハンガリー狂詩曲」「ラ・カンパネラ」「超絶技巧練習曲」
ブラームス	19世紀後半に活躍したドイツの作曲家。	「バイオリン協奏曲」「クラリネット五重奏曲」、歌曲集「子守唄」
ワーグナー	19世紀中ごろから後半に活躍したドイツの作曲家。	オペラ「**タンホイザー**」「ローエングリーン」「トリスタンとイゾルデ」
ヴェルディ	19世紀中ごろから後半に活躍したイタリアの作曲家。	「**椿姫**」「アイーダ」「リゴレット」などのオペラ
ビゼー	19世紀中ごろから後半に活躍したフランスの作曲家。	オペラ「**カルメン**」、組曲「アルルの女」

5 その他の音楽

重要度 ★★★

□**国民楽派** ➡ 19世紀中ごろから。民族固有の音楽の掘り起こし。

ムソルグスキー(ロシア):交響詩「はげ山の一夜」、「展覧会の絵」

スメタナ(チェコ):オペラ「売られた花嫁」、連作交響詩「わが祖国」

ドヴォルザーク(チェコ):交響曲「新世界より」

□**近・現代** ➡ 調性を逸脱した音楽が盛んになる。

ドビュッシー(フランス・印象派):「版画」「子供の領分」「月の光」

ラヴェル(フランス):「ボレロ」「ダスニフとクロエ」

シェーンベルク(オーストリア):12音技法の提唱。「月に憑かれたピエロ」

マメ 音楽界における3Bとはバッハ、ブラームス、ベートーヴェン

12 日本の音楽・日本各地の民謡・ミュージカル

頻出度 B

●概要を簡単に学習しておこう。
●できれば主要作曲家の代表曲は聴いておくとよい。

1 日本の音楽　重要度 ★★

□雅楽(ががく)の日本化 ➡ **9世紀ごろに日本の音楽として定着。雅楽は中国や朝鮮半島、インドなどから入ってきた音楽の融合といわれている。**

□雅楽の楽器 ➡ 管楽器(吹物)：**笙**(しょう)・**篳篥**(ひちりき)・**龍笛**(りゅうてき)、絃楽器(弾物)：**楽琵琶**・**楽箏**(がくそう)・**和琴**、打楽器(打物)：**大太鼓**、**釣太鼓**、**鞨鼓**(かっこ)、**鉦鼓**(しょうこ)

□**能** ➡ 江戸時代以前は猿楽(さるがく)と呼ばれた。能面をつけた人間による劇。お囃子(音楽)には笛、小鼓、大鼓、太鼓が用いられる。

□**歌舞伎** ➡ **出雲阿国**(いずものおくに)によるといわれる。約400年の歴史。**伴奏音楽として長唄**が発達した。

□**浄瑠璃** ➡ 三味線を伴奏に太夫(たゆう)が詩章(物語的なもの)を語る。代表的流派には義太夫節、常磐津節(ときわづぶし)、清元節(きよもとぶし)がある。人形浄瑠璃(文楽)は義太夫節に合わせて操り人形を用いる。

□**無形文化遺産** ➡ **能楽**、**人形浄瑠璃文楽**、**歌舞伎**、雅楽はユネスコによる日本の無形文化遺産である。

2 日本の音楽家　出題 愛知　重要度 ★★★

日本の有名音楽家

作曲家	特徴
林 広守(はやし ひろもり)(1831－1896)	雅楽演奏家。国歌「君が代」の作曲者。
滝廉太郎(たきれんたろう)(1879－1903)	「花」(詞：武島羽衣)、「荒城の月」(詞：土井晩翠(どいばんすい))、「箱根八里」など。
山田耕筰(やまだこうさく)(1886－1965)	「からたちの花」(詞：北原白秋)、「赤とんぼ」(詞：三木露風(みきろふう))、「この道」(詞：北原白秋)、オペラ「黒船」
成田為三(なりたためぞう)(1893－1945)	「**浜辺の歌**」(詞：林古渓(はやしこけい))、「カナリヤ」
宮城道雄(1894－1956)	8歳で失明。箏奏者。「**春の海**」「水の変態」

中田喜直(1923－2000)	中田章(「早春賦」を作曲)の息子。「**夏の思い出**」(詞：江間章子)、「雪の降る街を」(詞：内村直也)
團伊玖磨(1924－2001)	「花の街」(詞：江間章子)、オペラ「夕鶴」(木下順二の戯曲「夕鶴」(内容は「鶴の恩返し」)を題材とした)
小山清茂(1914－2009)	神楽や祭囃子をモチーフにした音楽を作曲。「管弦楽のための木挽歌」、オペラ「山椒大夫」など。
武満徹(1930－1996)	琵琶・尺八・オーケストラによる「ノヴェンバー・ステップス」が代表作。
久石譲(1950－)	宮崎駿監督のアニメ映画の音楽など。「となりのトトロ」「千と千尋の神隠し」「崖の上のポニョ」など。

3 日本の民謡

重要度 ★★

地域民謡

地域	民謡
北海道	ソーラン節、江差追分
東北	秋田おばこ(秋田)、津軽じょんから節(青森)、南部牛追い歌(岩手)、花笠音頭(山形)、会津磐梯山(福島)
関東	八木節(群馬・栃木)、大漁節(千葉)
北陸・中部	こきりこ節(富山)、ちゃっきり節(静岡)、佐渡おけさ(新潟)
近畿	デカンショ節(兵庫)、福知山音頭(京都)、串本節(和歌山)
中国・四国	安来節(島根)、金毘羅船々(香川)、よさこい節(高知)
九州・沖縄	黒田節(福岡)、五木の子守唄(熊本)、谷茶前(沖縄)

4 ミュージカル

重要度 ★★

□ミュージカル ➡ ヨーロッパのオペレッタが基となり、第1次世界大戦後**アメリカで発達**したという説が一般的。歌、踊り、劇により成り立つ。

□**ウエストサイドストーリー** ➡ **レナード・バーンスタイン作曲**。1957年初演。「ロミオとジュリエット」が原作といわれる。ニューヨークのギャング団の抗争を内容とする。「トゥナイト」や「マリア」などが知られている。

□**サウンドオブミュージック** ➡ **リチャード・ロジャース作曲**。ナチス支配下のオーストリアで実際にアメリカに脱出したトラップ一家の物語をミュージカル化したもの。「**ドレミの歌**」「エーデルワイス」などが有名。

□その他の作品 ➡ 「マイフェアレディー」「メリーポピンズ」「キャッツ」「南太平洋」「コーラスライン」など。**ブロードウェイ**上演が有名。

ポイント 日本の音楽にも魅力的なものが多い

音楽

13 楽典① 学習指導要領の記号

頻出度 A

●各記号の意味をしっかり覚え、使えるようにする。
●実際に音を出して確認するとよい。

1 基本的な記号

●頻出● 重要度 ★★★

記号	読み方	意味
𝅝	**全音符**	音符の基本となるもの
𝅗𝅥.	**付点二分音符**(付点はその音符の２分の1の長さを足すという記号)	全音符の4分の3の長さをあらわす音符
𝅗𝅥	**二分音符**	全音符の2分の１の長さをあらわす音符
♩.	**付点四分音符**	全音符の8分の3の長さをあらわす音符
♩	**四分音符**	全音符の4分の1の長さをあらわす音符
♪.	**付点八分音符**	全音符の16分の3の長さをあらわす音符
♪	**八分音符**	全音符の8分の1の長さをあらわす音符
𝅘𝅥𝅯	**十六分音符**	全音符の16分の1の長さをあらわす音符
♪.𝅘𝅥𝅯		全音符の4分の1の長さ
𝄽	**四分休符**	四分音符と同じ長さ分の休符
𝄾	**八分休符**	八分音符と同じ長さ分の休符
𝄞	**ト音記号**	五線譜に記して高音部であることを示す記号
𝄢	**ヘ音記号**	主に大譜表で低音部に利用。「Ｆ」を図案化したもの。第四線の「ヘ」から書き始める
｜	**縦線**	小節の切れ目

記号	名称	意味
‖	終止線	音楽の終了
♯	シャープ	半音上げる
♭	フラット	半音下げる
♮	ナチュラル	元に戻す
ff	フォルティッシモ	非常に強く
f	フォルテ	強く
mf	メゾフォルテ	やや強く
mp	メゾピアノ	やや弱く
p	ピアノ	弱く
pp	ピアニッシモ	非常に弱く
<	クレッシェンド	だんだん強く
>	デクレッシェンド	だんだん弱く
dim.	ディミヌエンド	だんだん弱く
V	ブレス	「息継ぎ」の意味
4/4		1小節に四分音符が４つということ
	タイ	結ぶこと。2つ目の音符の長さ分を加えた長さとなる
	スラー	音と音をなめらかに続けて演奏すること
	アクセント	その音を強く演奏する
	スタッカート	その音を切るように演奏する
♪=80	メトロノーム記号	1分間に♪を80個演奏する速さで演奏する
反復記号 A ‖: B C :‖ D		A→B→C→B→C→Dの順に演奏する

14 楽典② その他

頻出度 A

●採用試験では中学校で学ぶ範囲の出題もある。
●メトロノーム等を用い、実際に音で確認するとよい。

1 速度記号

●頻出● 重要度 ★★★

ラルゴからプレストにいくに従い、速くなっていく。

記号	読み方	意味
Largo	ラルゴ	幅広くゆるやかに
Adagio	アダージョ	ゆったりと
Lento	レント	ゆるやかに
Andante	アンダンテ	ゆっくりと歩く速さで
Moderato	**モデラート**	**中ぐらいの速さで**
Allegretto	**アレグレット**	**やや速く**
Allegro	**アレグロ**	**速く**
Vivace	ヴィヴァーチェ	生き生きと速く
Presto	プレスト	急いで

2 速度の変化を示す記号

●頻出● 重要度 ★★

記号	読み方	意味
rit.	**リタルダンド**	**だんだん遅く**
a tempo	**ア・テンポ**	**もとの速さで**
accel.	アッチェレランド	だんだん速く

3 反復記号

●頻出● 重要度 ★★★

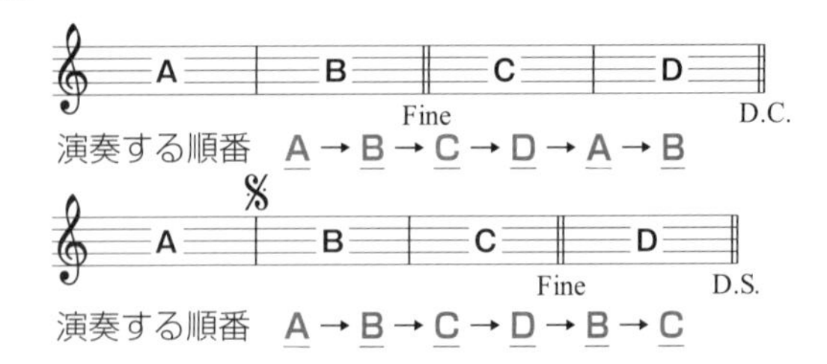

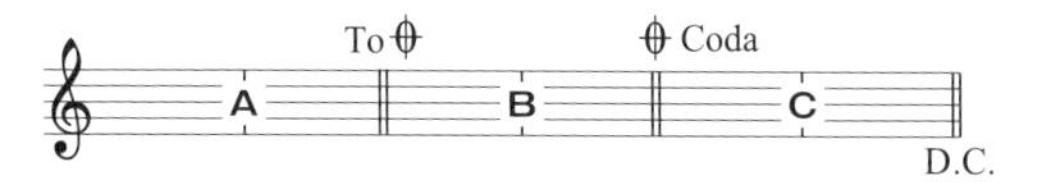

演奏する順番　A → B → C → A → C

4 その他（音階）

●頻出●　重要度 ★

□**琉球音階** ➡ ド、ミ、ファ、ソ、シ、ド

5 その他

重要度 ★★

□コンサートマスター ➡ 一般には第一バイオリンの首席奏者がつとめる。オーケストラのまとめ役。

□**ホルストの**「**惑星**」 ➡ 組曲で7つの楽章から成り立つ。特に**「木星(ジュピター)」**に人気がある。「地球」は含まれていない。

□**ラヴェル**の「**ボレロ**」 ➡ バレエ曲。下のリズムが基本形となる。

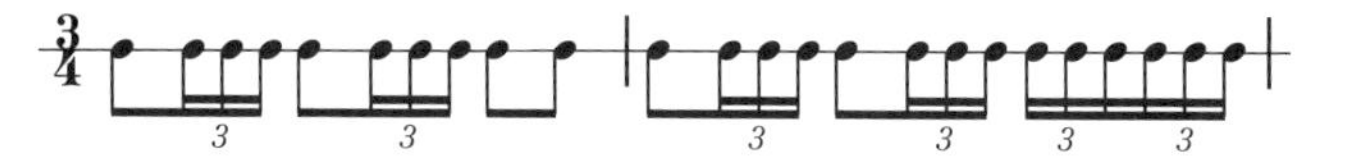

□小澤征爾（せいじ） ➡ 1935年生まれ。日本を代表する指揮者。

□「蝶々夫人」 ➡ 「マダム・バタフライ」。1900年代初めの長崎を舞台とする**プッチーニ**によるオペラ。有名な**アリア**（オペラやオペレッタの中で歌われる抒情的な独唱曲）は「**ある晴れた日に**」。

□「勧進帳（かんじんちょう）」 ➡ 歌舞伎の演目。源頼朝に嫌われた源義経一行が東北に逃げるときの、加賀国の安宅関（あたかのせき）でのものがたり。

□**チェンバロ**と**ピアノ** ➡ **チェンバロ**はピアノとは異なり、弦を**はじいて**音を出す。また、音量の調節もできない。**ピアノは弦をたたいて音を出す**。**ピアノは音量の調節ができることに特徴**がある。

ポイント 中学で学ぶ記号のフェルマータ、全休符、二分休符についても確認しておくこと

01 学習指導要領① 目標

日付 ／

頻出度 A

●図画工作で最も出題される分野である。
●穴埋めで出題されることも多いので対応できるようにしておこう。

1 教科の目標

出題 岩手・茨城・愛媛・高知　重要度 ★★★

表現及び鑑賞の活動を通して、造形的な見方・考え方を働かせ、生活や社会の中の形や色などと豊かに関わる資質・能力を次のとおり育成することを目指す。

（1）対象や事象を捉える造形的な視点について自分の感覚や行為を通して理解するとともに、材料や用具を使い、表し方などを工夫して、創造的につくったり表したりすることができるようにする。

（2）造形的なよさや美しさ、表したいこと、表し方などについて考え、創造的に発想や構想をしたり、作品などに対する自分の見方や感じ方を深めたりすることができるようにする。

（3）つくりだす喜びを味わうとともに、感性を育み、楽しく豊かな生活を創造しようとする態度を養い、豊かな情操を培う。

□教科の目標(1)、(2)、(3)について ➡ それぞれに「**創造**」を位置付け、図画工作科の学習が造形的な創造活動を目指していることを示している。

2 各学年の目標

出題 岩手・茨城・愛媛・高知　重要度 ★★★

□学年の目標は、教科の目標の(1)、(2)、(3)に対応して示している。(1)は、「**知識及び技能**」に関する目標、(2)は、「**思考力**、**判断力**、**表現力等**」に関する目標、(3)は、「**学びに向かう力**、**人間性等**」に関する目標。

第1学年・第2学年の目標

（1）**対象や事象を捉える造形的な視点**について自分の感覚や行為を通して気付くとともに、**手や体全体の感覚などを働かせ材料や用具を使い**、**表し方などを工夫して**、**創造的につくったり表したりする**ことができるようにする。

（2）**造形的な面白さや楽しさ**、**表したいこと**、**表し方**などについて考え、楽しく発想や構想をしたり、身の回りの作品などから自分の見方や感じ方を広げたりすることができるようにする。

（3）楽しく表現したり鑑賞したりする活動に取り組み、**つくりだす喜びを味わう**とともに、**形や色などに関わり楽しい生活を創造**しようとする態度を養う。

□**学年目標（1）➡「自分の感覚や行為を通して気付く」**と示している。

□**学年目標（2）➡「楽しく発想や構想をし」**と示している。

□**学年目標（3）➡「楽しく表現したり鑑賞したりする活動」**と示している。

第3学年・第4学年の目標

（1）**対象や事象を捉える造形的な視点**について自分の感覚や行為を通して分かるとともに、手や体全体を十分に働かせ材料や用具を使い、表し方などを工夫して、創造的につくったり表したりすることができるようにする。

（2）**造形的なよさや面白さ、表したいこと、表し方**などについて考え、豊かに発想や構想をしたり、身近にある作品などから自分の見方や感じ方を広げたりすることができるようにする。

（3）進んで表現したり鑑賞したりする活動に取り組み、**つくりだす喜びを味わう**とともに、形や色などに関わり楽しく豊かな生活を創造しようとする態度を養う。

□**学年目標（1）➡「自分の感覚や行為を通して分かる」**と示している。

□**学年目標（2）➡「豊かに発想や構想をし」**と示している。

□**学年目標（3）➡「進んで表現したり鑑賞したりする活動」**と示している。

第5学年・第6学年の目標

（1）**対象や事象を捉える造形的な視点**について自分の感覚や行為を通して理解するとともに、材料や用具を活用し、表し方などを工夫して、創造的につくったり表したりすることができるようにする。

（2）**造形的なよさや美しさ、表したいこと、表し方**などについて考え、創造的に発想や構想をしたり、親しみのある作品などから自分の見方や感じ方を深めたりすることができるようにする。

（3）主体的に表現したり鑑賞したりする活動に取り組み、**つくりだす喜びを味わう**とともに、形や色などに関わり楽しく豊かな生活を創造しようとする態度を養う。

□**学年目標（1）➡「自分の感覚や行為を通して理解する」**と示している。

□**学年目標（2）➡「創造的に発想や構想をし」**と示している。

□**学年目標（3）➡「主体的に表現したり鑑賞したりする活動」**と示している。

ポイント 学年目標の（1）～（3）を相互に働かせて指導する

02 学習指導要領② 低学年・中学年の内容

日付 ／

頻出度 A

●低学年・中学年それぞれの内容をしっかりと理解する。
●「A　表現」と「B　鑑賞」を関連づけるようにしよう。

1 第1学年・第2学年の内容

出題 愛媛・熊本・沖縄　重要度 ★★★

A　表現

(1)表現の活動を通して、発想や構想に関する次の事項を身に付けることができるよう指導する。

ア　**造形遊び**をする活動を通して、**身近な自然物や人工の材料の形や色などを基に造形的な活動を思い付くことや、感覚や気持ちを生かしながら、どのように活動するかについて考えること。**

イ　**絵や立体、工作**に表す活動を通して、**感じたこと、想像したことから、表したいことを見付けることや、好きな形や色を選んだり、いろいろな形や色を考えたりしながら、どのように表すかについて考えること。**

(2)表現の活動を通して、技能に関する次の事項を身に付けることができるよう指導する。

ア　**造形遊び**をする活動を通して、**身近で扱いやすい材料や用具に十分に慣れる**とともに、並べたり、つないだり、積んだりするなど**手や体全体の感覚などを働かせ、活動を工夫してつくること。**

イ　**絵や立体、工作**に表す活動を通して、**身近で扱いやすい材料や用具に十分に慣れるとともに、手や体全体の感覚などを働かせ、表したいことを基に表し方を工夫して表すこと。**

B　鑑賞

(1)鑑賞の活動を通して、次の事項を身に付けることができるよう指導する。

ア　**身の回りの作品**などを鑑賞する活動を通して、**自分たちの作品や身近な材料などの造形的な面白さや楽しさ、表したいこと、表し方**などについて、感じ取ったり考えたりし、自分の見方や感じ方を広げること。

共通事項

(1)「A表現」及び「B鑑賞」の指導を通して、次の事項を身に付けることができるよう指導する。
ア　自分の感覚や行為を通して、形や色などに気付くこと。
イ　形や色などを基に、自分のイメージをもつこと。

2 第3学年・第4学年の内容 出題 愛媛・熊本・沖縄 重要度 ★★★

A 表現

（1）表現の活動を通して、発想や構想に関する次の事項を身に付けることができるよう指導する。
ア　**造形遊び**をする活動を通して、**身近な材料や場所などを基に造形的な活動を思い付くことや、新しい形や色などを思い付きながら、どのように活動する**かについて考えること。
イ　**絵や立体、工作**に表す活動を通して、**感じたこと、想像したこと、見たことから、表したいことを見付けることや、表したいことや用途などを考え、形や色、材料などを生かしながら、どのように表すかについて考える**こと。
（2）表現の活動を通して、技能に関する次の事項を身に付けることができるよう指導する。
ア　**造形遊び**をする活動を通して、**材料や用具を適切に扱う**とともに、**前学年までの材料や用具についての経験を生かし**、組み合わせたり、切ってつないだり、形を変えたりするなどして、**手や体全体を十分に働かせ、活動を工夫して**つくること。
イ　**絵や立体、工作**に表す活動を通して、**材料や用具を適切に扱う**とともに、**前学年までの材料や用具についての経験を生かし、手や体全体を十分に働かせ、表したいことに合わせて表し方を工夫して**表すこと。

B 鑑賞

（1）鑑賞の活動を通して、次の事項を身に付けることができるよう指導する。
ア　**身近にある作品**などを鑑賞する活動を通して、**自分たちの作品や身近な美術作品、製作の過程などの造形的なよさや面白さ、表したいこと、いろいろな表し方**などについて、感じ取ったり考えたりし、自分の見方や感じ方を広げること。

共通事項

（1）「A表現」及び「B鑑賞」の指導を通して、次の事項を身に付けることができるよう指導する。
ア　自分の感覚や行為を通して、**形や色などの感じが分かる**こと。
イ　**形や色などの感じを基に**、自分のイメージをもつこと。

ポイント 鑑賞をしたことを表現の向上に結びつけるように指導する

03 学習指導要領③　高学年の内容・指導計画の作成と内容の取扱い

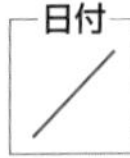

頻出度 A

●高学年の内容をしっかりと理解する。
●「A　表現」と「B　鑑賞」を関連づけるようにしよう。

1 第5学年・第6学年の内容　出題 愛媛・熊本・沖縄　重要度 ★★★

A　表現

(1)表現の活動を通して、発想や構想に関する次の事項を身に付けることができるよう指導する。

ア　**造形遊び**をする活動を通して、材料や場所、空間などの特徴を基に造形的な活動を思い付くことや、構成したり周囲の様子を考え合わせたりしながら、どのように活動するかについて考えること。

イ　**絵や立体**、**工作**に表す活動を通して、感じたこと、想像したこと、見たこと、伝え合いたいことから、表したいことを見付けることや、形や色、材料の特徴、構成の美しさなどの感じ、用途などを考えながら、どのように主題を表すかについて考えること。

(2)表現の活動を通して、技能に関する次の事項を身に付けることができるよう指導する。

ア　**造形遊び**をする活動を通して、活動に応じて材料や用具を活用するとともに、前学年までの材料や用具についての経験や技能を総合的に生かしたり、方法などを組み合わせたりするなどして、活動を工夫してつくること。

イ　**絵や立体**、**工作**に表す活動を通して、表現方法に応じて材料や用具を活用するとともに、前学年までの材料や用具などについての経験や技能を総合的に生かしたり、表現に適した方法などを組み合わせたりするなどして、表したいことに合わせて表し方を工夫して表すこと。

B　鑑賞

(1)鑑賞の活動を通して、次の事項を身に付けることができるよう指導する。

ア　**親しみのある作品**などを鑑賞する活動を通して、自分たちの作品、我が国や諸外国の親しみのある美術作品、生活の中の造形などの造形的なよさや美しさ、表現の意図や特徴、表し方の変化などについて、感じ取ったり考えたりし、自分の見方や感じ方を深めること。

共通事項

（1）「A表現」及び「B鑑賞」の指導を通して、次の事項を身に付けることができるよう指導する。
　ア　自分の感覚や行為を通して、形や色などの造形的な特徴を理解すること。
　イ　形や色などの造形的な特徴を基に、自分のイメージをもつこと。

2 指導計画の作成と内容の取扱い　重要度 ★★★

指導計画の作成

□**児童の主体的・対話的で深い学びの実現**を図るようにする。

□**低学年**においては、**他教科等との関連を積極的に図り、指導の効果を高める**ようにするとともに、**幼稚園教育要領等に示す幼児期の終わりまでに育ってほしい姿との関連を考慮**すること。特に、**小学校入学当初**においては、**生活科を中心とした合科的・関連的な指導や、弾力的な時間割の設定を行うなどの工夫をする**こと。

□**障がいのある児童**などについては、**学習活動を行う場合に生じる困難さに応じた指導内容や指導方法の工夫を計画的、組織的に行う**こと。

□**道徳科などとの関連を考慮**しながら、第3章特別の教科道徳の第2に示す内容について、**図画工作科の特質に応じて適切な指導**をすること。

内容上の取扱い

□各活動において、**互いのよさや個性などを認め尊重し合うようにする**こと。

□材料や用具については、おおむね次のとおり取り扱うこと。

低学年 ⇨ **土、粘土、木、紙、クレヨン、パス、はさみ、のり、簡単な小刀類**など。

中学年 ⇨ **木切れ、板材、釘（くぎ）、水彩絵の具、小刀、使いやすいのこぎり、金づち**など。

高学年 ⇨ **針金、糸のこぎり**など

□**情報機器**を利用することについては、**表現や鑑賞の活動で使う用具の1つとして扱う**とともに、**必要性を十分に検討して利用する**こと。

□創造することの価値に気付き、**自分たちの作品や美術作品などにあらわれている創造性を大切にする態度を養うようにする**こと。また、こうした態度を養うことが、**美術文化の継承、発展、創造を支えていることについて理解する素地となるよう配慮する**こと。

□**事故防止**に留意すること。

ポイント　用具使用については安全性を第一に考えよう

04 絵画・版画

●描画の種類と特徴をしっかりと理解する。
●版画の種類、彫刻刀の種類と用途について理解する。

1 絵画　重要度★★

描画の種類と特徴　重要!

描画の種類	特徴
クロッキー	**短時間で行う写生**(速写)のことで、対象の形を大まかに捉えてすばやく描く。たとえ間違えても消したりせずにそのまま描くように指導することが大切である。
スケッチ	**写生すること**。我が国では通常、**写生すること**を**スケッチ**、**スケッチよりも短時間で速写すること**を**クロッキー**と称して分けている。
デッサン	**素描**ともいう。対象の形を大まかに捉えて描くが、クロッキーと異なるのは線だけでなく、**明暗をつける点**にある。
レイアウト	新聞や雑誌などの割付けを指す。つまり、文字やデザインなどの配置を考えたり、構成したりすることをいう。
ラフスケッチ	ラフとは粗雑で大まかなこと。構想の段階での概略図を描くこと。

2 版画　●頻出●　重要度★★★

版画の版式と特徴　重要!

版式	特徴	種類
凸版(とっぱん)	版の**凸部**に**インク**を付け、その上に紙を載せ、上から強くこすり付けて写し取る。	紙版画、ゴム版画、木版画、フロッタージュ
凹版(おうはん)	版の**凹部**に**インク**を付け、その上に紙を載せ、上からこすり付けて写し取る。**薬品を用いるもの**と**用いないもの**がある。	エッチング、ドライポイント、メゾチント
孔版(こうはん)	**孔**とは**穴**のこと。紙を下に置き、**版の穴にインクを通して写し取る**。	シルクスクリーン、ステンシル
平版(へいはん)	版に**凹凸を設けず**、**油と水の反発作用**を利用し、**インクが付かない面**をつくる。	リトグラフ(石版画)、デカルコマニー

主な版画の種類　重要!

主な版画の種類	特　　徴
木版画	**版木**には、**縦に切断した面**を使う**板目木版**と**横に切断した面**を使う**木口木版**がある。前者は日本の浮世絵などに利用され、後者は西洋で書籍の挿画などに利用された。
フロッタージュ	葉っぱや木片など**凹凸のあるもの**の上から紙を載せ、鉛筆やクレヨンなどでこすって写し取る。
エッチング	**薬品**で**防食処理をした銅版**にニードルで描画する。その後、銅版を**希硝酸**で腐食させ、インクを詰めて**プレス機**で印刷する。
ドライポイント	**銅版**などの版面をニードルで直接ひっかいて描画し、インクを詰めて**プレス機**で印刷する。
シルクスクリーン	図柄となる紙を切り抜いて、**シルク**に貼ったり、乳剤等でシルクの目をつぶして、インクを付けて印刷する。**インクが孔を通るので反転**せず、版がシルクなので**曲面印刷**や**多色刷り**も可能。
リトグラフ	昔は**石灰岩**を原版としたので、**石版画**ともいう。現在は**金属板**に**油性の強いクレヨン**や**マジック**などで描画し、**アラビアゴム液**を塗り、インクを付け、紙に刷る。**描画しない部分だけインクが付かない。**

3 彫刻刀の種類と彫り方　●頻出●　重要度 ★★

彫刻刀の種類と用途　重要!

□**三角刀** ➡ **鋭い線**などを彫るのに使う。

□**平刀** ➡ **粗い線**や**不要な線**を取り除くのに使う。

□**丸刀** ➡ **太い線**や**広い面**を彫るのに使う。

□**切出し** ➡ **文字**、**細かい線**や図柄の**輪郭**などを彫るのに使う。

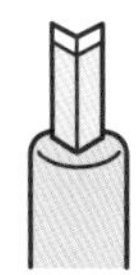
三角刀

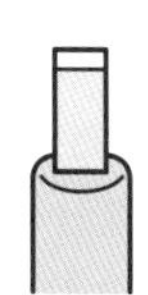
平刀

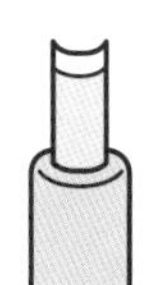
丸刀

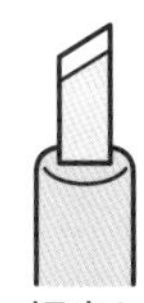
切出し

彫り方

□**陽刻** ➡ **線の部分**を**残す**彫り方

□**陰刻** ➡ **線の部分**を**彫り込む**彫り方

□**注意点** ➡ 彫刻刀の前に**手を出さず**、**もっている手**にあてる。

ポイント 彫刻刀の種類と用途を児童に理解させること

05 彫塑・立体表現

頻出度 A

●粘土や石膏の取扱い方や留意点に注意する。
●焼き物の制作工程や素焼きの留意点に注意する。

1 彫塑・立体表現　重要度 ★★

彫塑の意味と意義

□彫塑(ちょうそ) ➡ 彫塑とは彫刻(**木などを彫って立体的な形をつくる**)と塑造(そぞう)(**粘土などをくっつけて立体的な形をつくる**)のことである。

□**造形活動としての立体表現** ➡ 「解説」の「A　表現」に**材料を基にして、楽しい造形活動をする**ことの重要性が説かれているように、彫塑は粘土など、児童にとって身近で扱いやすい材料となる。楽しい造形活動を実現するには、その扱い方をしっかり指導していく必要がある。

2 粘土　重要度 ★★★

粘土の取扱い方

□**教材としての粘土** ➡ **粘土**は小学校における**彫塑の中心的な教材**となる。それゆえ児童に対しては取扱い方をきちんと指導することが大切である。

□**取扱い方** ➡ まず**粘土の空気をよく抜き**、**硬さにむらができないように均一によく練る**。水分がなくなり**乾燥すると硬くなってしまう**ので、**濡れた布**や**雑巾**などを巻き、その上から**ビニール**をかぶせておくと**乾燥を防ぐこと**ができる。

□**心棒** ➡ 粘土は扱いやすいが、**そのままだと重みによって形が崩れてしまう**。そこで**心棒**を用いて**骨格**をつくり、**重み**を支えるようにする。

□**粘土の再生方法** ➡ **硬くなってしまった粘土**は、容器に入れた水にそのまま浸し、**満遍なく水分を吸収させて**からよく練ると再生できる。

3 石膏　重要度 ★★★

石膏の取扱い方

□**石膏の特徴** ➡ 塑造に用いるのは**焼石膏**という**白色粉末**である。水に反応して固まるが、**石膏**は粘土に比べると、**固まり方が早い**のが特徴である。

□**溶き方** ➡ まず**石膏**と**同じ量の水**をボウルに入れる。その上から粉末の**石膏**を**ふりかけるように**して入れ、**泡立たないように**注意して**攪拌**（かくはん）**する**。

□**保存法** ➡ **湿気**を防ぐために、**石膏**は**ビニール袋**や**空き缶**などに入れて保存しておくこと。

4 レリーフ 重要度 ★

レリーフの意味と種類

□**レリーフ** ➡ **浮彫**のこと。粘土や石膏で塑造するのとは異なり、**平面に立体感をもたせる手法**である。**正面**から鑑賞するが、**光の当たり具合**によって作品の表情が変わることを児童に分からせるようにする。

高肉彫（たかにくぼり）	**高浮彫**。表面を厚く盛り上げて浮彫にする手法。**地金を裏から打ち出す場合**もある。
中肉彫	**半肉彫**。高肉彫と薄肉彫の中間の彫り方。
薄肉彫	**薄浮彫**。表面を少し浮き上がらせる程度の彫り方。

5 焼き物 重要度 ★★★

制作工程

成形 ⇨ 乾燥 ⇨ 素焼き ⇨ 絵付け ⇨ 施釉 ⇨ 乾燥 ⇨ 本焼き

□**成形** ➡ **焼き物の素地をつくる過程**。成形の前段階として、よく**土練り**をして**空気を抜いておくこと**が大切である。**成形には4つの種類**がある。

制作工程はよく出題されるので覚えておこう!

手びねり	粘土のかたまりを**手でひねり出して**成形する。
ひもづくり	**底を厚くし**、**ひも状**にして積み上げて成形する。
板づくり	粘土を**板状**にし、組み立てて成形する。
ろくろづくり	**ろくろ**を回して成形する。

□**乾燥** ➡ 成形したものを**日陰で2～3週間乾燥**させる。

□**素焼き** ➡ 低温度で**水分をよく取り除き**、**徐々に温度を上げ、600～800℃**で、6～8時間ほど焼く。

□**施釉**（せゆう） ➡ **釉**（**うわぐすり**）をむらのないように**均一に塗る**。

□**本焼き** ➡ **1200～1300℃**ほどで焼成する。

ポイント 粘土はよく練って、空気を入れないようにする

06 デザイン①

日付 ／

頻出度 A

●色の三原色、三要素、色相環や色の対比などをしっかり覚える。
●色の三原色と光の三原色を区別する。

1 色彩

●頻出● 重要度 ★★★

色の種類と特徴　重要!

□**色の分類** ➡ **無彩色**(**黒・白・灰色**)と**有彩色**(**無彩色以外の色**)の２つに分類できる。

□**色の三要素** ➡ **明度**(**明るさの度合い**)・**彩度**(**鮮やかさの度合い**)・**色相**(**色合いの度合い**)の３つを**色の三要素**(**三属性**ともいう)という。**無彩色**には**明度しかない**。

□**純色** ➡ **濁りのない鮮やかな色**のこと。同じ色相で最も彩度が高い色。

□**清色** ➡ **純色に白もしくは黒が混ざった色**のこと。白を加えたものを**明清色**、黒を加えたものを**暗清色**という。

□**濁色** ➡ **中間色**。**純色に灰色を混ぜた色**のこと。最近は濁色という呼称よりも**中間色**という呼称が好まれる傾向がある。

色相環　重要!

【12色色相環】

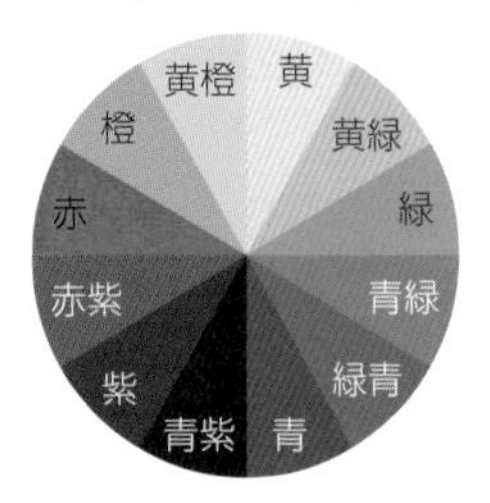

□**12色色相環**(しきそうかん) ➡ **有彩色を色相の似ている順番に並べて輪にして表示したもの**を**色相環**という。12色に分類したものを**12色色相環**といい、試験でもよく問われる。さらに細かく分類した**24色色相環**もある。

□**明度・彩度** ➡ 12色色相環で**最も明度が高い**のが**黄色**であり、**最も彩度が高い**のは**赤**になる。

□**補色** ➡ **12色色相環の中で向かい合った位置にある色**を**補色**といい、色相が最も遠い色をあらわしている。**補色同士を並べると鮮やかで目立つ配色**となり、逆に**補色を混ぜると無彩色**になる。

□**暖色** ➡ **暖かく感じる色**のことで、**赤・橙・黄・黄橙**などである。

□**寒色** ➡ **冷たく感じる色**のことで、**青・青緑・緑青**などである。

□**中性色** ➡ **暖色と寒色以外の色**を指す。

色の対比

色相対比	暖色同士、寒色同士を対比しても目立たないが、赤と青など、**暖色と寒色を対比させせると活発に見える**。
明度対比	明度の高いもの同士、低いもの同士を対比しても目立たないが、**高低差のあるもの同士を対比させせると鮮やかに見える**。
補色対比	黄緑と紫など、**補色同士を対比すると、彩度が高まり、鮮やかに見える**。
彩度対比	彩度の高いもの同士、低いもの同士を対比しても目立たないが、**高低差のあるもの同士を対比すると鮮やかに見える**。

色の三原色　重要!

□**色の三原色** ➡ **マゼンタ(赤紫)・シアン(青緑)・黄**を**色の三原色**といい、すべての色をあらわす基となる。**シアンと黄を混ぜると緑、シアンとマゼンタを混ぜると青、黄とマゼンタを混ぜると赤**となり、**三色混ぜると黒**になる。

光の三原色　重要!

□**光の三原色** ➡ **青・緑・赤**を**光の三原色**といい、**色光をあらわす基**となる。**青と緑を混ぜるとシアン、緑と赤を混ぜると黄、青と赤を混ぜるとマゼンタ**となり、**三色混ぜると白**になる。

【色の三原色】

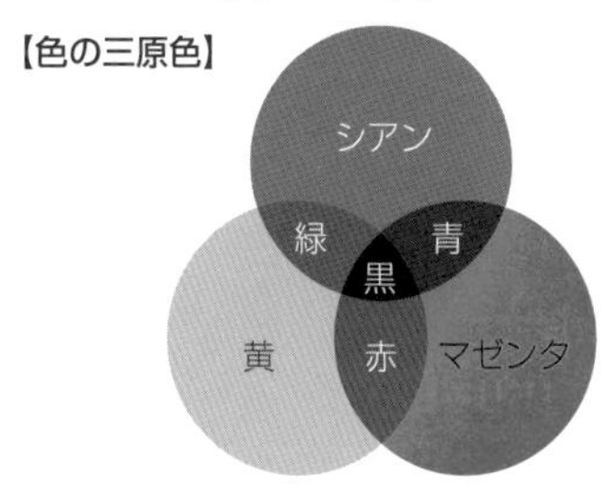

【光の三原色】

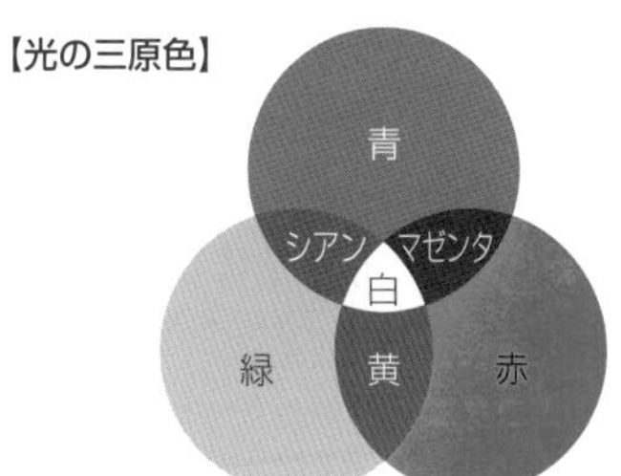

色の混合

加算混合	**光の三原色**において、色光を混ぜると、**元の色の明度よりも明るくなる**。元の明度より加算されて明るくなるので加算混合という。
減算混合	**色の三原色**において、色を混ぜると、**元の色の明度より暗くなる**。元の明度より減算されて暗くなるので減算混合という。
中間混合	色を混ぜてできた色の明度は、元の色の平均明度になる。

□**回転混合** ➡ 例えば、緑と黄色の2色のコマを回すと、黄緑色1色に見える。これを**回転混合**といい、目の錯覚による色の混合である。

ポイント 色の三原色と光の三原色を区別しよう

07 デザイン②

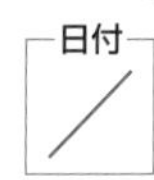

●特殊技法や構成美の種類についてきちんと理解する。
●造形活動の楽しさを教えることを意識して各項目を理解していこう。

1 特殊技法

重要度 ★★★

絵の具を用いた特殊技法

□**にじみ** ➡ 紙に**水**を塗り、乾かないうちに**色**を付け、**にじませる手法**。

□**デカルコマニー** ➡ 紙の上に**絵の具**をたらし、**2つ折り**にして重ねると**対称的な**模様ができる。**平版版画の手法**としても用いられる。

□**ドリッピング** ➡ 紙の上に**絵の具**をたらし、無造作に**息**を吹きかけ絵の具を散らす。それによって予想外の模様ができる。

□**マーブリング** ➡ **水面**に絵の具をたらし、**紙**に写し取る技法である。

□**バティック** ➡ **バティック**とは本来**インドネシア**の伝統的な**ろうけつ染め**のことである。**ろう**や**クレヨン**で下絵を描き、その上に**水彩絵の具**を塗って、水と油の弾く性質を利用する技法である。

□**スパッタリング** ➡ 絵の具を付けた**ブラシ**で**金網**をこすり、その下に置いてある**紙**に散らせる技法である。

□**スタンピング** ➡ **型押し**のこと。ものに直接**絵の具**を付け、**紙**を押し当てる。

【デカルコマニー】

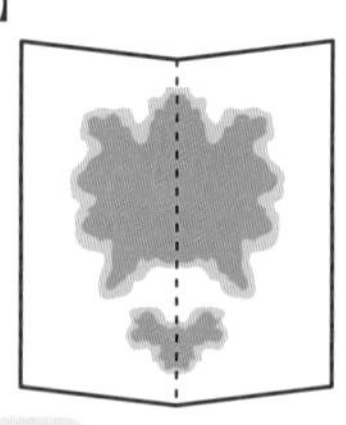

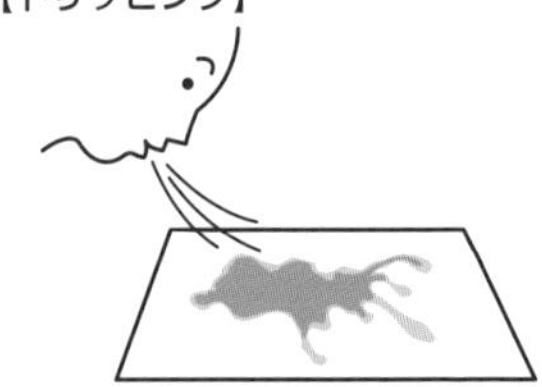

その他の特殊技法

□**フロッタージュ** ➡ **凹凸**のあるものに薄い**紙**を置き、上からクレヨンなどでこすって写し取る。**凸版版画の技法**でもある。

□**スクラッチ** ➡ **クレヨン**などで画用紙にいろいろな**色**を塗り重ね、**尖ったもの**でこする技法である。

□**コラージュ** ➡ **写真**、**布**や**古新聞**などを貼り合わせる技法である。ドイツの**エルンスト**がシュールレアリスムの技法として取り入れた。

2 レタリング

重要度 ★

レタリングの意味と主な種類

明朝体	**レタリング**とは**文字のデザイン**のことである。読みやすい明朝体が多く使われている。**横棒が細く、縦棒が太い**。	天
ゴシック体	明朝体よりも力強い印象を与えるので、**タイトルや重要語句**に用いられる。**横棒も縦棒も太い**。	天

3 構成美

重要度 ★★

構成美の要素

□**構成美の要素** ➡ だれが見ても美しいと思う共通の要素のことを構成美の要素という。

□**ハーモニー** ➡ **全体として調和のある構成美**

コントラスト	**対比**。形や色などが**相反**したものを対比させたもの
アクセント	**強調**。**一部分**に対して周囲と異質な色や形を置いて変化をもたらし、強調したもの

□**リズム** ➡ **規則的な変化を繰り返す構成美**

ムーブマン	ある一定の方向に動きをあらわすもの
リピテーション	規則的に同じ形のものを繰り返していく単調なもの
グラデーション	形や色が段階的に変化していくもの

□**バランス** ➡ **2つ以上の要素を組み合わせた均衡のとれた構成美**

プロポーション	全体と部分あるいは部分と部分を**比例**、**割合**で構成したもの
シンメトリー	シンメトリーとは**対称**のことで、左右対称や上下対称の構成のもの

【アクセント】

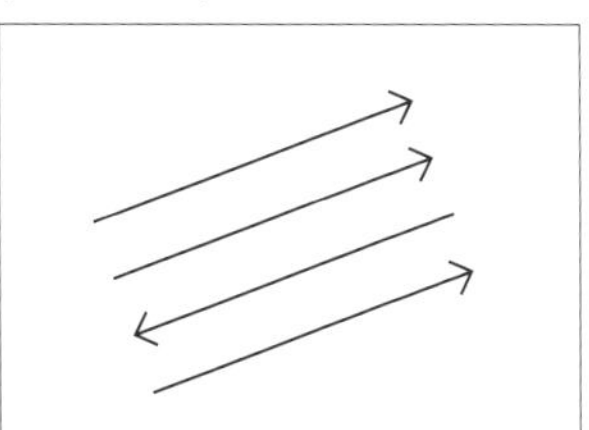

【リピテーション】

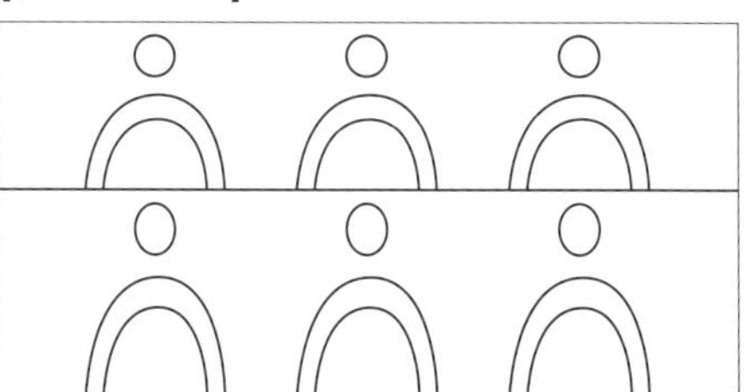

ポイント 特殊技法を活用し、造形活動の楽しさを教えること

08 用具の取扱い

●用具はその特徴と用途を把握し、事故を起こさない使い方を理解する。
●主要な用具は実際に手に取ってみるとよい。

1 用具使用の注意点　重要度 ★★★

教員の心得

□**特徴と用途の把握** ➡ 教員は**その用具の特徴と用途**をよく把握し、**用途に合った使い方**が指導できるようにする。

□**安全性の確認** ➡ 教員は**用具の点検や事故防止を心がけ**、児童がまちがった使い方や事故を起こさないように**細心の注意を払う**ようにする。

2 のこぎり　重要度 ★★★

のこぎりの種類

□**縦びき** ➡ 刃が**粗く**、**大きい**。切るときには、**30**度ほど傾けて、木の繊維と**同じ方向**に切るようにする。

□**横びき** ➡ 刃が**細かい**。切るときには、**20**度ほど傾けて、木の繊維に**直角**になるように切る。

□**日本ののこぎり** ➡ 欧米ののこぎりは押して切るが、日本ののこぎりは**引いて切る**。よって、児童には引いて切れることを指導する。

のこぎりの使い方　重要!

① 通常、**両刃ののこぎり**を使うが、**縦びき**で切るか、**横びき**で切るかは、**木の材質**や**木目の方向**を見て使い分ける。
② **片手**で切るときは**柄頭**の方をもつと安定する。**両手**で切るときは、**右手**は**柄尻**、**左手**は**柄頭**をもつ(利き手を右手とした前提)。
③ 刃がずれないように、切る位置に**親指の爪**を当て、**根本の刃**で**小刻みに**切り始める。その際、爪や指を切らないように注意する。
④ **引くときに力を入れて切る**。ある程度切り込んだら、のこぎりを**寝かせ**て**浅い溝**を入れ、それに沿って切る。
⑤ **硬い材木**は角度を**大きくし**、**軟らかい材木**は角度を**小さく**する。

【両刃のこぎりの各部名称】

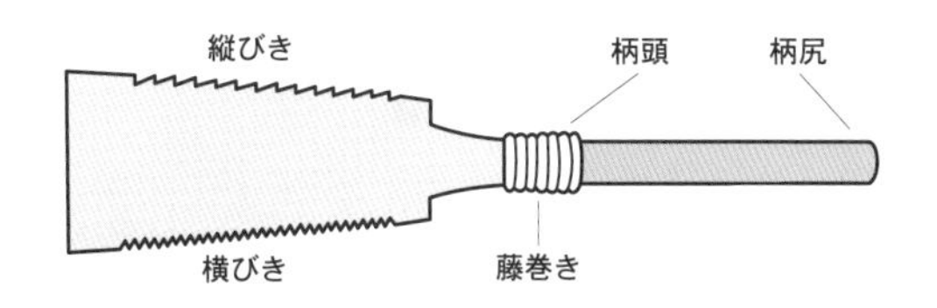

3 電動糸のこ　重要度 ★★★

電動糸のこの注意点　重要!

□**刃の取り付け方** ➡ まず**電源が切れていること**を**確認し**、**刃**を**下向き**にして、**下の締め具**からしっかり止め、次に**上の締め具**に止める。

□**使い方** ➡ 切るときは**刃の近くを手で押さえ**、板を**切る線**に沿って**ゆっくり送る**。刃が折れないように、**無理に板を押したりしない**。**曲線**を切るときは必ず**板を回す**。

□**注意点** ➡ ❶刃の前に**手を置かない**。❷**使用中**は**スイッチ**を**切らない**。❸**使用前**、**使用後**、**刃の交換**をするときは必ず**電源を切り**、**コンセント**をはずしておくことを確認する。

4 かなづちと釘　重要度 ★★★

かなづちの種類と使い方

げんのう	片面が**平面**で、もう片面が**丸み**を帯びたもの
箱屋かなづち	片面が**平面**で、もう片方が**釘抜き**になっているもの

□**げんのうの使い方** ➡ 打つ点にきりで軽く穴をあけ、釘を入れ**平面**の方で打ち、**打ち終わるとき**に**丸み**のある方で打つ。

□**かなづちのもち方** ➡ **強く打つとき**は**柄の下の方**を、**軽く打つとき**は**柄の中程**をもつ。**手首のスナップ**を利かせて打つ。

□**釘の長さと板の厚み** ➡ 使用する**釘の長さ**は**板の厚さ**の概ね**2～3倍**とされている。釘は**まっすぐ打つ**ようにする。

5 きり　重要度 ★★★

きりの種類と用途

三つ目ぎり	**正三角形の刃**で、木ねじの下穴をあけるのに使う。
四つ目ぎり	**正方形の刃**で、硬い木などの下穴をあけるのに使う。
つぼきり	彫刻刀の**丸刀に似た刃**で、大きな穴をあけるのに使う。

ポイント 電動糸のこの刃をつけるときは電源を必ず切る

09 西洋美術

日付 ／

頻出度 A

●ルネサンスから20世紀の現代作品までを中心に理解する。
●各画家とその代表作品の組み合わせ、画風などを整理しておく。

1 中世建築様式

重要度 ★★★

教会建築の変遷 重要!

様式	特徴	代表建築
ビザンティン様式	大きなドーム・イコン・モザイク画	セント=ソフィア大聖堂
ロマネスク様式	厚い石壁・小さな窓・半円形アーチ	ピサ大聖堂
ゴシック様式	大きな窓・ステンドグラス・高い天井・尖塔	ノートルダム大聖堂

2 ルネサンス美術

出題 愛知　重要度 ★★★

イタリア=ルネサンス

□**イタリア=ルネサンスの特徴** ➡ 14世紀、**北イタリア**を中心に起こった。**メディチ家**や**ローマ教皇**などの大富豪や権力者の保護を受けた。**遠近法の使用**や**均衡**を重視した画風が特徴である。

三巨匠 重要!

レオナルド=ダ=ヴィンチ	『最後の晩餐』『モナリザ』
ラファエロ	『アテネの学堂』多くの**聖母子像**を描く。
ミケランジェロ	『最後の審判』『天地創造』

□**北方ルネサンス** ➡ **写実的な作品**が多い。**ブリューゲル**『**雪中の狩人**』、**デューラー**『**4人の使徒**』、**ファン=アイク兄弟**『**アルノルフィニ夫妻**』。

□**マニエリスム** ➡ ルネサンス後期の、極度に技巧的・作為的な様式を指す。**エル=グレコ**『**受胎告知**』『**オルガス伯の埋葬**』。

3 バロック美術

出題 愛知　重要度 ★★★

バロック美術の特徴と代表作 重要!

□**バロック美術の特徴** ➡ **動的**で、**明暗法**による**コントラスト**を強調。

ルーベンス	『十字架立て』『マリー＝ド＝メディシスの生涯』
レンブラント	『夜警』**明暗法**を得意とし、「**光の画家**」と呼ばれた。
ベラスケス	『ラス＝メニーナス(侍女たち)』スペイン宮廷画家。
フェルメール	『牛乳を注ぐ女』オランダの風俗画家。

4 ロココ美術 出題 愛知 重要度 ★★

ロココ美術の特徴と代表作

□ロココ美術 ➡ 18世紀、**フランスの宮廷で生まれた繊細優美な美術**。

ワトー	『シテール島への巡礼』『ジル』ロココ美術の代表的画家。
ゴヤ	『着衣のマハ』『カルロス4世一家の肖像』のち独自の画風へ。

5 19世紀の近代美術 出題 愛知 重要度 ★★★

新古典主義とロマン主義

□新古典主義 ➡ ダヴィッド『ホラティウス兄弟の誓い』(理性的な筆致)

□ロマン主義 ➡ ドラクロア『キオス島の虐殺』(感情的な筆致)

自然主義と写実主義

□自然主義(バルビゾン派) ➡ ミレー『落ち穂拾い』(働く農民を描く)

□**写実主義 ➡ クールベ『アトリエ』**(現実をありのままに描く)

印象派(主義)と後期印象派(主義) 重要!

□印象派 ➡ 光と色彩を重視。浮世絵の影響も受ける。

□後期印象派 ➡ **印象派**に対する修正と反動から生まれた。

印象派	後期印象派
モネ 『印象・日の出』『睡蓮』	セザンヌ 『水浴』『カルタ取り』
マネ 『笛を吹く少年』	ゴッホ 『ひまわり』『糸杉』
ルノワール 『舟遊びの昼食』	ゴーギャン 『タヒチの女』

6 20世紀の現代美術 重要度 ★★★

フォービスムとキュビスム 重要!

□フォービスム ➡ 原色の使用と平面的な構図に特徴がある。

□キュビスム ➡ 自然物を幾何学的に**再構成**した。

フォービスム(野獣派)	キュビスム(立体派)
マティス 『赤い画室』『ダンス』	ピカソ 『アヴィニョンの娘たち』
ブラマンク 『赤い樹のある風景』	レジェ 『余暇』

マメ ピカソはセザンヌの影響を受け、キュビスムを起こした

10 日本美術

頻出度 A

- 特に近現代の作品が多く出題される。
- 各地域に関連がある画家が問われることが多いので注意しておこう。

1 室町時代～桃山時代　出題 岩手・愛知・山口・愛媛・大分　重要度 ★★

北山文化と東山文化

北山文化	東山文化
建築 ⇨ 鹿苑寺（ろくおんじ）金閣	建築 ⇨ 慈照寺銀閣
水墨画 ⇨ 如拙（じょせつ）『瓢鮎図（ひょうねんず）』	水墨画 ⇨ 雪舟『四季山水図巻』

桃山文化

□城郭建築 ➡ 安土城・大阪城・姫路城（重層の天守閣と石垣のある城）

□障壁画 ➡ 狩野永徳（かのうえいとく）『唐獅子図屏風（からじしずびょうぶ）』（力強い筆致と豊かな色彩）

2 江戸時代　出題 岩手・愛知・山口・愛媛・大分　重要度 ★★★

寛永期の文化

□建築 ➡ 日光東照宮（権現造）、桂離宮・修学院離宮（数寄屋造）

□絵画 ➡ 俵屋宗達（たわらやそうたつ）『風神雷神図屏風』、狩野探幽（かのうたんゆう）『大徳寺方丈襖絵』

元禄文化

□絵画 ➡ 尾形光琳（おがたこうりん）『紅白梅図屏風』、菱川師宣（ひしかわもろのぶ）『見返り美人』

□工芸 ➡ 野々村仁清（ののむらにんせい）『色絵藤花文茶壷』

化政文化　重要！

□浮世絵 ➡ 鈴木春信（すずきはるのぶ）『弾琴美人（だんきんびじん）』、喜多川歌麿（きたがわうたまろ）『ポッピンを吹く女』（大首絵の美人画が中心）、東洲斎写楽（とうしゅうさいしゃらく）『市川鰕蔵（いちかわえびぞう）』（大首絵の力士や役者絵が中心）

□風景版画 ➡ 葛飾北斎『富嶽三十六景』、歌川広重（うたがわひろしげ）『東海道五十三次』

3 近代美術　出題 岩手・愛知・山口・愛媛・大分　重要度 ★★★

日本画　重要！

□東京美術学校 ➡ 岡倉天心（おかくらてんしん）がフェノロサらとともに設立。

□岡倉天心 ➡ 東洋美術を再評価。フェノロサらとともに東京美術学校を設立し、校長となる。辞任後、**日本美術院**を設立。著作に『**茶の本**』がある。

□フェノロサ ➡ アメリカ人。日本の**古美術**を研究、のち**ボストン美術館東洋部長**となる。**日本の美術教育**に寄与した。講演記録の『**美術真説**』などがある。

□狩野芳崖 ➡ 『**悲母観音**』が代表作。東京美術学校設立に尽力した。

□橋本雅邦 ➡ 『**竜虎図**』が代表作。東京美術学校教授。

東京美術学校出身の日本画家 重要!

□横山大観 ➡ 『**屈原**』『**生々流転**』が代表作。**朦朧体**を用いた。

□菱田春草 ➡ 『**黒き猫**』『**落葉**』が代表作。洋画の手法を取り入れた。

洋画 重要!

□高橋由一 ➡ **日本洋画の先駆者**。**純写実主義**。『**鮭**』が代表作。

□工部美術学校 ➡ **官営の美術学校**。海外より**画家フォンタネージ**や**彫刻家ラグーザ**らを招聘し、**西洋美術教育**を推進した。

浅井忠と黒田清輝 重要!

浅井忠(明治美術会)	黒田清輝(白馬会)
工部美術学校出身。**ミレー**の影響を受ける。**明治美術会**を発足。『**収穫**』『**春畝**』が代表作。**暗い色調**から**脂派**ともいわれる。	フランスで**ラファエル=コラン**に師事。**白馬会**を発足。『**湖畔**』『**舞妓**』『**読書**』が代表作。**明るい色調**から**外光派**ともいわれる。

浅井忠の弟子 重要!

□安井曽太郎 ➡ **セザンヌ**の影響を受ける。『**金蓉**』が代表作。

□梅原龍三郎 ➡ フランスで**ルノワール**に師事。『**紫禁城**』『**桜島**』が代表作。

その他の画家 重要!

□青木繁 ➡ 黒田清輝の弟子。『**海の幸**』『**わだつみのいろこの宮**』

□岸田劉生 ➡ **デューラー**の影響を受ける。娘を描いた『**麗子像**』が有名。

□藤島武二 ➡ 白馬会所属。東京美術学校教授。『**天平の面影**』が代表作。

□佐伯祐三 ➡ **ブラマンク**に師事。『**コルドヌリ**』などパリの風景を描く。

□土田麦僊 ➡ 日本画家。『**大原女**』『**舞妓林泉**』が代表作。洋画の手法を取り入れた。

彫刻 重要!

□高村光雲 ➡ 高村東雲の弟子。**写実的で力強い作風**。『**老猿**』『**楠公像**』

□高村光太郎 ➡ **光雲の子**。**ロダン**に傾倒。『**手**』が代表作。**詩人**でもある。

□荻原守衛(碌山) ➡ **ロダン**に傾倒。『**女**』『**文覚**』が代表作。

ポイント 地元出身の芸術家をチェックしておこう

01 学習指導要領① 目標

日付 ／

●家庭科で最も出題される分野である。
●穴埋めで出題されることも多いので対応できるようにしておこう。

1 家庭科改訂のポイント　重要度 ★★

□**小・中・高等学校の内容の系統性の明確化** ➡ 児童生徒の発達を踏まえ、小・中・高等学校の各内容の接続が見えるようにする。

□**家族・家庭生活の多様化や消費生活の変化** ➡ グローバル化や少子高齢化の進展、持続可能な**社会の構築等、今後の社会の急激な変化に主体的に対応できる資質・能力の育成**。

□空間軸と時間軸の２つの視点 ➡ 家庭、地域、社会という**空間的な広がり**と、これまでの生活、現在、これからの生活、生涯を見通した生活という**時間的な広がり**から学習対象を捉える。

□学習過程を踏まえた改善 ➡ 生活の中から問題を見いだし、課題設定、解決方法の検討、計画、実践、評価・改善するという一連の学習過程を重視。

2 家庭科の目標 暗記　出題 愛媛・宮崎　重要度 ★★★

生活の営みに係る見方・考え方を働かせ※1、衣食住などに関する実践的・体験的な活動※2を通して、生活をよりよくしようと工夫する資質・能力※3を次のとおり育成することを目指す。

(1) 家族や家庭、衣食住、消費や環境などについて、日常生活に必要な基礎的な理解※4を図るとともに、それらに係る技能※5を身に付けるようにする。

(2) 日常生活の中から問題を見いだして課題を設定※6し、様々な解決方法※7を考え、実践を評価・改善し、考えたことを表現※8するなど、課題を解決する力を養う。

(3) 家庭生活を大切にする心情を育み※9、家族や地域の人々との関わり※10を考え、家族の一員※11として、生活をよりよくしようと工夫する実践的な態度※12を養う。

目標のポイント

□※1　**生活の営みに係る見方・考え方を働かせ** ➡ 家庭科が学習対象としている生活事象を、協力・健康・生活文化の継承等の視点で捉え、**自立し共に生きる生活**を創造できるように工夫する。

□※2　**衣食住などに関する実践的・体験的な活動** ➡ 衣食住や家庭生活に関する内容を、調理、製作などの実習や観察、調査、実験などの**実践的・体験的な活動**を通して、**実感**を伴って理解する学習。

□※3　**資質・能力** ➡ 生涯にわたって健康で豊かな生活を送るための**自立の基礎**として必要。

□※4　**日常生活に必要な基礎的な理解** ➡ 児童が学ぶ過程で、**既存の知識や生活体験と結び付けられ**、家庭や地域などにおける場面で活用されることを意図とする。

□※5　**それらに係る技能** ➡ 個別の技能だけではなく、自分の経験や他の技能と関連付けられ、**変化する状況や課題に応じて主体的に活用できる技能**。

□※6　**課題を設定** ➡ 日常生活の中から問題を見いだし、**解決すべき課題を設定する力**を育成。

□※7　**様々な解決方法** ➡ 課題解決の見通しをもって計画を立てる際、生活課題について自分の生活経験と関連付け、**解決方法を考える力**を育成。

□※8　**実践を評価・改善し、考えたことを表現** ➡ 調理、製作等の実習、調査、交流活動等を通して、結果を振り返り、考えたことを発表し合い、**他者からの意見を踏まえて改善方法を考える**。

□※9　**家庭生活を大切にする心情を育み** ➡ 家庭生活への関心を高め、衣食住を中心とした**生活の営みを大切**にしようとする意欲や態度を育む。

□※10　**家族や地域の人々との関わり** ➡ 家族の協力や地域の人々との関わりの中で、自分の生活が成り立っていることを理解し、**よりよい生活を工夫して積極的に取り組む**。

□※11　**家族の一員** ➡ **家庭生活の中の大切な構成員の一員としての自覚**をもち、進んで協力しようとする主体的な態度。

□※12　**生活をよりよくしようと工夫する実践的な態度** ➡ 家庭生活、衣食住の生活、消費生活、日常生活の様々な問題を、**協力**、**健康・快適・安全**、**持続可能な社会の構築等の視点**で捉え、家庭生活をよりよくするために生かして**実践しようとする態度**。実践的態度には、生活を楽しもうとする態度、日本の生活文化を大切にしようとする態度なども含まれる。

ポイント 家庭生活を大切にし、工夫する能力、実践的な態度を重視

02 学習指導要領② 内容

日付
／

頻出度 A

●改訂ポイントを中心に理解しよう。
●実践的な学習活動が求められていることに着目して理解を進めていこう。

1 内容構成の考え方と改善点

出題 愛媛　重要度 ★★★

各学年内容比較・4内容から3内容へ

平成20年版　学習指導要領	平成29年版　学習指導要領
A　家庭生活と家族 B　日常の食事と調理の基礎 C　快適な衣服と住まい D　身近な消費生活と環境	A　家族・家庭生活 B　衣食住の生活 C　消費生活・環境

□中学校技術・家庭科の内容との系統性や連続性の重視 ➡ 家庭生活の基盤となる能力と実践的な態度の育成。

□学習の見通しをたてるための内容の設定 ➡「A家族・家庭生活」(1)「自分の成長と家族・家庭生活」の項目設定。第5学年の最初に履修。

□家族・家庭生活に関する内容の充実 ➡ 少子高齢社会の進展に対応し、幼児、児童、高齢者など異なる世代の人々との関わりに関する内容を新設。

□食育の推進と日本の生活文化に関する内容の充実 ➡「B衣食住の生活」の食生活に関する内容と中学校との系統性を図る。和食のだしの役割や季節に合わせた着方、住まい方など、日本の伝統的な生活について扱う。

□自立した消費者の育成に関する内容の充実 ➡「C消費生活・環境」において「買物の仕組みや消費者の役割」に関する内容を新設。

自分たちの生活と関連させながら3つの内容を扱う

2 各学年の内容

出題 愛媛　重要度 ★★★

A 家族・家庭生活

□(1)自分の成長と家族・家庭生活 ➡ ア成長の自覚、家庭生活と家族の大切さ

□(2)家庭生活と仕事 ➡ ア家庭の仕事と分担／イ家庭の仕事の工夫

□(3)**家族や地域の人々との関わり** ➡ ア家族との触れ合いや団らん、地域の人々との関わり／イ家族や地域の人々との関わり

□(4)家族・家庭生活についての課題と実践 ➡ ア日常生活の中から課題設定、計画を立てて実践できること

B 衣食住の生活

□(1)**食事の役割** ➡ ア食事の役割と日常の食事の大切さ／イ楽しく食事をするための工夫(調理実習時の配膳の工夫、はしや食器の扱い方)

□(2)**調理の基礎** ➡ ア調理への関心と調理計画、**用具や食器**、**加熱用調理器具の安全で衛生的な取扱い**(**換気**に注意、**火傷の防止**)、材料の洗い方、切り方、味の付け方、盛り付け、配膳及び後片付け、ゆでたり、いためたりする調理、**米飯及びみそ汁の調理**／イ調理の仕方の工夫

□(3)**栄養を考えた食事** ➡ ア**体に必要な栄養素の種類と働き**(**五大栄養素**「**炭水化物**、**脂質**、**たんぱく質**、**無機質**、**ビタミン**」と**食品の体内での主な働き**)、**食品の栄養的な特徴と組み合わせ**、1食分の献立／イ**1食分の栄養のバランスと工夫**

□(4)**衣服の着用と手入れ** ➡ ア衣服の働きと**快適な着方**についての理解、**日常着の手入れ**と**ボタン付け**及び**洗濯**／イ**日常着の快適な着方や手入れの仕方の工夫**

□(5)**生活を豊かにするための布を用いた製作** ➡ ア製作に必要な材料や手順、製作計画の理解、**手縫い**や**ミシン縫い**による目的に応じた縫い方及び**安全な取扱い**／イ布を用いた物の製作計画

□(6)**快適な住まい方** ➡ ア住まいの主な働きが分かり、**季節の変化に合わせた生活**の大切さ(**暑さ・寒さ**、**通風・換気**、**採光・及び音**を取り上げる)、住まいの整理・整頓や清掃の仕方の理解／イ季節の変化に合わせた住まい方、快適な住まい方を工夫

C 消費生活・環境

□(1)**物や金銭の使い方と買物** ➡ ア物や金銭の大切さ、計画的な使い方(**プリペイドカード**や売買契約の基礎について触れる)、**身近な物の選び方**、**買い方**、**必要な情報の収集・整理**／イ購入に必要な情報の活用

□(2)**環境に配慮した生活** ➡ ア身近な環境との関わり、物の使い方の理解(**リサイクル活動**などへの取り組み)／イ環境に配慮した生活について物の使い方などを考え、工夫

ポイント 教科目標、学年目標と内容との関連を十分理解しておこう

03 学習指導要領③ 指導計画の作成と内容の取扱い

日付 ／

頻出度 A

●配慮事項の要点を把握する。
●安全・衛生面に配慮する学習指導を意識しておく。

1 指導計画作成上の配慮事項　重要度 ★★

□**「主体的・対話的で深い学び」の実現に向けた授業改善** ➡ 日常生活の課題の発見や解決に取り組み、知識及び技能の習得、実践を振り返り主体的に取り組む態度を育む学び。

□**年間標準授業時数** ➡ **第５学年は60単位時間、第６学年は55単位時間**。各題材に適切な時間配分をする。**学校や児童の実態を考慮**する。

□**「A家族・家庭生活」の(４)「家族・家庭生活についての課題と実践」の学習** ➡ ２学年間で１つまたは２つの課題を設定して履修。

□**段階的な題材の配列** ➡ **B(２)「調理の基礎」及びB(５)「生活を豊かにするための布を用いた製作」については知識及び技能の定着を図り、効果的に進められるように、2学年にわたって取り扱うようにする**。簡単なものから複雑なものへと次第に発展させる。必要な場合は反復学習をし、**定着が図られるように指導計画**を立てる。

□**題材の構成** ➡ 育成を図ることができるように、関連する内容の組み合わせを工夫し、学習過程との関連を図る。

□**障がいのある児童への指導** ➡ 障がい者の権利に関する条約に掲げられた**インクルーシブ教育システム**の構築を目指し、児童の十分な学びを確保し、一人一人の児童の障がいの状態や発達の段階に応じた指導や支援の充実。

□**道徳の時間などとの関連** ➡ 家庭科の教科目標と道徳との関連を意識しながら適切な指導を行う。つまり日常生活に必要な知識や技能を身に付けることは、**生活習慣の大切さを知り、自分の生活を見直す**ことでもある。

2 内容の取扱いと指導上の配慮事項　重要度 ★★★

□**言語活動の充実** ➡ 自分の生活における課題を解決するために言葉や図表などを用いて生活をよりよくする方法を考え、学習活動の充実を図る。

□**コンピュータや情報通信ネットワークの活用** ➡ 実習等における情報の収集や整理、実践結果の発表などを行うことができるように工夫する。

□**実践的・体験的な活動の充実** ➡ 生活の自立の基礎を培う基礎的・基本的な知識及び技能の習得。

□**個に応じた指導の充実** ➡ 学習内容の定着を図り、児童の特性や生活体験などを把握、状況に応じた少人数指導や教材・教具の工夫。

□**家庭や地域との連携** ➡ 児童が身に付けた知識及び技能などを日常生活に活用できるよう配慮する。

3 実習の指導についての配慮事項 重要度 ★★★

(1)施設・設備の安全管理に配慮し、学習環境を整備するとともに、熱源や用具、機械などの取扱いに注意して事故防止の指導を徹底すること。
(2)服装を整え、衛生に留意して用具の手入れや保管を適切に行うこと。
(3)調理に用いる食品については、生の魚や肉は扱わないなど、安全・衛生に留意すること。また、食物アレルギーについても配慮すること。

□**熱源や用具、機械などの取扱い** ➡ 取扱いには危険を伴うので、常に**安全管理と事故防止**に努める。基本的な操作を身に付けさせる。

□**取扱い場所** ➡ 事故の防止のため、**落ち着いた雰囲気の中で学習を進める。誤用がないように十分注意する。**

□**服装** ➡ 活動がしやすく**安全性に配慮**したもの。

□**用具の手入れ** ➡ 調理実習等においては、**こんろ、包丁、まな板、ふきん等の安全、衛生面に配慮した扱い方。**

□**用具の保管** ➡ **食器のしまい方、製作実習用具(針の本数の確認、折れた針の後始末、アイロンの使用場所や冷めてから収納するなどの取扱い方、はさみ類、ミシン等)の保管指導。**

□**調理実習** ➡ 調理台の整理、**用具の配置。熱源の適切な点火・消火の確認。こんろや調理器具の余熱にも注意。**

□**調理に用いる材料** ➡ **安全や衛生面に注意。生の魚や肉は扱わない。卵を用いる場合、新鮮であることを確認、加熱調理をするように指導する。**

□**食物アレルギーへの配慮** ➡ 児童の食物アレルギーに関する**正確な情報の把握**に努め、**発症の原因となりやすい食物の管理、緊急時対応**について事前確認を行う。

ポイント 安全・衛生面に配慮した学習指導

04 衣服とその手入れ

頻出度 A

●衣服の機能、洗濯の方法、素材に適した洗剤など、生活に密着した出題が多い。
●取扱い絵表示にも注意する。

1 衣服の役目

●頻出● 重要度 ★★

□**衣服の機能** ➡ **保健衛生上**「気温の変化に対して体温調節を助けるとともに皮膚を清潔に保つ」、**生活活動上**「運動や作業がしやすく安全に活動できる」、**社会活動上**「それぞれの場にふさわしい着方、他の人々との調和を考えた着方」の働きがある。

2 繊維

●頻出● 重要度 ★★

繊維の分類

□**天然繊維 ➡ 植物繊維（綿、麻）、動物繊維（毛、絹）**

□**化学繊維** ➡ 再生繊維（**レーヨン**、キュプラ）、半合成繊維（**アセテート**）、合成繊維（**ナイロン**、**ポリエステル**、アクリル）

天然繊維の性質

繊維	長　所	短　所	用　途　例
綿	**吸収性、吸湿性大。アルカリに強い。**洗濯に耐える。	弾力性が小さく、**しわ**になりやすい。	肌着、日常着、寝具
麻	**吸湿性大。洗濯に耐える。**	伸び率が少なく、**しわ**になりやすい。	夏服
毛	**保温性、吸湿性大。**	**アルカリに弱い。**日光に弱く、白地のものは**黄変**する。	セーター、コート類
絹	**独特の光沢と風合いがある。**弾性、染色性大。	**アルカリに弱い。**日光に弱く、白地のものは**黄変**する。	和服、スカーフ

夏は通気性、吸湿性にすぐれた布地、冬は保温性、含気性に富む布地を選ぶ

化学繊維の性質

繊維	長所	短所	用途例
レーヨン	**吸湿性・染色性大**。安価。	**洗濯に弱い**、しわになりやすい。	肌着、裏地
ナイロン	**軽くて強度大**。弾力性に富む。	**日光で黄変する**。熱に弱い。	ストッキング、水着
ポリエステル	**乾きやすく、しわになりにくい**。強度大。	**吸湿性が小さい**。	ブラウス、ズボン
アクリル	**毛に似た感触をもつ。保温性**に富む。	毛玉ができやすい。**吸湿性が小さい。**	セーター、寝具類

3 洗濯

●頻出● 重要度 ★★★

洗剤の種類と特徴

洗剤の種類	原料	性質	洗濯に適した布地
石けん	**主に天然油脂**	**弱アルカリ性**	**綿、麻、レーヨン、ポリエステルなどアルカリに強い繊維**
合成洗剤	**主に石油**	弱アルカリ性	同上
		中性	**毛、絹、アセテートなどアルカリに弱い繊維**

□**洗剤の標準使用量** ➡ 一番汚れが落ちる必要最小限の洗剤量。洗剤は多すぎても汚れの落ち方には変わりなく、かえってすすぎ水の無駄になる。

□**界面活性剤** ➡ **洗剤の主成分**。この界面活性剤が水に溶けて、水中で水と空気、水と油などの境界面に付き、その境界面の性質を変化させ活性化させる働きがある。**浸透・湿潤、吸着、乳化、分散・再汚染防止作用**により、汚れが落ちる。

取扱い絵表示

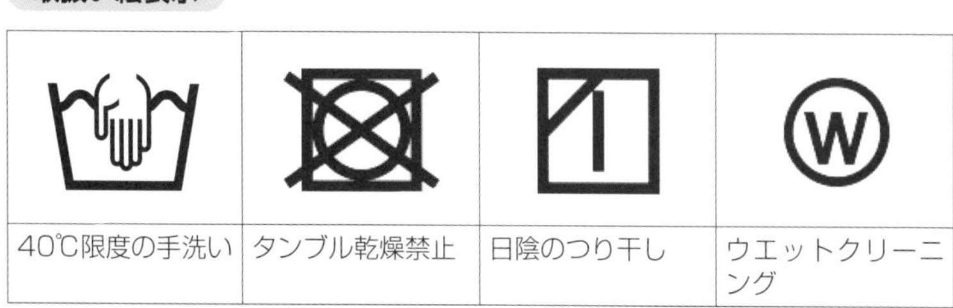

40℃限度の手洗い	タンブル乾燥禁止	日陰のつり干し	ウエットクリーニング

05 手縫いとミシン縫い

頻出度 A

●手縫いとミシンの取扱い方を中心に理解する。
●まち針のとめ方、適切な針と糸の選び方など、実習の具体的指導方法を確認する。

1 手縫い

重要度 ★★

□なみ縫い ➡ **基本的な縫い方**。比較的薄地の布２枚を縫い合わせる。**表裏交互に目が出る**。

□**半返し縫い** ➡ **少ししっかりと縫っておきたいとき**用いる。針は前の針目の半分までしか返さない。

□**本返し縫い** ➡ **特にしっかりと縫っておきたいとき**用いる。針は前の針目まで返す。

□**まつり縫い** ➡ **すそやはしなど折り返したところを元の地とつなぎ合わせる**縫い方。

手縫いに使う言葉

□玉結び ➡ 縫い始めに糸が抜けないようにするためのもの。

□玉どめ ➡ 縫った後に糸がほつれないようにするためのもの。

2 ミシン縫い

●頻出●　重要度 ★★

【ミシン各部の名称】

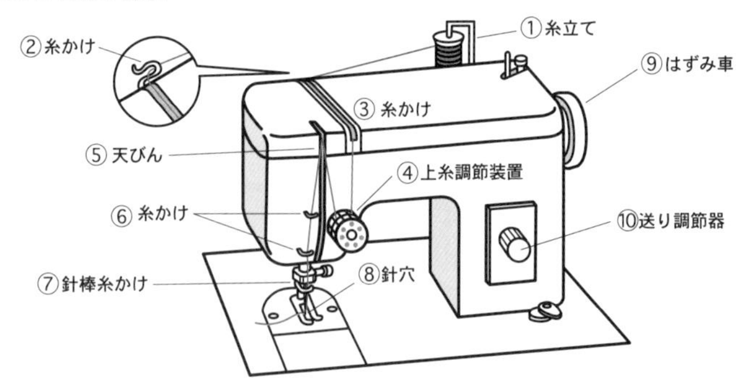

□**上糸のかけ方 ➡ ミシンの種類が違っても「糸立て→上糸調節装置→天びん→針穴」の順序は変わらない。**

ミシン針と布、糸の選び方

布　　地	ミシン針	糸
薄い布地(ローンなど)	9番	80番カタン糸
普通の布地(綿、ブロード、毛織物)	11番	50番、60番カタン糸
厚い布地(デニム、ハンプなど)	14番	50番カタン糸

糸調子の調節方法

□縫い目の大きさは必要に応じて調節する ➡ **糸調子は上糸から調節し、場合によっては下糸も調節する。上糸が強いとき**は下糸が布の表に出るので、**糸調子ダイヤルを小さな目盛りに合わせる**。また**上糸が弱いときは**上糸が布の裏に出るので、糸調子ダイヤルを**大きい目盛りに合わせる**。

ミシンの故障

□**回転が重い、動かない** ➡ かまに**糸くずがつまっている**。糸と針が合っていない。電源が入っていない。

□**上糸が切れる ➡ 糸かけの順序が違う。上糸の調子が強すぎる。**糸立て棒に糸がからまっている。

□**縫い目がとぶ ➡ 針の付け方が悪い。**針が曲がっている。**布に対して針、糸が合っていない。**

□**下糸が切れる ➡ 下糸の巻き方が間違っている。**ボビンケースに**糸くず**がたまっている。

作品製作

□**型紙作り** ➡ 寸法を測り、**ゆるみを加えできあがりの大きさを決める。**

□**布裁ち ➡ 型紙に書かれてある矢印を布の縦方向(布の耳に平行)に置き、**まち針でとめる。布を裁つ。

□**まち針のとめ方** ➡ 縫い始めと縫い終わりに、つり合いを見てその中央をとめていく。縫い上がり線に対して直角にうつ。

□縫う ➡ 各部分にふさわしい縫い方を考え、手縫いやミシン縫いを用いる。

アイロンかけの適温

□**高温(180〜200℃) ➡ 綿、麻**

□**中温(140〜160℃) ➡ 毛、絹、レーヨン、ポリエステルなど**

□**低温(80〜120℃) ➡ アクリル、アセテート、ナイロンなど**

ポイント 各児童の行動に配慮し、安全第一を考えながら指導する

06 栄養素の種類と働き

日付 ／

頻出度 A

●五大栄養素と6つの基礎食品群からの出題が多い。
●それぞれの主な機能、多く含む食品について確実に把握しておく。

1 五大栄養素

重要度 ★★★

□炭水化物 ➡ **熱や力のエネルギー源**、1ｇあたり約4kcal。

□たんぱく質 ➡ **熱や力のエネルギー源、身体の組織構成、生理的諸機能の調整**。1ｇあたり約4kcal。

□脂質 ➡ **熱や力のエネルギー源、身体の組織構成**、体温保持。1ｇあたり約9kcal。

□無機質 ➡ **身体の組織構成、生理機能の調節。カルシウム、鉄、亜鉛など。**

□ビタミン ➡ **生理機能の調節**、他の栄養素の働きを助ける。

ビタミンの働き

種　類	主な性質・機能	欠乏症	多く含まれる食品
ビタミンA	熱に強く油に溶ける、身体の発育増進	夜盲症	卵黄、緑黄色野菜、レバー
ビタミンB_1	脳や神経の働きに関与、疲労回復	脚気 倦怠感	大豆、豚肉、胚芽
ビタミンB_2	身体の成長を助ける	皮膚炎	卵、豆類、チーズ
ビタミンC	免疫力を高める、抗酸化作用をもつ	壊血病	野菜、果物
ビタミンD	骨や歯の発達増進	くる病	魚介類、きのこ、レバー

□脂溶性ビタミン ➡ ビタミンA、D、E、K

□水溶性ビタミン ➡ ビタミンB群、C

主な無機質の働き

□カルシウム ➡ **骨や歯の形成**に必要な栄養素（**牛乳、小魚、チーズ**）

□鉄 ➡ **赤血球の成分**、栄養素の燃焼に役立つ（**レバー、卵黄、緑黄色野菜**）

□りん ➡ **骨や歯の成分**（**肉類、魚介類**）

□ナトリウム ➡ **筋肉神経の興奮性を弱める**（**食塩、みそ、しょうゆ**）

□カリウム ➡ 心臓や筋肉機能調節、**血圧を正常に保つ**（**野菜、果物類**）

□亜鉛 ➡ 免疫力の維持(ごま、肉類、かき……貝類)

2 6つの基礎食品群 重要度 ★★★

主な働き	群	主な栄養素	食品群	主な食品名
主に体の組織をつくる(血液や筋肉をつくる)(体の機能を調節)	1群	たんぱく質	魚、肉、豆類、乳、卵	牛肉、豚肉、鶏肉、卵、豆腐、みそなど
	2群	無機質(カルシウム、鉄)	乳、乳製品、海藻、小魚	牛乳、チーズ、しらすぼし、わかめ、ひじき、のりなど
主に体の調子を整える(皮膚や粘膜を保護)(体の各機能を調節)	3群	カロテン(ビタミンA)	緑黄色野菜、果物	にんじん、かぼちゃ、ほうれん草、トマトなど
	4群	ビタミンC	その他の野菜、果物	きゅうり、白菜、キャベツ、いちご、りんごなど
主に熱や力のもとになる(エネルギー源となる)(効率的エネルギー源となる)	5群	炭水化物	穀類、いも類、砂糖	米、うどん、そば、パン、じゃがいも、砂糖など
	6群	脂質(脂肪)	油脂	バター、食用油、マーガリン、マヨネーズなど

推定エネルギー必要量 普通の活動レベル時(kcal/日)

年 齢(歳)	男 性	女 性
10~11	2250kcal/日	2100kcal/日
12~14	2600	2400
15~17	2800	2300
18~29	2650	2000

(日本人の食事摂取基準(2020年版)厚生労働省)

3 水分の主な働き 重要度 ★★★

□**体の組織をつくる** ➡ 体の成分の**約60%は水分**

□**体温を調節する** ➡ **発汗や尿の排泄**などによる

□**栄養素を運ぶ** ➡ 消化吸収された**栄養素を体中に運搬する**

□**不要な成分の排出** ➡ 体内でできた**老廃物を体外へ排出**

日々の食事に欠かせない食品や、その栄養素を確認しておこう

ポイント 栄養素と同様に水分の働きを知ろう

07 食品の選択

頻出度 **A**

- 主な食品に含まれる栄養素と食品の特徴を生かした調理を理解する。
- 細かい部分まで出題されることがあるので、確実な理解を進めていこう。

1 主な食品の栄養素　重要度★★★

米

□米の種類 ➡ **うるち米**(日常の主食)、**もち米**(赤飯、おこわ、もちなど)

□**糊化** ➡ **生の米はβでんぷんを含む**。このでんぷんは**水を加えて加熱するとαでんぷんに変わり、消化がよくなる。これを糊化という**。糊化したでんぷんは**冷めると固くなり、βでんぷんになる**。これを**でんぷんのβ化**、あるいは**老化という**。

□**米の水分含有比 ➡ 米は約15%、飯は65%の水分を含む**。

□白米の成分 ➡ 炭水化物75%強、たんぱく質6～7%、脂質1%、無機質その他0.5%。**玄米は胚芽やぬか層にビタミンB₁が含まれるが、精白米はこれらが除かれるので、ビタミン含有量が低い**。

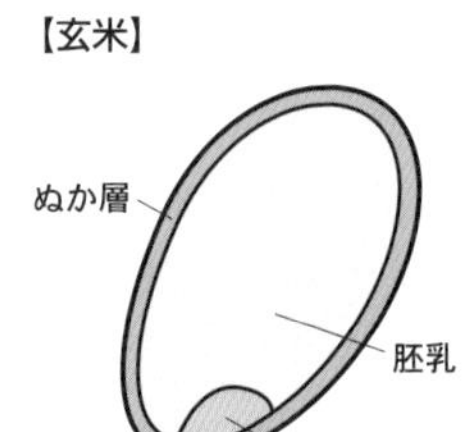

鶏卵

□**卵の性質** ➡ 成分中のたんぱく質は**加熱すると固まる**性質がある。**卵黄は65～70℃、卵白は70～80℃で固まる**。栄養的にはバランスがとれているが、**ビタミンCは含まれない**。

□**生卵は長期保存(室温28℃前後で2週間)が可能 ➡ 生卵の卵白には殺菌作用のあるリゾチームが含まれている。ゆでるとリゾチームの効力が失われる**ので傷みやすくなる。

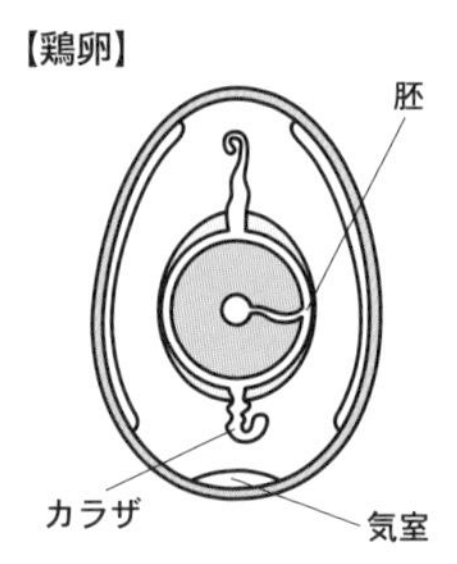

牛乳

□牛乳の栄養 ➡ **カルシウムなどの無機質やたんぱく質、ビタミン類を多く含む**。牛乳を加熱し、温度が60～65℃になると、脂肪分が浮き上がり、これにたんぱく質が結びつき皮膜ができる。

□**カゼイン** ➡ **生乳に含まれる主要たんぱく質**で、乳酸菌の働きにより凝固する性質を利用してチーズ、ヨーグルトがつくられる。

じゃがいも

□**含まれる栄養素** ➡ じゃがいもに含まれる**ビタミンB_1やビタミンC**は熱によって壊されることが比較的少ない。

□**ソラニン** ➡ じゃがいもの**発芽部や皮の部分に含まれる緑色の有毒物質**。調理の際は必ず**取り除くこと**。

緑黄色野菜

□**カロテン** ➡ **可食部100ｇ中にカロテンを600μｇ以上**含む。カロテンは**体内でビタミンAにかわる**。また脂質と一緒に摂ると体内で吸収されやすくなる。淡色野菜は可食部100ｇ中、カロテンは600μｇ未満である。

2 加工食品　重要度 ★★

□**加工食品の特徴** ➡ 缶詰、冷凍食品、発酵食品、インスタント食品など、長期保存が可能な食品。旬でなくとも簡単に手に入る。ただし、**食品添加物**が使用されている食品もあるので、食塩や脂質の過剰摂取にならないようにする。**品質表示**や**賞味期限**などを確認して選ぶようにする。

食品の表示マーク

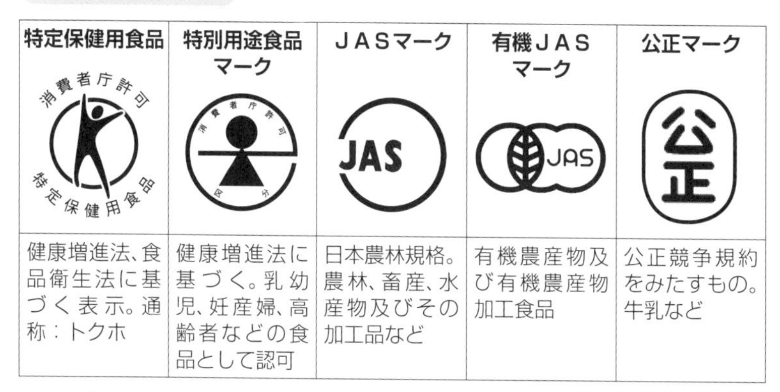

特定保健用食品	特別用途食品マーク	ＪＡＳマーク	有機ＪＡＳマーク	公正マーク
消費者庁許可 特定保健用食品	消費者庁許可 区分	JAS	JAS	公正
健康増進法、食品衛生法に基づく表示。通称：トクホ	健康増進法に基づく。乳幼児、妊産婦、高齢者などの食品として認可	日本農林規格。農林、畜産、水産物及びその加工品など	有機農産物及び有機農産物加工食品	公正競争規約をみたすもの。牛乳など

□**食品表示法** ➡ 2015年4月に食品表示法が施行され、それまで食品衛生法、JAS 法、健康増進法にまたがっていた食品の義務表示に関する規定が一元化された。

食品表示マークは食品衛生法などの法律に基づいていることを理解しよう

08 調理・献立

日付
／

頻出度
A

●米飯とみそ汁を中心に、バランスのとれた献立作りについて出題される。
●食品に含まれる栄養素を確実に理解していこう。

1 米飯とみそ汁

●頻出● 重要度 ★★★

米飯

□**米と水の分量 ➡ 1人分は米80g（100mL）に対して水120g（120mL）。水は米の重量の1.5倍、体積では1.2倍が適量。**

□**炊飯の手順 ➡** 米の重さを量り、米をとぐ。3～4回水をかえて洗う。米の重さの1.5倍、あるいは体積の1.2倍の水を足し、少なくとも30分以上そのままにして吸水させる。吸水させないと、しんが残る。加熱は、初め強火、沸騰したら中火。そして最後に弱火にして火を消して10分蒸らす。

みそ汁

□**みそ汁の塩分 ➡** 1人分のみそは15g。水は出来上がり分の150mLに蒸発分20mLを加える。**みそは水分量の10%。みそ汁の適温は65℃。**

□**煮干しだし（イノシン酸） ➡** 水から入れて火にかけ、**沸騰後3～5分で火からおろす。**

□**こんぶだし（グルタミン酸） ➡** 水にこんぶを入れ、30分程度つけておく。火にかけて、**沸騰直前に取り出す。**

□**かつおだし（イノシン酸） ➡** 湯が沸騰したら入れ、**再度沸騰したらすぐに火を止め、こす。**

□**みそ汁の作り方 ➡** だしに材料を入れて煮る。材料に火が通ったら、火を止め、みそを溶きながら入れる。再加熱し、煮立ったらすぐに火を止める。みそは煮すぎると香りがとび風味が損なわれる。

卵

□鮮度 ➡ 殻を割ったとき、卵黄が盛り上がり、卵白がはっきりと2層に分かれているのが新しい卵。

□**特性を生かした調理例 ➡ 熱凝固性（プリン、茶碗蒸し、ゆで卵など）、乳化性（マヨネーズ）、起泡性（メレンゲ、スポンジケーキ）**

食品の体積と重量

（単位：g）

食　品	小さじ　5mL	大さじ　15mL	カップ 200mL
水・酢・酒	5	15	200
しょうゆ・みそ	6	18	230
上白糖	3	9	130
食塩	6	18	240
油・バター	4	12	180
薄力粉	3	9	110
ウスターソース	6	18	240
マヨネーズ	4	12	190
精白米	－	－	170
飯	－	－	150

2 献立

●頻出●　重要度 ★★

□**作成のポイント** ➡ **6つの基礎食品群すべてから食品を選び**、**栄養バランス**を考える。**旬**、**季節の食材**を取り入れる。予算、家族の好みに合わせる。同じおかずが続かないようにする。

□**献立の順序** ➡ まず主食（ごはん）を決め、続いて汁物（みそ汁）、主なおかず（主菜）、栄養分を補うおかず（副菜）を考える。

調理用具の取扱い方・ガスこんろ

□**使用前の注意** ➡ **ゴム管のひび**がないか、**ゴム管はガス栓とこんろに適切にはまっているか**、**安全バンドやゴムキャップがついているか**を確認。

□**使用中の注意** ➡ **そばに燃えやすいものがないか**、**炎は青いか**、**不完全燃焼に注意**、**十分換気**を行う。

□**使用後の注意** ➡ **器具栓**と**ガス栓**の両方を閉める。

□**ガス漏れに気付いたら** ➡ **窓や出入り口を開け**、**ガス栓を閉める**。**電気のスイッチ、コンセントには絶対手を触れないこと。**

食中毒の原因、症状

□**原因菌** ➡ **75℃以上1分以上**経つとほとんど**不活性化（死滅）**する。しかしボツリヌス菌など死滅しない菌もあるので注意。

□**腸管出血性大腸菌O157など** ➡ 生肉など。幼児、高齢者は重篤になりやすい。

□**腸炎ビブリオ菌** ➡ **生の魚**、漬物など。症状は腹痛、下痢、嘔吐、発熱。

□**ノロウイルス** ➡ **かきなどの二枚貝**。症状は吐き気、嘔吐、下痢、発熱。

ポイント 色合いも楽しみながら美味しい食事の献立を考えよう

09 快適な住まい

頻出度 B

●温度、湿度、採光、照明、換気に関する出題が多い。
●具体的な数値の把握が重要になる。

1 快適な室内環境　重要度 ★★

冷暖房

□室内の温度と湿度 ➡ 夏季：温度25～28℃、湿度50～70%、冬季：温度18～20℃、湿度40～60%

□冷房時の注意 ➡ **室内と室外との温度差は５℃以内**になるように気を付ける。冷房設定温度は28℃が望ましい。

□暖房時の注意 ➡ 空気の出入りの少ない部屋で長時間暖房をつけると、酸素不足になり、一酸化炭素中毒のおそれがあるので、ときどき**換気**を行う。

照明・目的に合った明るさ

（照度の単位はルクス：lx）

場　所	手元の明るさ	場　所	全体の明るさ
洗濯・娯楽	150～300lx	寝　室	10～30lx
調理・食事	200～500lx	居間・廊下	30～75lx
勉強・読書	**500～1000lx**	食事・台所	**50～100lx**
手芸・裁縫	**750～2000lx**	勉強部屋	**80～150lx**

電球の種類

□**白熱電球** ➡ 電気使用量は多い。平均寿命1000時間。

□**蛍光灯** ➡ 発熱量が少ない。長時間つけておく所に適している。平均寿命5000～15000時間。経済的。

□**ＬＥＤ電球** ➡ 発熱量が少なく**低消費電力**。寿命25000時間以上。高価格。

採光

□**教室の採光** ➡ 室内の明るさは窓から入る太陽光線の量で決まる。太陽から放射される紫外線はある程度の殺菌、消毒作用がある。**建築基準法では教室は床面積の５分の１以上の窓面積を設けるように定められている。**

□**窓** ➡ 高いほど明るく、また１カ所より分散した方が明るい。

換気と通風

□**必要換気量** ➡ 室内を清浄に保つために必要な最小限の換気量。**在室者1人あたり1時間に20～30㎥必要**。喫煙たばこ1本あたり120㎥。

□**自然換気** ➡ 窓を開けて風を通す方法。2カ所以上開けると空気の流れがよい。

□**強制換気（機械換気）** ➡ 浴室、トイレ、台所など湿気や臭気の発生する部屋や、ガスレンジや暖房器具を使用して酸素を多量に消費した場合に、**換気扇**やレンジフードなどを利用した換気。

□**結露** ➡ 特に冬、室内外の温度差により、大気中の水蒸気が水滴となり窓などにつく現象。カビなどの発生原因となるので、換気、通風により防ぐことが必要である。

一酸化炭素中毒

空気中の一酸化炭素濃度	呼吸時間と症状
0.02%	2～3時間内に前頭に**軽度の頭痛**
0.04%	1～2時間で前頭痛、**吐き気**、後に後頭痛
0.08%	45分で頭痛、目まい、吐き気、**けいれん**、2時間で**失神**
0.16%	20分で頭痛、目まい、吐き気、2時間で**死亡**
0.32%	5～10分で頭痛、目まい、30分で**死亡**

2 快適な暮らし　重要度 ★★

□**住宅地の騒音にかかわる環境基準** ➡ **昼間（6～22時）55デシベル以下。夜間（22時～6時）45デシベル以下**。環境基本法に基づく。

□**バリアフリー** ➡ 障がいのある人や高齢者にとって障壁（バリア）を取り除き、安全な生活ができるように配慮された住まいや街づくり対策。例えば床の段差を無くしたり、廊下に手すりを設けるなど。

□**ユニバーサルデザイン** ➡ 障がいのある人や高齢者だけではなく、**誰にとっても安全で住みやすい環境を実現するために工夫されたデザイン**。自動ドア、温水洗浄便座など。

□**シックハウス症候群** ➡ 新建材に含まれる接着剤や塗料などから発生する揮発性の**ホルムアルデヒド**や**トルエン**などが原因となって**アレルギー反応**、健康被害を引き起こすこと。主な症状として目まい、頭痛、皮膚炎、嘔吐、耳鳴り、血圧の変化、呼吸器障がい、喉の痛みなどがある。

ポイント 自分たちの健康にかかわる住まいの整え方を学習しよう

10 消費生活

日付 ／

頻出度 B

●時事的な内容も出題可能性がある。最新動向に注意しておこう。
●売買契約の基礎について理解しておく。

1 消費者の権利

重要度 ★★

□**消費者基本法 ➡ 1968年「消費者保護基本法」**として施行。**2004年改正。**消費者と事業者との間の情報の質・量・交渉力等の格差を考慮し、**消費者の権利の尊重及びその自立の支援**、その他の基本理念を定めるとともに、国・地方公共団体及び事業者の責務等を明らかにして、消費者の利益の擁護及び増進に関する総合的な施策の推進を図る。そして国民の消費生活の安定や向上を確保することを目的とする。

□**製造物責任法**（ＰＬ法） **➡ 1995年施行**。消費者が製品の欠陥により被害を受けた場合、製造者に損害賠償の責任を負わせ、被害者救済を行おうとすることを目的とする。

2 公共機関

重要度 ★★

□**消費者庁 ➡** 2009年５月に関連法成立後、同年９月発足。**消費者、生活者の視点に立ち、安全、安心を提供できる消費者行政を目的**とする。内閣府の外局。

□**国民生活センター ➡「国民生活センター法」**によって1970年に設立。国民生活の安定・向上を図るため、**国民生活に関する情報提供、調査、研究を行う独立行政法人**。相談受付、商品テスト、消費者教育を行っている。

□**消費生活センター ➡** 各都道府県、市町村に置かれている。苦情相談受付・処理、商品テスト、情報提供など、**地域の住民と結びついた消費者保護施策実施**に取り組んでいる。

3 訪問販売等に関する用語

重要度 ★★

□**クーリングオフ ➡ 訪問販売など**、店頭以外での契約や購入したものを**法律に定められた一定期間以内なら無条件で解約できる制度。**

□**アポイントメントセールス** ➡ 電話等で誘い出した上で、強引な勧誘により商品を売りつけるもの。

□**キャッチセールス** ➡ 路上で話しかけて呼び止めた上、自分の営業所などに連れていき、強引な勧誘によって商品を売りつけるもの。

□開運商法 ➡ 買えば運気が上がるなどといって、売りつける商法。

□マルチ・マルチまがい商法 ➡ 商品購入で会員となるとした上で、他人を紹介すれば紹介料(リベート)が入る仕組みをつくり、消費者を販売員にして会員を増加させていくもの。販売員になり、高い利潤を得ようとして多くの仕入れをしたにもかかわらず、思ったほど会員の勧誘ができず、仕入れた商品が売れないため、在庫商品を抱えてしまうことになるという問題も生じやすい。

□**ネガティブオプション** ➡ 注文しないのに一方的に商品を送りつけておいて、その人が断らなければ買ったものとみなして代金を請求するもの。

□催眠商法 ➡ 安売りや商品の説明会と称して人を集め、異常な興奮状態にした上、高額商品の販売を行うもの。

4 消費者の8つの権利と5つの責任 重要度 ★★

□**米国ケネディ大統領**(1962年) ➡「**❶安全である権利 ❷知らされる権利 ❸選択する権利 ❹意見を反映させる権利」の**消費者の4つの権利を提唱した。

□国際消費者機構(1983年) ➡「❺補償を受ける権利 ❻消費者教育を受ける権利 ❼健全な環境の中で働き生活する権利」を提唱した。

□国際消費者機構(1987年) ➡「❽生活の基本的ニーズが保障される権利」を提唱し、**消費者の8つの権利**とした。

□「❽生活の基本的ニーズが保障される権利」で示された**5つの責任** ➡ ❶批判的意識をもつ ❷主張し行動する責任 ❸他者・弱者への配慮 ❹環境への配慮 ❺連帯(消費者の利益を擁護し促進するため、団結し連帯する責任)

5 カードの名称 重要度 ★

□**デビットカード** ➡ 商品購入時にレジで専用端末装置にキャッシュカードを通すと、預金口座から代金が引き落とされる**即時決済システム**。

□**プリペイドカード** ➡ 事前に入金や購入をしておくカード型の金券。ＳｕｉｃａやＰＡＳＭＯ、図書カードなど種類は多い。

ポイント 消費者として必要な権利と責任を把握しよう

11 環境に配慮した生活

日付 ／

頻出度 B

●3Rの内容、環境時事問題の出題が多いので最新動向に注意しよう。
●ゴミの分別やリサイクルについても理解を進めておこう。

1 環境関連法　重要度★★

□**容器包装リサイクル法 ➡ 2000年４月完全施行**。2006年６月改正容器包装リサイクル法成立・公布。家庭ゴミの６割を占める容器包装廃棄物を資源として有効利用することで、ゴミの減量化を図るための法律。**自治体には分別収集、消費者には分別排出、業者には再商品化の責任**を義務付け。

□**家電リサイクル法 ➡ 2001年４月施行**。使用済みの家電製品のリサイクルを推進するため、製造業者に使用済み家電製品のリサイクルを義務付け、小売店には収集・運搬を、消費者にはリサイクルと収集・運搬にかかる料金の負担を義務付けている。**テレビ(液晶・プラズマテレビ含む)、冷蔵庫(冷凍庫)、洗濯機(衣類用乾燥機)、エアコン**が対象となっている(2024年８月現在)。

□**環境基本法 ➡ 1993年11月施行**。これまでは自然環境保全法で環境対策を行っていたが、環境問題に対応できないことから制定された。「環境への負荷」「地球環境保全」「公害」について定義している。

□**循環型社会形成推進基本法 ➡ 2000年６月施行**。廃棄物・リサイクル政策の基盤の確立。

2 環境に配慮した活動　重要度★★

□**グリーンコンシューマー運動 ➡ 環境に配慮した生活を送り、環境へ負担の少ない消費を目指す人々をグリーンコンシューマー**という。購買運動を通して経済活動のあり方を考え、変革し、**環境問題の改善に取り組むのがグリーンコンシューマー運動**である。生産者、販売者側からみた「**市場介入型**」と、消費者、生産者、販売者、行政全体からみた「**協力連携型**」がある。

□**３Ｒ運動 ➡ リユース** Reuse 再使用(例：ビンは洗って何度も使う)、**リデュース** Reduce 減量(例：マイバッグ持参、詰替え用を買う)、**リサイクル**

Recycle 再生利用(例：新聞紙やアルミ缶などを回収し再資源化)の**3Rは資源を有効活用**し、**捨てるものを増やさない循環型社会へ向けた行動目標をあらわす**。日本では「**循環型社会形成推進基本法**」でこの考え方が導入された。

□**4R、5R運動** ➡ 3Rにとどまらず**Refuse 拒否する**(例：使わない試供品はもらわない)や**Reform 改良する**(例：父のワイシャツでベビー服をつくる)などを加えて4R、5Rとすることもある。

□資源を再利用した製品 ➡ **再生紙**(トイレットペーパーやノート等)、飲料缶(アルミ缶、スチール缶)、たい肥など

□**プラスチック資源循環促進法** ➡ 2022年4月から施行され、**プラスチックの廃棄量を削減するだけでなく、廃棄を前提としない循環型経済活動(3R+Renewable)を目指し**、**一部の使い捨てプラスチック製品が有料化**。

3 表示マーク

重要度 ★★★

JISマーク	SGマーク	STマーク	グッドデザインマーク	グリーンマーク	エコマーク
JIS	SG	ST	G		ちきゅうにやさしい
日本産業規格。日用品、文房具、衣料品、家具など	製品安全協会の認定基準に適合。乳幼児用製品、スポーツ用品など	日本玩具協会の安全基準。玩具など	電気製品、一般日用品	古紙を再生利用した紙製品につけられる	環境を守るために役立つ商品。日用品など
PSEマーク(特定電気用品)	**PSEマーク(特定以外電気用品)**	**PSCマーク(特別特定製品)**	**PSCマーク(特定製品)**	**PETボトル識別マーク**	**プラスチック製容器包装識別マーク**
PSE	PSE	PSC	PSC	1 PET	プラ
電気用品安全法基準に適合。自動販売機、電気ポンプなど	電気冷蔵庫、電気スタンドなど	消費生活用製品安全法による乳幼児用ベッドなど	家庭用圧力鍋、乗車用ヘルメットなど	飲料、調味料など	ボトルのふた、卵パック、日用品の袋類など

家庭 頻出度B 環境に配慮した生活

ポイント 身の回りの表示マークをチェックしよう

01 学習指導要領(目標)

日付 ／

頻出度 A

●体育で最も出題される分野である。
●穴埋めで出題されることも多いので対応できるようにしておこう。

1 学習指導要領の指針

重要度 ★

□運動領域においては、生涯にわたって運動やスポーツに親しみ、スポーツとの多様な関わり方を場面に応じて選択し、実践することができるよう、「**知識及び技能**」、「**思考力**、**判断力**、**表現力等**」、「**学びに向かう力**、**人間性等**」の育成を重視し、目標及び内容の構造の見直しを図る。

□運動やスポーツとの多様な関わりを重視する観点から、体力や技能の程度、年齢や性別及び障がいの有無等にかかわらず、**運動やスポーツの多様な楽しみ方を共有する**ことができるよう指導内容の充実を図る。その際、**共生の視点**を重視して改善を図る。

2 体育科の目標

出題 福島・愛媛・高知・沖縄　重要度 ★★

体育や保健の見方・考え方※1を働かせ、課題を見付け、その解決に向けた学習過程を通して、**心と体を一体として捉え**※2、生涯にわたって心身の健康を保持増進し豊かなスポーツライフを実現するための資質・能力を次のとおり育成することを目指す。

(1)その特性に応じた各種の運動の行い方及び身近な生活における健康・安全について理解するとともに、**基本的な動きや技能を身に付けるようにする**。

(2)運動や健康についての自己の課題を見付け、その解決に向けて思考し判断するとともに、**他者に伝える力**を養う。

(3)運動に親しむとともに健康の保持増進と体力の向上を目指し、楽しく明るい生活を営む態度を養う。

□※1 **体育や保健の見方・考え方** ➡ **体育の見方・考え方**とは、小学校においては、運動やスポーツが**楽しさや喜びを味わう**ことや**体力の向上**につながっていることに着目するとともに、「すること」だけでなく「見ること」「支えること」「知ること」など、**自己の適性等に応じて、運動やスポーツとの多**

様な関わり方について考えることを意図している。**保健の見方・考え方**とは、小学校においては、特に身近な生活における課題や情報を、保健領域で学習する病気の予防やけがの手当の原則及び、健康で安全な生活についての概念等に着目して捉え、病気にかかったり、けがをしたりするリスクの軽減や心身の健康の保持増進と関連付けることを意図している。

□※**2心と体を一体として捉え** ➡ 運動による心と体への効果、健康、特に心の健康が運動と密接に関連していることなどを理解することの大切さを示している。「**体ほぐしの運動**」など具体的な活動を通して心と体が深くかかわっていることを体験できるよう指導することが大切となる。

3 学年別目標（学習指導要領より）

出題 福島・愛媛・高知・沖縄　重要度 ★★★

項　目	第1・2学年	第3・4学年	第5・6学年
知識及び技能	各種の**運動遊びの楽しさに触れ**、その行い方を知るとともに、基本的な動きを身に付けるようにする。	各種の運動の楽しさや**喜びに触れ**、その行い方及び**健康で安全な生活**や**体の発育・発達**について理解するとともに、基本的な動きや技能を身に付けるようにする。	各種の運動の楽しさや**喜びを味わい**、その行い方及び**心の健康**や**けがの防止**、**病気の予防**について理解するとともに、各種の運動の特性に応じた基本的な技能及び健康で安全な生活を営むための技能を身に付けるようにする。
思考力、判断力、表現力等	各種の運動遊びの行い方を工夫するとともに、考えたことを他者に伝える力を養う。	**自己の**運動や身近な生活における健康の**課題を見付け**、その解決のための方法や活動を工夫するとともに、考えたことを他者に伝える力を養う。	**自己やグループの**運動の課題や身近な健康に関わる**課題を見付け**、その解決のための方法や活動を工夫するとともに、**自己や仲間の考えたことを他者に伝える力を養う**。
学びに向かう力、人間性等	各種の運動遊びに進んで取り組み、きまりを守り誰とでも仲よく運動をしたり、健康・安全に留意したりし、意欲的に運動をする態度を養う。	各種の運動に進んで取り組み、きまりを守り誰とでも仲よく運動をしたり、**友達の考えを認めたり**、場や用具の安全に留意したりし、**最後まで努力して運動をする態度**を養う。また、健康の大切さに気付き、自己の健康の保持増進に進んで取り組む態度を養う。	各種の運動に積極的に取り組み、**約束を守り助け合って運動をしたり**、仲間の考えや取組を認めたり、場や用具の安全に留意したりし、**自己の最善を尽くして運動をする態度**を養う。また、健康・安全の大切さに気付き、自己の健康の保持増進や回復に進んで取り組む態度を養う。

02 学習指導要領（学年別の内容）①

日付　／

頻出度 A

- 特に出題頻度が高い分野である。
- 低学年・中学年・高学年と発展していく内容をきちんと理解していこう。

1 学年別内容

●頻出●　重要度 ★★★

学年	1・2	3・4	5・6
領　域	体つくりの運動遊び	体つくり運動	
	器械・器具を使っての運動遊び	器械運動	
	走・跳の運動遊び	走・跳の運動	陸上運動
	水遊び	水泳運動	
	ゲーム		ボール運動
	表現リズム遊び	表現運動	
		保健	

□**内容の構成** ➡ 内容の構成は、低・中・高学年の３段階で示されているが、これは各学年での運動の取り上げ方や年間計画においても、弾力性をもたせることができるようにしたものである。

□**内容の取扱い** ➡ 指導内容の確実な定着を図ることができるよう、運動の取り上げ方を一層弾力化し、低学年、中学年及び高学年に示されている「体つくりの運動あそび・体つくり運動」以外のすべての指導内容について、**2学年のいずれかの学年で取り上げ指導することもできる**。

2 体つくり運動

●頻出●　重要度 ★★★

□**目的** ➡ 体つくり運動は、❶体を動かす楽しさや心地よさを味わい運動好きになるとともに、❷心と体との関係に気付くこと、❸仲間と交流すること、❹体の基本的な動きを身に付けたり、体の動きを高めたりして、体力を高めるために行われる運動である。

3 第1・2学年の内容（「解説」による） ●頻出● 重要度 ★★

体つくりの運動遊び

体ほぐしの運動遊び	手軽な運動や律動的な運動を行い、体を動かす楽しさや心地よさを味わうことによって、自分の体の状態に気付き、体の調子を整えたり、仲間と豊かに交流したりすることができることがねらい。 ○リズムに乗り、心が弾むような動作で運動を行うこと。 ○リラックスしながらペアでのストレッチング。
多様な動きをつくる運動遊び	体のバランスをとったり移動をしたりする動きや、用具を操作したり力試しをしたりする動きを意図的にはぐくむ運動遊び。無理のない速さでかけ足を2〜3分続けること。

器械・器具を使っての運動遊び

固定施設を使った運動遊び	ジャングルジムや雲梯、平均台を用い、登り下りや懸垂移行、渡り歩きや跳び下りをする。
マットを使った運動遊び	いろいろな方向へ転がる、かえるの足打ちや、いろいろな逆立ちをする。
鉄棒を使った運動遊び	上がり下り、ぶら下がったり揺れたりすることや易しい回転。
跳び箱を使った運動遊び	跳び箱、**馬跳びやタイヤ跳び**。苦手な児童には、床でうさぎ跳びやかえるの足打ち、かえるの逆立ちなどを行い、手で支えたり、跳んだりする動きが身に付くようにする。

走・跳の運動遊び

走の運動遊び	**30〜40m程度**のかけっこやリレー遊び。勝負を受けいれること。
跳の運動遊び	ケンパー跳び遊びやゴム跳び遊び。

水遊び

水の中を移動する運動遊び	水につかっての水かけっこや電車ごっこ。
もぐる・浮く運動遊び	**水中ジャンケン**やにらめっこなど、水にもぐって目を開け、いろいろな水中での遊びをする。

ゲーム

ボールゲーム	簡単なボール操作と攻めと守りの動きにより易しいゲームをすること。
鬼遊び	一定の区域で、逃げる、追いかける、陣地を取り合うなどをする。

表現リズム遊び

表現遊び	身近な題材の様子や特徴をとらえて、全身で踊ること。
リズム遊び	ロックやサンバなどの軽快なリズムの曲や児童にとって身近で関心の高い曲に乗って踊ること。簡単なフォークダンスを含めて指導することができる。

ポイント ゲームの内容はボールゲームと鬼遊び

03 学習指導要領(学年別の内容)②

日付 ／

頻出度 B

●中学年は低学年と高学年をつなぐものとして理解を進めていこう。
●高学年にどのように発展していくのかを意識して学習を進めよう。

1 第3・4学年の内容(「解説」による) •頻出• 重要度 ★★

体つくり運動

□中学年の体つくり運動は、「**体ほぐしの運動**」及び「**多様な動きをつくる運動**」で構成される。低学年では「**体つくりの運動遊び**」とし、**児童が易しい運動に出会い、伸び伸びと体を動かす楽しさや心地よさを味わう遊び**であることが強調されているが、中学年ではこれを踏まえ、**基本的な動きの幅をさらに広げていく**とともに、**動きの質を高める**ことを意図している。

多様な動きをつくる運動

(「解説」による。 以下も同じ)

体のバランスをとる運動	友達と手をつなぎながら、片足で立ったり座ったりする。ケンケンしながら相手のバランスを崩したり、相手にバランスを崩されないようにしたりする。
体を移動する運動	全身じゃんけんをしたり、速さやリズムの変化を付けたスキップやギャロップをしてはねたりすること、**無理のない速さでのかけ足を3～4分程度続ける**ことなど。
用具を操作する運動	ボールを投げる、捕る、**なわとびで前や後の連続片足跳びや交差跳び**をしたり、長なわで連続回旋跳びをする。また友達に補助されて竹馬・一輪車に乗ることなど。
力試しの運動	押し合いずもう、綱引き、友達をおんぶして運ぶ、**手押し車**など。
基本的な動きを組み合わせる運動	2つ以上の動きを同時に行ったり、連続して行ったりする運動を通して、基本的な動きを組み合わせた動きを身に付けることができるようにする。

器械運動

マット運動	**前転や場を使った開脚前転**、後転や開脚後転、側方倒立回転、首はね起き、壁倒立、頭倒立など。
鉄棒運動	膝掛け振り上がりや補助逆上がりなどの上がり技や、**かかえ込み回り**や片膝掛け回転などの支持回転技、前回り下りや転向前下りなどの下り技に取り組む。
跳び箱運動	開脚跳びや台上前転などの基本的な技に取り組む。

運動に意欲的でない児童への配慮例	マットを敷いたり鉄棒に補助具をつけたりといった場の工夫や、低学年で学習した運動遊びに取り組む場を設定するなどの配慮をする。

走・跳の運動

かけっこ リレー	**30〜50m程度のかけっこ**やバトンパスを行う周回リレーなどを通して調子よく走る。
小型ハードル走	一定のリズムで**30〜40m程度の小型ハードル走**をしたり、インターバルの距離や高さに応じていろいろなリズムで小型ハードルを走り越えたりする。
幅跳び・高跳び	短い助走から調子よく踏み切って跳ぶ。
運動に意欲的でない児童への配慮例	課題が易しすぎたり難しすぎたりして**達成感を味わえない児童**には、１つの場だけでなく、速さ、距離を変えるなど、**易しい課題**や**複数の課題**を設定する。

水泳運動

浮いて進む運動	け伸びやばた足及びかえる足泳ぎなど、**頭の上方に腕を伸ばした姿勢**で、呼吸をしながら進む初歩的な泳ぎ。
もぐる・浮く運動	プールの底から足を離して体の一部分をプールの底につけたり、水の中で姿勢を変えたり、補助具を活用して背浮きをしたり、**ボビングを連続して行う**など。

ゲーム

ゴール型ゲーム	ハンドボールやポートボール、**ラインサッカー**、フットサルなどを基にした易しいゲーム。
ネット型ゲーム	**ソフトバレーボール**を基にした易しいゲームなど。
ベースボール型ゲーム	攻撃側がボールを蹴って行うゲームや、手や用具などでボールを打ったり、止まったボールを打ったりして行う攻守を交代する易しいゲームなど。

表現運動

表現	中学年の身近な生活などの題材は、具体的な生活からの題材や空想の世界からの題材など多様なものとし、メリハリのあるひと流れの動きにして即興的に表現する。
リズムダンス	**ビートの強いロックのリズム**や**陽気で小刻みなビートのサンバのリズム**の特徴をとらえ、弾む動きにねじる・回るなど、動きやリズムに変化をつけたりして踊る。

＊フォークダンスを加えて指導することができる。

ポイント 中学年ではリレーや小型ハードル走も取り扱う

04 学習指導要領(学年別の内容)③

日付 ／

頻出度 B

●低学年・中学年からのつながりを意識して学習を進めよう。
●小学校でどこまでの内容を扱うのかも意識しておくこと。

1 第5・6学年の内容（「解説」による） ●頻出● 重要度 ★★

体つくり運動

体ほぐしの運動	手軽な運動を行い、心と体が関係し合っていることに気付いたり、仲間と関わり合ったりすること。	
体の動きを高める運動	**体の柔らかさを高めるための運動**	体の各部位を大きく広げたり曲げたりする姿勢を維持するなど。
	巧みな動きを高めるための運動	馬跳びで跳んだり、馬の下をくぐったりすることなど。
	力強い動きを高めるための運動	様々な姿勢での腕立て伏臥腕屈伸をすることなど。
	動きを持続する能力を高めるための運動	無理のない速さで5～6分程度の持久走をすることなど。

器械運動

中学年で学んだ基本的な技を安定して行うとともに、その**発展技**を行ったり、それらを繰り返したり組み合わせる。

マット運動	**開脚前転→場を使った伸膝前転**、補助倒立前転、伸膝後転、倒立ブリッジ、ロンダート、補助倒立など。
鉄棒運動	**前方(後方)支持回転**、片足踏み越し下り、前方(後方)もも掛け回転、逆上がり、両膝掛け振動下りなど。
跳び箱運動	**かかえ込み跳び**、伸膝台上前転、頭はね跳びなど。

陸上運動

ルールを定めて競走したり、自己(チーム)の記録の伸びや目標とする記録の達成を目指したりする。

短距離走・リレー	**40～60m程度**の距離を**スタンディングスタート**から、全力で走る。
ハードル走	**40～50m 程度**の距離をインターバルを**3～5歩**のリズムで走る。
走り幅跳び 走り高跳び	**リズミカルな助走**から踏み切って跳ぶこと。走り高跳びでは、**はさみ跳び**を扱う。

水泳運動

□クロール・平泳ぎ ➡ **25～50m程度**を目安に、手と足の動きに呼吸を合わせながら 続けて長く泳ぐことができるようにする。**背泳ぎの指導も可**。

□**安全確保につながる運動** ➡ 10～20秒程度を目安にした**背浮き**や、3～5回程度を目安した**浮き沈み**をしながら、続けて長く浮くことができるようにする。

ボール運動

児童の発達段階を踏まえ、プレーヤーの数、コートの広さ、ルールを修正し、学習課題を追求しやすいように**簡易化されたゲーム**により攻防を行う。

ゴール型	バスケットボール及びサッカーを主として取り扱う。
ネット型	ソフトバレーボールを主として取り扱う。
ベースボール型	ソフトボールを主として取り扱う。

表現運動

表現	**「激しい感じの題材」「群(集団)が生きる題材」**などの**変化と起伏**のある表現へ発展しやすい題材の特徴を捉え、**メリハリをつけて即興的に表現**したり、グループで「はじめ－なか－おわり」の構成を工夫して表現したりする。
フォークダンス(日本の民踊を含む)	踊りを通して日本のいろいろな地域や世界の文化に触れるようにする。

2 各学年の内容のまとめ

●頻出● 重要度 ★★

学年／運動名	1・2	3・4	5・6
体つくり運動	・体ほぐしの運動遊び ・多様な動きをつくる運動遊び	・体ほぐしの運動 ・多様な動きをつくる運動	・体ほぐしの運動 ・**体の動きを高める運動**
走・跳の運動遊びから陸上運動	・**30～40m程度のかけっこ**やリレー遊び ・ゴム跳び遊び	・**30～50m程度のかけっこ**やリレー ・小型ハードル走 ・幅跳び・高跳び	・短距離走 ・ハードル走 ・走り幅跳び ・走り高跳び
ゲームからボール運動	・**ボールゲーム** ・**鬼遊び**	・**ゴール型ゲーム** ・**ネット型ゲーム** ・**ベースボール型ゲーム**	・**ゴール型**(バスケットボールとサッカー) ・**ネット型**(ソフトバレーボール) ・**ベースボール型**(ソフトボール)

05 学習指導要領（保健の目標と内容）

日付 ／

頻出度 A

●各学年で取り扱う内容をきちんと理解していく。
●健康の保持・増進のための4つのポイントは特に重要である。

1 各学年の保健の内容（「解説」による） •頻出• 重要度 ★★★

第３学年

□**健康な生活** ➡ 健康な生活について理解すること。

（ア）心や体の調子がよいなどの健康の状態は、**主体の要因**や**周囲の環境の要因**が関わっていること。

（イ）毎日を健康に過ごすには、**運動**、**食事**、**休養**及び**睡眠**の調和のとれた生活を続けること、また、**体の清潔を保つ**ことなどが必要であること。

（ウ）毎日を健康に過ごすには、**明るさの調節、換気などの生活環境を整える**ことなどが必要であること。

第４学年

□**体の発育・発達** ➡ 体の発育・発達について理解すること。

（ア）体は、年齢に伴って変化すること。また、**体の発育・発達には、個人差があること**。

（イ）体は、思春期になると次第に大人の体に近づき、体つきが変わったり、初経、精通などが起こったりすること。また、異性への関心が芽生えること。

（ウ）体をよりよく発育・発達させるには、適切な**運動**、**食事**、**休養**及び**睡眠**が必要であること。

□自分と他の人では発育・発達などに違いがあることに気付き、それらを**肯定的に受け止める**ことが大切であることにも触れる。

第５学年

□**心の健康** ➡ **心の発達**並びに**不安や悩みへの対処**について理解するとともに、簡単な対処をすること。

（ア）心は、いろいろな生活経験を通して、年齢に伴って発達すること。

（イ）**心と体には、密接な関係があること**。

（ウ）**不安や悩みなどへの対処**には、**大人や友達に相談する**、**仲間と遊ぶ**、**運**

動をするなどいろいろな方法があること。

□**不安や悩み**は誰もが経験することであり、そうした場合にはさまざまな対処方法があることを理解し、自己の心に不安や悩みがあることに気付くことや不安や悩みに対処するためにさまざまな経験をすることは、心の発達のために大切であることにも触れる。

□**けがの防止** ➡ けがの防止について理解するとともに、けがなどの**簡単な手当**をすること。

(ア)**交通事故や身の回りの生活の危険が原因となって起こるけがの防止**には、周囲の危険に気付くこと、的確な判断の下に安全に行動すること、環境を安全に整えることが必要であること。

(イ)けがなどの簡単な手当は、速やかに行う必要があること。

第6学年

□**病気の予防** ➡ 病気の予防について理解すること。

(ア)病気は、**病原体**、**体の抵抗力**、**生活行動**、**環境**が関わり合って起こること。

(イ)**病原体**が主な要因となって起こる病気の予防には、病原体が体に入るのを防ぐことや病原体に対する体の抵抗力を高めることが必要であること。

(ウ)**生活習慣病**など生活行動が主な要因となって起こる病気の予防には、**適切な運動**、**栄養の偏りのない食事**をとること、**口腔の衛生を保つ**ことなど、望ましい生活習慣を身に付ける必要があること。

(エ)**喫煙**、**飲酒**、**薬物乱用**などの行為は、健康を損なう原因となること。

(オ)地域では、保健に関わるさまざまな活動が行われていること。

□低年齢からの喫煙や飲酒は特に害が大きいこと、未成年の喫煙や飲酒は法律で禁止されていること、**好奇心や周りの人からの誘いなどがきっかけで喫煙や飲酒を開始する場合があることについても触れる**。

□**薬物乱用** ➡ **シンナー**などの有機溶剤を中心に取り上げ、一回の乱用でも死に至ることがあり、乱用を続けると止められなくなり、心身の健康に深刻な影響を及ぼすことを理解する。なお、薬物の乱用は法律で厳しく規制されていることにも触れる。**覚せい剤等についても触れるようにする**。

＊各学年において課題解決に向けて思考し、それを表現することを含む。

ポイント 健康の保持・増進のための４つのポイントは暗記

06 学習指導要領(指導計画の作成と内容の取扱い)

日付 ／

頻出度 A

●小学校6年間の見通しに立って指導計画を作成することを忘れないように。
●児童の「主体的学び」「対話的学び」「深い学び」の実現を常に意識しておく。

1 指導計画作成上の配慮事項

重要度 ★★

□児童の「**主体的学び**」「**対話的学び**」「**深い学び**」の実現を図るようにする。

□体育科の学習活動を通して**運動の楽しさや喜び**を味わったり**健康の大切さ**を実感できるようにすることを重視する。

□**授業時数の配当** ➡ 領域別の授業時数の配当は、ある程度の幅をもって考えてもよい。内容の取扱いに偏りがない限り、**低・中・高学年の3区分の中で弾力的な扱いを工夫することが大切**である。

□**保健領域の授業時数** ➡ 第3・4学年では**8単位時間**をあてるが、第5・6学年では**16単位時間程度**として、若干の幅をもたせている。これは、心と体を一体としてとらえる体育科の目標を踏まえ、体ほぐしの運動と心の健康、けがの防止と運動の実践などの指導に当たって、運動領域と保健領域に密接な関連をもたせて指導するように配慮する必要があるためである。

□**保健の取扱い** ➡ 第3学年から始まる「保健」については、効果的な学習が行われるよう**適切な時期に**、**ある程度まとまった時間を配当**すること。

□**幼稚園教育との関連** ➡ 特に小学校入学当初は生活科を中心に合科的・関連的な指導を行ったり、弾力的に時間割を工夫した指導を行ったりといった工夫(スタートカリキュラム)が重要となる。

□**インクルーシブ教育** ➡ 障がいのある児童などの指導に当たって、学習活動を行う場合に生じる困難さに応じた指導内容や指導方法の工夫を計画的、組織的に行うこと。

□**道徳と体育** ➡ 道徳教育は学校の教育活動全体を通じて行うものであることから、**体育科でも教科の特質に応じて最後まで粘り強く取り組む**、**気持ちのよい挨拶をする**、**仲間と協力する**、**勝敗を受け入れる**、**フェアなプレイを大切にする**、**仲間の考えや取組を理解する態度の育成などについて適切な指導をする**ことが求められる。

2 内容の取扱い

重要度 ★★★

□**言語活動** ➡ コミュニケーション能力や論理的な思考力の育成を促すための言語活動を積極的に行う。

□**オリンピック・パラリンピック** ➡ ルールやマナーを**遵守**(じゅんしゅ)することや**フェアなプレイ**を大切にすることなど、運動を通してスポーツの意義や価値等に触れることができるようにする。

□**体ほぐしの運動** ➡「**体ほぐしの運動**」は、**6年間を通じて取り扱うもの**であるが、各学年の他の領域においても指導ができる。

□**水泳等の取扱い** ➡ 適切な水泳場の確保が困難な場合にはこれらを取り扱わないことができるが、**これらの心得については、必ず取り上げること**。

□**集団行動** ➡ 集合、整頓、列の増減などの行動の仕方を身に付け、能率的で安全な集団としての行動ができるようにするための指導については、「**体つくり運動**」**をはじめとして**、**各学年の保健を除く各領域において適切に行う**こと。

□**自然とのかかわりの深い運動** ➡ 雪遊び、スキー、スケートなどの指導は、諸条件の整っている学校においては、積極的に指導していく。

□**食育との関連** ➡ 保健の内容のうち運動、食事、休養及び睡眠については、食育の観点も踏まえつつ、健康的な生活習慣の形成に関する学習の効果を高めるため、**保健領域の内容と運動領域の内容及び学校給食に関する指導との密接な関連を図った指導に配慮する**ことが必要である。

□**保健指導** ➡ 身近な体験や事例などを題材にした話合い、思考が深まる発問の工夫、課題解決的な活動や発表、**ブレインストーミング**、応急手当などの実習など。また、地域の人材の活用や養護教諭、栄養教諭などとの連携を推進するなど、多様な指導の工夫を行う。

□**総則との関連** ➡ 体力は「生きる力」を支える重要な要素であるから、積極的に運動する児童とそうでない児童の二極化傾向が指摘されていることを踏まえ、生涯にわたって運動やスポーツを豊かに実践していくことと体力の向上を重視し、児童が自ら進んで運動に親しむ資質・能力を身に付け、心身を鍛えることができるようにする。また、指導を効果的に進めるためには、全国調査などを用いて児童の体力や健康状態を的確に把握し、学校や地域の実態を踏まえて全体計画を作成し、計画的、継続的に指導することが重要である。

ポイント 水泳の心得は必ず取り上げる!

07 器械運動（マット運動）

頻出度 **B**

●基本的なマット運動の名称が問われることが多い。
●技のポイントやつまずきやすいところ、指導のポイントなども問われる。

1 前転・後転

重要度 ★

基本的な回転技となる。前転は大きな前転、開脚前転、跳び前転、倒立前転に、後転は大きな後転から開脚後転、伸膝後転へと発展。

技名	動作手順
大きな前転	起立した状態から、頭よりも手を先になるべく遠くについて回転をする。
跳び前転	両腕と両脚が地面から離れている状態で遠くへ着手するように跳びこみ、両腕でしっかり着手し、勢いを吸収させ、首、背中の順につき、なめらかに回り、立ち上がる。
伸膝後転	膝を伸ばしたまま上体を折り曲げるようにして後方へ体を倒し、両手を外側に着手し、おしりをつく衝撃を和らげ、回転する。つまずきの指導→膝を伸ばしたまま立つことができない場合、回転後の足の着地位置を少しずつ手に近づけていく。

2 開脚前転

重要度 ★★

□**技のポイント** ➡ 腰を高く上げ、頭の後ろから転がる。回転中はあごを引いて体を丸くし、足首と膝を伸ばし大きく一気に開く。**手を体に近いところ**につき、手の押しと同時に肩を前に出して立ち上がる。

□**開脚前転のつまずきの指導** ➡ 起き上がれずに尻餅をついてしまう場合、マットに傾斜をかけて起き上がりを容易にしたり、マットを２つ折りにして高さを出して、足をつきやすくしたりする。

3 開脚後転 重要度 ★

□**技のポイント** ➡ あごを引き、背中から転がる。手は耳の脇につけて回転に合わせて腕をしっかり伸ばす。腰が頭の上を通過するときに膝を伸ばして足を開く。両手でマットを押し離す。

□**開脚後転のつまずきの指導** ➡ 後転が苦手な児童には、マットに傾斜をかけて転がりやすくしたり、ゆりかごなど体を揺らす運動遊びで腰を上げたり、かえる逆立ちなどで体を支える感覚が身に付くよう配慮する。

4 倒立 重要度 ★

技名	動作手順
かえる逆立ち	しゃがんだまま腕をつき、かえるのように足を曲げて肘に当て、体重を支える。さらに足を肘から離し、高いところで足裏をパパンと打つのがかえる足うち。
壁倒立	腕を振り下ろして両手をつき脚を振り上げ、両足を壁にもたせかけ、逆さ姿勢になること。 ポイント：腕の振り下ろしを利用する。
頭倒立	しゃがみ立ちの姿勢から両手と前頭部をマットにつけ、腰・脚の順に引き上げ3点で倒立をすること。

5 側方倒立回転 重要度 ★★★

【手のつき方】

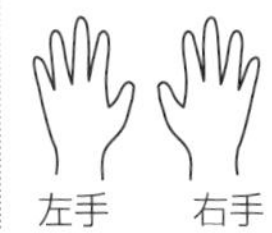

□**技のポイント** ➡ **手を振り上げ、大きく振り下ろす**ことで回転加速をつける。手は足のつま先の向きに対して横につき、あごを出し、足を振り上げ、手に体重をのせる。**最初につく足は進行方向とは逆に向ける**。

□**側方倒立回転のつまずきの指導** ➡ 足が上がらず、両手（肩）にしっかり体重がのらないケースが多い。この場合は、逆さ感覚・腕支持感覚をかえる逆立ちや壁倒立などの基礎運動から高めるようにする。また、手を振り上げ、大きく振り下ろすことで回転加速をつける練習をする。

ポイント 側転の正式名称の側方倒立回転を覚えよう

08 器械運動（鉄棒運動）

日付 ／

頻出度 B

●基本的な鉄棒運動の名称が問われることが多い。
●逆上がりなどの基本的な技のつまずきやすいところ、指導のポイントなどが問われる。

1 基本的な上がり技　重要度 ★

技名	動作手順
膝掛け振り上がり	片膝を鉄棒に掛け、他方の脚を前後に大きく振動させ、振動に合わせて手首を返し鉄棒に上がること。
膝掛け上がり	脚を振り上げて膝掛け姿勢になり、振れ戻りの勢いを利用して上がること。膝掛け振り上がりの発展技。

2 逆上がり　重要度 ★★★

□**技のポイント** ➡ 順手（逆手も可）で鉄棒を握り足を前後に開き、**鉄棒を体にひきつける**。足の振り上げとともに上体を後方へ倒し、手首を返して鉄棒に上がる。後ろ足の振り上げの勢いを利用し、腹を鉄棒に近づけるようにする（**あごを開かない**）。

□**逆上がりのつまずきの指導** ➡ つまずきの例としては、肘が最初から伸びている、振り上げの力が弱く腰が鉄棒にひきつけられない、体が反り返っているなどがある。補助具使用で腰を鉄棒から離さない感覚を身に付ける。

3 基本的支持回転　重要度 ★

技名	動作手順
かかえ込み回り	鉄棒上での支持姿勢から上体を前方（後方）に振り出し、手で脚をかかえ込んで回転する。安定したかかえ込み回りとは、かかえ込み回りを連続して行うこと。
片膝掛け回転	前後開脚の支持姿勢から後方または前方に上体と脚を大きく振り出して回転し、前後開脚の支持姿勢に戻る。
前方支持回転	支持姿勢から体を前方に勢いよく倒して回転し、上体を一気に起こし、手首を返して支持姿勢に戻る。
後方支持回転	支持姿勢から体を後方に勢いよく倒して腹部を鉄棒に引き寄せて回転し、支持姿勢に戻ること。

4 前方（後方）支持回転　重要度 ★★

前方支持回転

□**技のポイント** ➡ 支持姿勢から腕をしっかり伸ばし、**胸をはって大きく前に倒れるように回転する**。頭が鉄棒の真下を通過するときに太ももの付け根に鉄棒をはさむ。鉄棒から体が離れないようにして回る。

□**前方支持回転のつまずきの指導** ➡ 回転しきれずに鉄棒から落ちてしまう場合、安定したかかえ込み回りの練習により回転感覚をつかむ。

後方支持回転

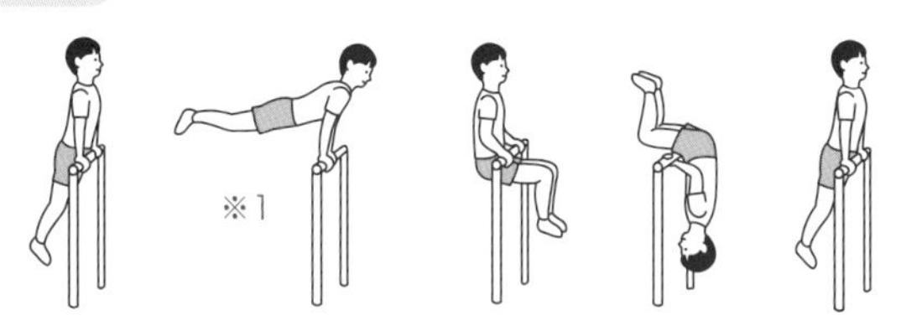

□**技のポイント** ➡ 支持姿勢から弾みをつけて**足を後方に振り上げ**、**肩を倒す勢いを利用して回転する**。太ももの付け根が鉄棒に触れた瞬間、膝を曲げ、ももの付け根で鉄棒をはさむ。手首を少し早めに返し、腰が曲がらないようにする。

□**後方支持回転のつまずきの指導** ➡ 足の振り上げ（※1の図）による勢いを利用できるように、足の振り上げの練習をする。また、回転途中でももの付け根で鉄棒をはさむ感覚を、安定したかかえ込み回りの練習で身に付ける。

5 基本的な下り技　重要度 ★

技名	動作手順
前回り下り	前回りをして下りる。
転向前下り	前後開脚の支持姿勢から前方に出した脚と同じ側の手を逆手に持ちかえ、後方の脚を前に抜きながら順手側の手を離して着地する。
両膝掛け倒立下り	鉄棒に両膝を掛けた姿勢から両手を離して倒立姿勢になり、両手を地面について下りること。

09 器械運動（跳び箱運動）

日付 ／

頻出度 B

●基本的な跳び箱運動の名称が問われることが多い。
●台上前転などの基本的な技のつまずきやすいところ、指導のポイントなどが問われる。

1 開脚跳び

重要度 ★

□**技のポイント** ➡ 助走のスピードを生かし、調子よく**両足で踏み切る**。手は跳び箱の中央より**前方**につき、両手で跳び箱を突き放す。足首と膝を曲げ、やわらかく着地する。

□**開脚跳びのつまずきの指導** ➡ 踏み切りが弱い場合と着手が跳び箱の手前になっている場合が多い。踏み切りが弱い場合、跳び箱なしで助走から踏み切り板を使って跳ぶ練習をする。跳び箱上に着手位置の印を付ける。

2 かかえ込み跳び

重要度 ★★★

□**技のポイント** ➡ 助走の最後の一歩を大きく踏み出し、前に乗り出すように手をつく。腰を高く上げ、膝を素早く抱え、肩を前に出して両手で跳び箱を突き放す。

□**かかえ込み跳びのつまずきの指導** ➡ 跳び箱の側面に体をぶつけてしまうなど、跳び箱については恐怖心から踏み切りができないケースも多い。マットでうさぎ跳びの練習をして、**体重を肩で支える感覚を身に付ける**。また、さまざまな高さや向きの跳び箱を用意し、恐怖心を抱かずに踏み切り、肩が着手位置よりも前に出せるように練習する。

3 台上前転 重要度 ★★★

□**技のポイント** ➡ 強く踏み切って手は**跳び箱の手前につき**、腰を高く引き上げる。背中を丸めてあごを引く。できるだけ頭をつけずに背中で回る。

□**台上前転のつまずきの指導** ➡ 段差のある跳び箱により、台上での回転を容易にし、回転感覚をつかむ。また、横に回転して跳び箱から落ちてしまう場合は、まっすぐに前転ができる練習から始める。着手位置が前方なため、腰から落ちてしまう場合には、着手位置をチョークで記す。

4 首はね跳び・頭はね跳び 重要度 ★★

首はね跳び

□**技のポイント** ➡ 助走から強く踏み切り腰を高く上げ、台上前転の要領で頭を跳び箱につけ、膝を伸ばしたまま回転に入る。背中が跳び箱につく前に、背中を反り返して着地する。

頭はね跳び

□**技のポイント** ➡ 助走から強く踏み切り、跳び箱上で三点倒立の形を取り、膝を伸ばしたまま、足を振り出し、着地する。

ポイント かかえ込み跳びの指導をマスターしよう

10 陸上運動(走・跳の運動)

日付 ／

頻出度 B

●リレーについては簡単なルールが問われることが多い。
●跳(ちょう)の運動については、競技のポイントやつまずきに対する指導方法が問われる。

1 リレー

重要度 ★★★

□**テークオーバーゾーン** ➡ 屋外競技の場合、センターラインを中心に**30m**となる(屋内競技の場合は20m)。リレーは、バトンの受け渡しをこのテークオーバーゾーン内で完了させなければならない。バトンのパスは、受け取る競技者にバトンが触れた時点に始まり、受け取る競技者の手の中に完全に渡った瞬間に成立する。それはあくまでも**テークオーバーゾーン内でのバトンの位置**のみが決定的なものであり、競技者の身体の位置ではない。

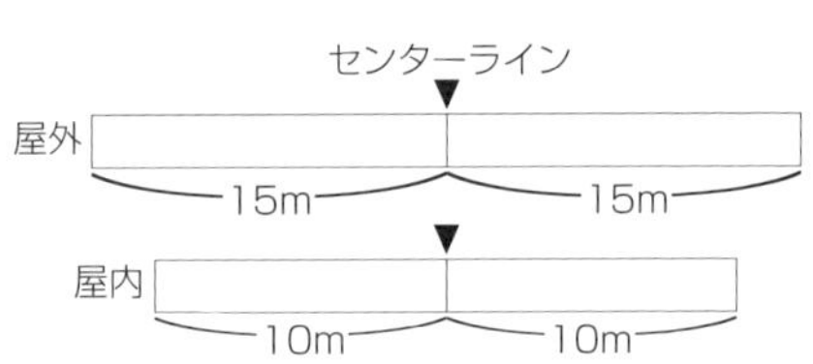

□**バトンの受け渡し** ➡ バトンパスの完了前にバトンを落とした場合、**渡し手(前走者)**がバトンを拾って、落とした地点に戻って競技を継続する。他の競技者を妨害しない限りは、**バトンを落としても失格とはならない**。

□**競技のポイント** ➡ 最初はテークオーバーゾーン内で走りながらバトンパスができるように、高学年ではなるべく減速しないでバトンパスを行う。コーナーでは、内側に体を軽く傾けて走ること。

□**勝敗** ➡ 競技者の**胴体**のいずれかの部分がフィニッシュラインに到達したことで決める。

2 ハードル走

重要度 ★★

□**反則** ➡ 足(脚)がハードルの外側にはみ出てバーの高さより低い位置を通ったとき、手や体や脚でハードルを倒すか移動させたとき、直接間接問わず、レース中に他の競技者に妨害するような行為で、**自分のレーンや他の競技者のレーンのハードルを倒すか移動させたときには失格**となる。

□**競技のポイント** ➡ ハードルの**遠くで**踏み切り、上に高く跳び上がらないでハードルの**近くに**着地する。ハードル間は**3～5歩**のリズムで走る。

□**ハードル走のつまずきの指導** ➡ ハードル間を3～5歩でリズミカルに走れずに、スピードにのれない、ハードルに対する恐怖から跳ばずに立ち止まるなどのケースが見られる。ハードルに対する恐怖心をなくすために、**ゴムハードルやタイヤなどのコース**を作る。また、自分の歩幅に合わせて助走がリズミカルにできるように、ハードル間の距離を変えたコースを設定する。

3 走り幅跳び・走り高跳び

重要度 ★★★

走り幅跳び

□**競技のポイント** ➡ **リズミカルに少しずつスピードを上げ**、足の裏全体で地面をたたくように踏み切る。**上体ならびに腕をよく伸ばして胸をはり跳ぶ**。膝を胸にひきつけて着地する。

□**計測** ➡ 踏み切りゾーンの端(※1)から、最も踏み切りゾーンに近い着地地点(※2)までを計測する。

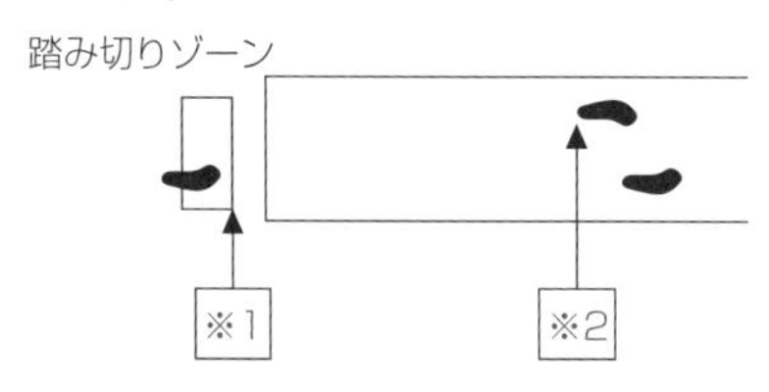

□**走り幅跳びのつまずきの指導** ➡ 踏み切りのタイミングをつかめず助走が生かせない、空中で体の反りを利用できないなどのつまずきに対し、立ち幅跳び→一歩助走幅跳びで空中でのフォームをつかむ→最後の3歩を素早く踏み切る練習などを行う。

走り高跳び

□**競技のポイント** ➡ 5～7歩程度のリズミカルな助走から、**はさみ跳び**で足から着地する安全な跳び方で高く跳ぶ。振り上げ足を振り上げたときに腰を高く上げることが大切。バーに向かって**右側から助走した場合には、踏み切り足は左足になる**。

□**走り高跳びのつまずきの指導** ➡ 助走から踏み切るタイミングがつかめない場合がほとんどであることから、他に踏み切り位置をいろいろ変えて自分にあった助走コース(角度)や踏み切り位置が見つかるようにコースや踏み切り先を多く設ける。

ポイント テークオーバーゾーンは30mと20mの2種類

11 水泳運動

日付 ／

頻出度 B

●児童が安全に取り組むための指導の心得からの出題が多い。
●それぞれの泳法のポイントに関する出題もあるので注意しよう。

1 水泳指導

重要度 ★★

□**バディーシステム** ➡ **児童を二人一組に編成**し、安全の確保と指導の能率を上げることを目的とする指導法。ペアはいつも離れずに近くにいて、助け合って練習し、相手に異常がないか気を付ける。人員点呼の際には、二人手をつないで高く挙げさせるなどして、安全を確保する。

□**健康管理** ➡ 定期健康診断で、児童の健康状態を把握するとともに、**定期健康診断の実施から水泳実施までに期間のある場合は、臨時の健康診断を実施する**。問診表は、体温、食欲、睡眠、活動状況などから健康の状態が分かるように、具体的な調査項目を設定する。**学級担任**や**教科担任**は、**保護者からの連絡**や**本人の訴え**、**授業中の様子**などにより異常が認められたら、養護教諭や学校医等と連絡を取り、水泳実施の可否を含め適切な対応をする必要がある〔参考資料：文部科学省「水泳指導の手引(三訂版)」〕。

□**施設管理** ➡ プールについても、施設や浄化装置等の付属設備について点検整備を十分に行うこと。特に、プールの排水口等に吸い込まれて死亡する事故の防止のため、**排水口等には、堅固な格子鉄蓋や金網を設けて、ボルトで固定する**などの措置をし、いたずらなどで簡単に取り外しができない構造とすること。

2 水泳の技能

重要度 ★★

技名	動作手順
け伸び	プールの底や壁をけり、**腕をまっすぐに耳の後ろにもっていき、両手の指先を重ね**、全身の力を抜いて体を一直線に伸ばして進む。**あごを引く**。
連続したボビング	息継ぎの基本となる。**水中で息を吐き、顔を上げたときに一気に息を吸うことを連続して行うこと**。

スタート	小学校においては、飛び込みによる事故の防止のため、**水中からのスタートを指導する。**

クロール

□**泳法のポイント ➡** 左右の脚の幅は親指が触れ合う程度とし、キックの上下動は30〜40cm 程度。けり下ろし動作は、**膝を柔らかくしなやかに伸ばした脚を、太ももから徐々に足先に力が加わるように力強く打つ。**けり終わった後、上方に脚を戻すときには、脚を伸ばして太ももから上げるようにする。左右の腕は**一方の手先が水中に入る場合、他方の腕は肩の下までかき進める。**手のひらは斜め外向きにして水中に入れ、手先が太ももに触れる程度までかき、**肘から水面に抜き上げる。**呼気は水中で鼻と口で徐々に吐き出し始め、最後は力強く吐き出す。吸気は**顔を横に上げ**、口で素早く大きく吸い込む。

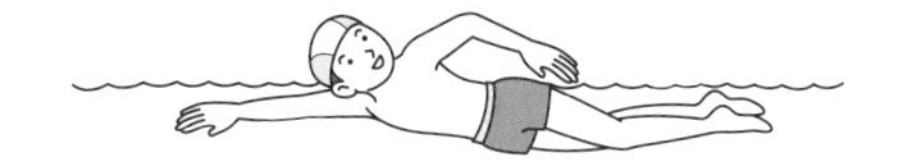

□**指導のポイント ➡** リズミカルに手の動きができるように、陸上で両手を頭上で合わせてから交互にかく練習をする。息継ぎは、補助板を使用し、最初は頭を横に回して空を、次に真横を、最後には**肩を見る**ように練習する。

平泳ぎ

□**泳法のポイント ➡** 両手を前方に伸ばし、円を描くように左右に開き**水を胸にむけてかく。**足は、親指を外側に開いて**足の裏全体で水を押し出す**とともに、キックの後にけ伸びの姿勢を保つ。息継ぎは手で左右に開き水をかきながら、顔を前に上げ行う。腕で水をかく間に脚を曲げて踵を引き寄せ、腕を前方に差し出す間に足裏で水をける。

□**指導のポイント ➡** プールの壁につかまって、足の曲げ伸ばしの練習→足裏で水をける、かえる足の練習をする。足を蹴り伸ばしたときには手も伸ばし、け伸びの状態をつくるリズムを陸上で練習する。

ポイント 小学校では水中からのスタートを指導する

12 ゲーム

頻出度 **B**

●児童が課題を持って楽しく取り組める場の工夫、ルールが問われることが多い。
●技のポイントに関する出題もあるので注意しよう。

1 ゲームの指導　重要度 ★★★

□**ゲーム・ボール運動領域の特性** ➡ **競い合う楽しさ**に触れたり、友達と力を合わせて競争する楽しさや喜びを味わったりすることができる運動である。この領域で身に付ける技能は、①**ボール操作**と②**ボールを持たないときの動き**で構成されている。

□ボールを持たないときの動き ➡ 空間・ボールの落下点・目標となる区域や塁に走り込む、味方をサポートする、相手のプレーヤーをマークするなど、ボール操作に至るための動きや守備の動きに関する技能である。

□**易しいゲーム** ➡ 中学年では易しいゲームを行うが、易しいゲームとは基本的なボール操作で行え、**プレーヤーの人数を少なく**したり（触球回数を増やす）、**攻める側の人数**を**守る側の人数より多く**したり（フリーの味方へのパスや得点しやすい場所に移動することが容易になる）、**コートの広さ**や**塁間の距離**などを**修正**、**身体接触を避ける**など、児童が取り組みやすいように工夫したゲームのこと。

□**簡易化されたゲーム** ➡ 高学年では簡易化されたゲームを行うが、簡易化されたゲームとは、ルールや形式が一般化されたゲームを**児童の発達段階を踏まえ、実態に応じたボール操作で行うことができ**、上記の工夫などにより児童が取り組みやすいように工夫したゲームのこと。

【運動に意欲的でない児童への配慮の例】

□**低・中学年** ➡ **柔らかいボール**、大きなボール、ゆっくりとしたスピードになるボールを用意する。

□**中学年** ➡ ゲームに参加している実感がなく、楽しさを味わえない児童には、**チームの人数を少人数**にして、**役割を明確**にしたり、**触球回数を増やせる**ようにしたりする。

□**高学年** ➡ 技能が高いにもかかわらずゲームに意欲的に取り組めない児童

については、リーダーとしてチームをまとめるようにしたり、仲間に動きのアドバイスをする役割を担うようにしたりするなどの配慮をする。

2 バスケットボール 重要度 ★★★

□**パーソナル・ファウル** ➡ 押したり叩いたり、相手プレーヤーの動きを妨げたときには、パーソナル・ファウルとして反則となる。

・**チャージング**：**攻撃側のプレーヤーが、相手のプレーヤーに体を当てたり、手で押したりした場合の反則**。

□**シュート動作中のパーソナル・ファウル** ➡ ファウルを受けながらもシュートが決まった場合は、そのゴールは得点となり、さらに1本のフリースローが与えられる。シュートが外れた場合は2本のフリースローが与えられる。

□**バイオレーション** ➡ ファウル以外の反則行為。

・**トラベリング**：ボールをもったまま**3歩以上**歩くと反則となる。

・**5秒ルール**：スローインでパスを出すまでに5秒以上かかったり、ボールをもったまま、パスもドリブルもできない状態で5秒以上経ったりしてしまうと反則となる。

□**ディフェンス** ➡ 攻撃側の1人に対し、守備側の1人がマークする形を**マンツーマンディフェンス**、守備範囲を決めてゾーンを形成する形を**ゾーンディフェンス**という。

3 サッカー 重要度 ★★

□**キックの名称** ➡ **インサイドキック**は、近くの目標に素早く正確にボールを送るときに、膝・足先を外に開いて、足の内側面で蹴る（図１）。**インステップキック**は、ボールを遠くに送ったり、スピードの速いボールを出すときに、足先を伸ばして甲で蹴る（図２）。

□**ゴールキック・コーナーキック** ➡ 攻撃側が、相手側ゴールラインの外へボールを出した場合、相手チームのゴールキック。逆に守備側が自陣のゴールラインの外へボールを出した場合、攻撃側チームのコーナーキック。

ポイント バスケットボールの反則は必ずマスターしよう！

13 応急手当

●やけどや脳貧血などの応急手当、直接圧迫止血法の方法などが問われる。
●心肺蘇生法の手順はしっかり理解しておこう。

1 けがなどの応急手当　重要度 ★★

□**突き指** ➡ 突き指により血管が傷つくと、内出血が起こり指が腫れるため、出血量を減らすために**患部を冷やしたり**、きつくない程度に圧迫し、テーピングなどで固定したりする。強く引っ張っても突き指の応急処置にはならない。打撲や捻挫（ねんざ）、肉離れも同様にする。

□**骨折** ➡ 骨折が確認された場合も、骨折の疑いがある場合も、**骨折部の上下の関節**が固定できる長さの副子（ふくし）をあてる。

□**やけど** ➡ やけどをしたら、患部をすぐに冷たい水で痛みがとれるまで冷やす。衣類を着ている部分にやけどを負った場合には、**衣類を無理に脱がそうとせず、そのまま流水で冷やす**。水ぶくれが破れると感染する場合があるため、破かないようにする。

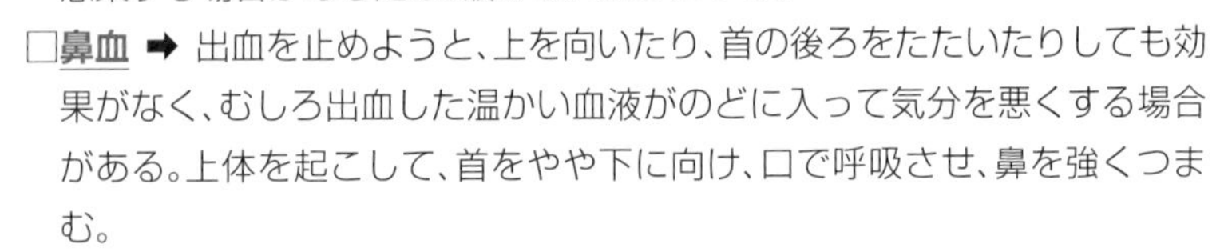

□**鼻血** ➡ 出血を止めようと、上を向いたり、首の後ろをたたいたりしても効果がなく、むしろ出血した温かい血液がのどに入って気分を悪くする場合がある。上体を起こして、首をやや下に向け、口で呼吸させ、鼻を強くつまむ。

□**直接圧迫止血法** ➡ 止血方法の基本となる。**出血している部位にきれいなガーゼやハンカチなどを当て、手で圧迫して止める**。この方法で止血できない場合に、出血部位よりも心臓に近い動脈を押さえる止血帯法（間接圧迫止血法）がある。感染防止のために、直接血液に触れないよう、ビニール手袋などを利用する。

□**こむらがえり** ➡ こむらがえりは筋肉疲労や低温による血液循環の悪化が原因であるので、痙攣（けいれん）を起こしているふくらはぎの筋肉を揉みほぐし、筋肉をしっかり伸ばし、**患部を温めて血液循環を促す**。

2 その他の応急処置　重要度 ★★

□2021年に**「JRC 蘇生ガイドライン2020」**が出された。

□**心肺蘇生法の手順** ➡ 呼吸や心臓が止まっている人に対し、救急車が到着するまでのわずかの間に以下の手順で実施する。

- **意識の確認**：肩を軽くたたきながら呼びかけて、意識のあるなしを確認し、意識がない、または判断に迷う場合には、救急車の要請。
- **呼吸の確認**：胸部と腹部の動きを観察し、普段どおりの呼吸がない場合、判断に迷う場合には、胸骨圧迫を開始する。
- **胸骨圧迫**：胸骨の下半分に肘を伸ばし両手を重ねた状態で垂直に体重をかける。1分間あたり**100～120**回のテンポで**30**回続けて行う。
- **気道の確保**：片方の手を傷病者の額に当てた状態で、もう一方の手の人差し指と中指であごの先を上げる。

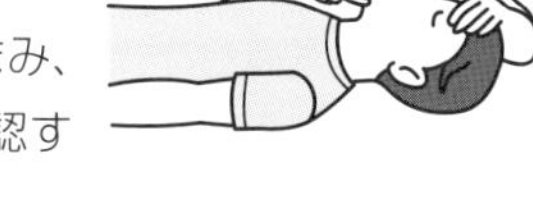

- **人工呼吸**：額に当てた手で傷病者の鼻をつまみ、口から息を吹き込んで、胸が上がるのを確認する（**2**回）。
- **胸骨圧迫を再開**：胸骨圧迫**30**回→人工呼吸**2**回を繰り返す。

＊出血がある場合や口対口人工呼吸を行うことがためらわれる場合には、人工呼吸を省略し、胸骨圧迫のみを続ける。

□**熱中症** ➡ **高温多湿の環境**で、体内の水分や塩分（ナトリウムなど）のバランスが崩れたり、体内の調整機能が破綻したりして起こる。

【熱中症の症状】

Ⅰ度	熱けいれん	めまいや失神、筋肉の硬直、大量の発汗
Ⅱ度	熱疲労	頭痛、気分の不快、吐き気、倦怠感
Ⅲ度	熱射病	意識障害、痙攣、手足の運動障害、高体温

- **涼しい環境に避難し、衣服をゆるめて体に水をかける。熱射病の場合には脇の下や脚の付け根などに氷嚢などを当てて冷やす**。
- 水分や生理食塩水を補給する。
- 足を高くして寝かせ、手足の末梢から中心部にかけてマッサージをする。

□**脳貧血** ➡ 長時間立っていたり、急に立ったりした場合に、一時的に脳への血流量が減少し、顔色が青白くなり、頭痛、めまい、吐き気を伴う。

- 衣服をゆるめ、足を高くし気道を確保して寝かす。

ポイント 学校安全Webで「熱中症を予防しよう」を参照しておこう

14 保健

日付 ／

●自ら健康な生活を実践するためのヘルスプロモーションの考え方をしっかり理解しておこう。
●たばこに含まれる有害物質、新興感染症の知識が問われることもある。

1 心身の健康の保持増進に関する指導 出題 栃木・新潟・愛知 重要度 ★★

□児童が身近な生活における健康に関する知識を身に付けることや、必要な情報を自ら収集し、適切な意思決定や行動選択を行い、積極的に健康な生活を実践することができる資質・能力を育成することが大切である。

□情報化社会の進展により、様々な健康情報や性・薬物等に関する情報の入手が容易になっていることなどから、児童が適切に行動できるようにする指導が一層重視されなければならない。

□児童が心身の成長発達に関して適切に理解し、行動することができるようにする指導に当たっては、**集団の場面で必要な指導や援助を行うガイダンス**と、**一人一人が抱える課題に個別に対応した指導を行うカウンセリング**双方の観点から、家庭の理解を得ることに配慮しながら指導する。

2 学校における感染症の予防 出題 栃木・新潟・愛知 重要度 ★★

□**感染予防の対策** ➡ 消毒や殺菌等により**感染源**をなくすこと、**手洗い**や**食品の衛生管理**など周囲の環境を衛生的に保つことにより**感染経路**を遮断すること、栄養バランスがとれた食事、規則正しい生活習慣、適度な運動、予防接種などをして体の**抵抗力**を高めることが重要である。

【感染症の種類(学校保健安全法施行規則)】

第一種	エボラ出血熱、痘そう、ペスト、急性灰白髄炎、ジフテリア、特定鳥インフルエンザなど
第二種	インフルエンザ(特定鳥インフルエンザを除く)、百日咳、麻しん、流行性耳下腺炎、風しん、水痘、咽頭結膜熱、結核、髄膜炎菌性髄膜炎
第三種	コレラ、細菌性赤痢、腸管出血性大腸菌(O157等)感染症、急性出血性結膜炎その他の感染症

出席停止期間の基準

□第一種の感染症にかかった者については、治癒するまで。

□インフルエンザ(特定鳥インフルエンザ及び新型インフルエンザ等感染症を除く)は、**発症した後5日を経過し、かつ、解熱した後2日を経過するまで**。

□風しんは、発しんが消失するまで。

□水痘は、すべての発しんが痂皮化するまで。

□第二種の感染症の出席停止期間の基準は感染症ごとに個別に定められているが、症状により医師が感染のおそれがないと認めたときはこの限りでない。

□第三種の感染症は、学校教育活動を通じ、学校において流行を広げる可能性がある感染症であり、出席停止期間の基準は病状により医師が感染のおそれがないと認めるまでであるが(『学校において予防すべき感染症の解説 文部科学省』より)、**学校で通常見られないような重大な流行が起こった場合に、その感染拡大を防ぐために、必要があるときに限り、校長が学校医の意見を聞き、第三種の感染症の「その他の感染症」として緊急的に措置をとることができる**。

3 わたしたちの健康

出題 栃木・新潟・愛知　重要度 ★★

□**喫煙** ➡ たばこ煙に含まれる**ニコチン**は、**依存症**になるほか、心拍数の増加、血圧の上昇、末梢血管の収縮などを起こす。**一酸化炭素**は、赤血球のヘモグロビンと結びつくので、**酸素の運搬を妨げ**、脳や全身の細胞が酸素不足になる。**タール**には**発がん物質が含まれている**。

□**後天性免疫不全症候群(AIDS)** ➡ HIV(ヒト免疫不全ウイルス)が体内に入り、血中のTリンパ球に感染すると、**免疫機能の低下**をもたらす。感染ルートはHIVの混入した**血液の輸血**や**非加熱血液製剤**、**HIV感染者との性交**及び**母子感染**などである。

□**結核** ➡ 結核は、かつて国民病と言われる時代があったが、国民の生活水準の向上や医学・医療の進歩などにより、以前に比べて大きく改善してきた。感染による慢性の伝染病で、菌が肺に侵入し病変をつくる。**感染の有無はツベルクリン反応を調べることで行う**。

□**ノロウイルス** ➡ ノロウイルスは手指や食品などを介して、経口で感染し、ヒトの腸管で増殖し、おう吐、下痢、腹痛などを起こす。患者のノロウイルスが大量に含まれるふん便や吐物から人の手などを介して二次感染したり、感染した食品取扱者を介して汚染した食品を食べて感染したりする。

ポイント 保健分野の勉強は時事と関連させて行おう

15 新体力テスト

頻出度 B

●新体力テストがどのような項目を実施するのかを確実に理解する。
●テストの実施方法への理解も深めておこう。

1 新体力テスト

重要度 ★★

□**新体力テストの意義** ➡ 各学校において、体育・健康に関する指導を効果的に進めるためには、地域や学校の実態及び新体力テストなどを用いて児童の体力や健康状態等を的確に把握し、それにふさわしい学校の全体計画を作成して計画的、継続的に指導することが重要である。

項目名	内　容	方　法
握　力	握力計の指針が外側になるように持ち、人差し指の第2関節が、ほぼ直角になるように握りの幅を調節する。直立の姿勢で、握力計を身体や衣服に触れないようにして力いっぱい握る。握力計を振り回さないようにする。	右左交互に右左の順で2回ずつ実施する。
上体起こし	マット上で仰臥（ぎょうが）姿勢をとり、両腕を胸の前で組み、両膝の角度を90度に保つ。補助者は、被測定者の両膝をおさえる。「始め」の合図で、仰臥姿勢から、両肘と両大腿部がつくまで上体を起こす。	30秒間の回数を記録する。
長座体前屈	両脚を測定用の箱の間に入れ、長座姿勢をとり、壁に背・尻をぴったりとつける。両手の手のひらを下にして置き、胸を張って、両肘を伸ばしたままゆっくりと前屈して、箱全体を真っ直ぐ前方にできるだけ遠くまで滑らせる。このとき、膝が曲がらないように注意する。	初期姿勢から最大前屈時の箱の移動距離をスケールから読み取る。2回実施してよい方の記録をとる。

50m走	スタートは、**スタンディングスタート**の要領で行う。	実施は1回とする。
反復横跳び	中央ラインとその両側1mのところに2本の平行ラインをひく。中央ラインをまたいで立ち、「始め」の合図で右側のラインを越すか、または、踏むまでサイドステップし、次に中央ラインに戻り、さらに左側のラインを越すかまたは触れるまでサイドステップする。	左記の運動を20秒間繰り返し、それぞれのラインを通過するごとに1点を与える(右、中央、左、中央で4点になる)。テストを2回実施してよい方の記録をとる。
20m シャトルラン	20mの幅にラインを2本引き、電子音の合図でスタートして、電子音が次に鳴るまでに20m先の線に達したら、その場で向きを変える。電子音の間隔はだんだん短くなり、**設定された速度を維持できず走るのをやめたとき、また、2回続けてどちらかの足で線に触れることができなくなったときに、終了する**。	テスト終了時(電子音についていけなくなった直前)の折り返しの総回数を記録とする。 医師の治療を受けている者や実施が困難と認められる者については、このテストを実施しない。
立ち幅跳び	つま先が踏み切り線の前端に揃うように立ち、両足で同時に踏み切って前方へ跳ぶ。	身体が砂場(マット)に触れた位置のうち、最も踏み切り線に近い位置と、踏み切り線の前端とを結ぶ直線の距離を計測する。2回実施してよい方の記録をとる。
ソフトボール投げ	投球は地面に描かれた円内から行う。投球中または投球後、円を踏んだり、越したりして円外に出てはならない。	ボールが落下した地点までの距離を、あらかじめ1m間隔に描かれた円弧によって計測する。 2回実施してよい方の記録をとる。

□**実施上の一般的注意** ➡ テスト実施に当たっては、被測定者の健康状態を十分把握し、事故防止に万全の注意を払う。医師から運動を禁止または制限されている者はもちろん、当日身体の異常を訴える者には行わない。1年生については、健康診断実施後に行う。

新体力テストの実施結果も、参照しておこう

ポイント 新体力テストの8つの項目を覚えておこう！

01 学習指導要領① 目標

頻出度 A

●目標は全文暗記すること。
●外国語活動の目標と比較しながら、重要語句を中心に理解する必要がある。

1 外国語科新設のポイント

重要度 ★★

□小学校第３学年及び第４学年から「聞く」「話す」を中心とした外国語活動を導入し、さらに第５学年及び第６学年から「読む」「書く」への学習を段階的に加えることで、外国語科として位置付ける。**第５学年、第６学年、各々年間70単位時間**（**１単位時間は45分**）、**原則として英語**を取り扱う。

2 外国語科の目標 暗記

重要度 ★★★

外国語によるコミュニケーション**における見方・考え方を働かせ、外国語による**聞くこと、読むこと、話すこと、書くこと**の言語活動を通して、コミュニケーション**を図る基礎となる資質・能力を次のとおり育成することを目指す。**

（１）**外国語の**音声や文字、語彙、表現、文構造、言語の働き**などについて、日本語と外国語との違いに気付き**、これらの知識を理解するとともに、**読むこと、書くことに慣れ親しみ、聞くこと、読むこと、話すこと、書くことによる実際のコミュニケーションにおいて活用できる基礎的な技能を身に付ける**ようにする。

（２）コミュニケーションを行う**目的や場面、状況などに応じて、身近で簡単な事柄について、聞いたり話したりする**とともに、音声**で十分に慣れ親しんだ外国語の語彙や基本的な表現**を推測**しながら読んだり**、語順を意識**しながら書いたり**して、自分の考えや気持ちなど**を伝え合うことができる**基礎的な力を養う。

（３）**外国語の**背景**にある**文化に対する理解を深め、**他者に配慮**しながら、**主体的に外国語を用いて**コミュニケーション**を図ろうとする態度**を養う。

3 各言語の目標

重要度 ★★

□小・中・高等学校で一貫した５つの領域別（「聞くこと」「読むこと」「話すこと［やり取り］」「話すこと［発表］」「書くこと」）の目標を設置。

学習指導要領の要約

□聞くこと

ア　ゆっくりはっきりと話されれば、自分のことや身近で簡単な事柄について、簡単な語句や基本的な表現を聞き取ることができるようにする。

イ　日常生活に関する身近で簡単な事柄について、具体的な情報を聞き取ることができるようにする。

ウ　日常生活に関する身近で簡単な事柄について、短い話の概要を捉えることができるようにする。

□読むこと

ア　活字体で書かれた文字を識別し、読み方を発音することができるようにする。

イ　音声で十分慣れ親しんだ簡単な語句や基本的な表現の意味が分かるようにする。

□話すこと[やり取り]

ア　基本的な表現を用いて指示、依頼をし、それらに応じたりする。

イ　日常生活に関する身近で簡単な事柄について、自分の考えや気持ちなどを、簡単な語句や基本的な表現を用いて伝え合う。

ウ　自分や相手のこと及び身の回りの物に関する事柄について、簡単な語句や基本的な表現を用いてその場で質問したり答えたりして、伝え合う。

□話すこと[発表]

ア　日常生活に関する身近で簡単な事柄について、簡単な語句や基本的な表現を用いて話すことができるようにする。

イ　自分のことについて、伝えようとする内容を整理した上で、簡単な語句や基本的な表現を用いて話すことができるようにする。

ウ　伝えようとする内容を整理した上で、自分の考えや気持ちなどを、簡単な語句や基本的な表現を用いて話すことができるようにする。

□書くこと

ア　大文字、小文字を活字体で書くことができる。語順を意識しながら音声で十分慣れ親しんだ簡単な語句や基本的な表現を書き写すことができる。

イ　自分のことや身近で簡単な事柄について、例文を参考に、音声で十分に慣れ親しんだ簡単な語句や基本的な表現を用いて書くことができる。

ポイント　コミュニケーションを図る基礎となる資質・能力を育成

02 学習指導要領②
第5学年及び第6学年の内容

日付
／

頻出度 A

●外国語活動との違いをしっかり確認しておこう。
●実際のコミュニケーションを行う際の5つの領域の活用がポイントになる。

1 英語の特徴やきまりに関する事項　重要度 ★★

言語活動を効果的に関連づけるための言語材料「知識及び技能」

言語材料	具体的内容
音声	現代の標準的な発音／語と語の連結による音の変化／語や句、文における基本的な強勢／文における基本的なイントネーション／文における基本的な区切り
文字及び符号	活字体の大文字、小文字／終止符や疑問符、コンマなどの基本的な符号
語、連語及び慣用表現	第３学年及び第４学年において外国語活動を履修する際に取り扱った語を含む600～700語程度の語／連語のうち、get up, look at などの活用頻度の高い基本的なもの／慣用表現のうち、excuse me, I see, I'm sorry, thank you, you're welcome などの活用頻度の高い基本的なもの
文及び文構造（ア）文	日本語と英語の語順の違い等を気付かせるとともに、文脈でのコミュニケーションの中で繰り返し触れること。 a 単文／b 肯定、否定の平叙文／c 肯定、否定の命令文／d 疑問文のうち、be 動詞で始まるものや助動詞(can, do など)で始まるもの、疑問詞(who, what, when, where, why, how)で始まるもの／e 代名詞のうち、I, you, he, she などの基本的なものを含むもの／f 動名詞や過去形のうち、活用頻度の高い基本的なものを含むもの
文及び文構造（イ）文構造	a[主語＋動詞]／b[主語＋動詞＋補語]のうち、 主語＋ be 動詞＋[名刺／代名詞／形容詞] c[主語＋動詞＋目的語]のうち、 主語＋動詞＋[名詞／代名詞]

2 英語で表現したり、伝え合ったりすることに関する事項　重要度 ★★

コミュニケーションを行う目的や場面、状況などに応じて、情報を整理しながら考えを形成。[思考力、判断力、表現力等]

□伝えようとする内容 ➡ 整理した上で、簡単な表現で伝え合う。
□身近な事柄について ➡ 推測しながら読んだり、語順を意識して書く。

3 言語活動及び言語の働きに関する事項 重要度 ★★

□**聞くこと** ➡ 身近な事柄について、基本的な表現を聞き、**イラストや写真などと結び付ける**。**日付**、**時刻**、**値段**など具体的な情報を聞き取る。短い会話や説明を**イラストや写真**などを参考にして、必要な情報を得る。
□**読むこと** ➡ **活字体で書かれた文字の大文字**、**小文字**を**識別**し適切に発音する。掲示やパンフレットなどから、必要な情報を得る。**音声**で慣れ親しんだ語句や表現を、**絵本**などから識別する。
□**話すこと[やり取り]** ➡ **初対面の人や知り合い**と**挨拶**、**指示**、**依頼**をしてそれらに応じたりする。**自分の考え**などを伝えて、簡単な質問に答えたり、互いに質問をし合って**短い会話**をしたりする。
□**話すこと[発表]** ➡ **時刻や日時**、**場所**など身近な事柄を話す。基本的な表現を用いて**自分の趣味や得意なことを含めた自己紹介**をする。学校生活や地域に関することなど、自分の考えや気持ちなどを話す。
□**書くこと** ➡ **活字体の大文字**、**小文字**を書く。相手に伝えるなどの目的をもって、簡単な語句を書き写し、**語と語の区切りに注意し**、**名前**、**年齢**、**趣味**、**好き嫌い**など**自分に関する事柄**について、基本的表現を用いた例の中から言葉を選んで書く。

4 言語の働きに関する事項 重要度 ★★

□言語の使用場面では、児童の身近な暮らしに関わる場面などを示す。

(ア)コミュニケーションを円滑にする	挨拶をする、**呼び掛ける**、相づちを打つ、**聞き直す**、**繰り返す**　など
(イ)気持ちを伝える	礼を言う、褒める、**謝る**　など
(ウ)事実・情報を伝える	説明する、**報告する**、**発表する**　など
(エ)考えや意図を伝える	申し出る、意見を言う、**賛成する**、**承諾する**、**断る**　など
(オ)相手の行動を促す	質問する、依頼する、命令する　など

日本語と英語の特徴や語順の違いなど、文構造への気付きが重要

ポイント 5つの領域を活用して実際のコミュニケーションを行う

03 学習指導要領③ 指導計画の作成と立案

頻出度 A

●5つの領域に重点を置いた具体的指導計画の要点を把握する。
●グローバルな視点を意識して作成していく姿勢を意識しておこう。

1 指導計画の作成にあたっての配慮事項 重要度 ★★★

□外国語科においては、**英語を履修させることを原則**とすること。

□第３学年及び第４学年並びに中学校及び高等学校における指導との接続に留意。

□**児童の主体的・対話的で深い学びの実現 ➡ 具体的な課題等を設定し、児童が外国語によるコミュニケーションにおける見方・考え方を働かせながら、コミュニケーションの目的や場面、状況などを意識して活動を行う。英語の音声や語彙、表現などの知識**を、**５つの領域における実際のコミュニケーションにおいて活用する学習の充実**を図る。

□**学年ごとの目標 ➡** ２学年間を通じて外国語科の目標の実現を図る。

□**言語活動を行う際の注意 ➡ 第３学年及び第４学年において外国語活動を履修する際に扱った簡単な語句や基本的な表現**などの学習内容を**繰り返し指導し定着を図る**。

□**10分から15分程度の時間の活用 ➡** 第１章総則の第２の３の（２）のウの（イ）に「各教科等の特質に応じ、10分から15分程度の短い時間を活用して特定の教科等の指導を行う場合において……その時間を当該教科等の年間授業時数に含めることができること」と示されているように、**指導の効果を高めるよう工夫する**。

□**言語活動で扱う題材 ➡** 児童の興味・関心に合ったもの、国語科、音楽科、図画工作科など、他教科で児童が学習したことを活用したり、**学校行事で扱う内容**と関連付けたりするなど工夫する。

□**障がいのある児童への配慮 ➡** 学習活動を行う場合に生じる困難さに応じた**指導内容や指導方法の工夫を計画的、組織的**に行うこと。

□**指導計画の作成や授業の実施 ➡ 学級担任の教師または外国語活動を担当する教師が行う。地域人材やネイティブ・スピーカー等を活用する。**

2 内容の取扱いについての配慮事項　重要度 ★★

□**言語材料** ➡ 平易なものから難しいものへと**段階的に指導**すること。
□**音声指導** ➡ 日本語との**違いに留意**し、発音練習などを通して言語材料を指導すること。また**音声と文字とを関連**付けて指導すること。
□**文や文構造の指導** ➡ 児童が日本語と英語との**語順等の違い**や、**文構造のまとまりを認識**できるようにするために、効果的な指導ができるよう工夫する。
□**文法指導** ➡ **文法の用語**や用法の指導に**偏ることがないよう配慮**する。
□**学習形態の工夫** ➡ 友達と質問し合う力を育成するため、**ペア・ワーク**、**グループ・ワーク**などの**学習形態**について適宜工夫する。
□ **ICT 機器の活用** ➡ **児童の実態**、**教材の内容などに応じて**、視聴覚教材、情報通信ネットワーク、教育機器などを有効活用し言語活動の充実を図る。
□**各単元や各時間の指導** ➡ コミュニケーションを行う目的、場面、状況などを設定し、児童が**学習の見通し**を立てたり、**振り返り**ができるようにする。
□**評価** ➡ 技能の定着度合をみる**客観的データ**が得られ、指導の改善が図れる評価基準の策定が必要。

3 教材についての留意事項　重要度 ★★

□**5つの領域を踏まえた育成** ➡ **「聞くこと」「読むこと」「話すこと[やり取り]」「話すこと[発表]」「書くこと」などのコミュニケーションを図る基礎となる資質・能力を総合的に育成**するため、**実際の使用場面や言語の働きに十分配慮した題材**を取り上げる。
□**グローバルな視点をもつ** ➡ **英語を使用している人々を中心とする世界の人々や日本人の**日常生活、風俗習慣、物語、地理、歴史、伝統文化、自然などに関するものの中から、**児童の発達の段階や興味・関心に即して適切な題材**を変化をもたせて取り上げるものとする。

配慮事項

ア	**多様な考え方に対する理解**を深めさせ、**公正な判断力**を**養い豊かな心情を育てる**ことに役立つこと。
イ	**我が国の文化**や、**英語の背景にある文化**に**対する関心を高め**、**理解を深めようとする態度を養う**ことに役立つこと。
ウ	**広い視野から国際理解を深め**、**国際社会と向き合うことが求められている我が国の一員としての自覚を高める**とともに、**国際協調の精神を養う**ことに役立つこと。

ポイント 平易なものから難しいものへの段階的指導が大切

04 教育用語・発音

頻出度 B

●学校生活の中で使われる役職名や教育関連用語を英語で言えるようにしておこう。
●単語は正しく発音できるようにしておこう。

1 教育関連用語 重要度 ★★

□**学習指導要領 ➡ course of study**
□**義務教育 ➡ compulsory education**
□**総合的な学習の時間 ➡ Period for Integrated Study**
□文部科学省 ➡ Ministry of Education, Culture, Sports, Science and Technology
□学校教育法 ➡ School Education Law
□社会教育法 ➡ Social Education Law
□学校保健法 ➡ School Health Law
□教育委員会 ➡ Board of Education
□**校長 ➡ principal / headmaster**　□教頭 ➡ deputy headmaster
□主幹教諭 ➡ managing teacher
□学年主任 ➡ year master / teacher in charge of a grade
□**学級担任 ➡ homeroom teacher / teacher in charge of a class**
□学校栄養士 ➡ school nutritionist　□**養護教諭 ➡ school nurse**

2 英語教育関連用語 重要度 ★★

□ **accuracy** と **fluency** ➡ **accuracy とは言語の音声面、文法、語法などが正確で適切なこと。fluency とは言語をリズムや表現などで自然に話したり書いたりすること。**
□ chunk ➡ 1つのまとまった意味単位。単語をひとつひとつ覚えるよりも簡単に記憶でき、効果的である。例：I like to play baseball / with my friends / on Sunday.
□ **communicative competence** ➡ 伝達能力、言語を正確に理解し、実際の状況の中で、適切に使用する能力。

□ **choral reading** ➡ **一斉音読**、コーラスリーディングともいう。

□ coherence ➡ 明示的でなくとも、状況、場面、文脈などの言外の意味から推測することによって、文意がつながる場合の結びつき。例：「Why don't you come to my house?」に対して「Sorry, I'm going to ～」

□ **consolidation** ➡ **授業で行ったことをまとめ**、整理すること。

□ discourse ➡ 談話、発話、2つ以上の文がつながって、1つのまとまりを構成するとき、このまとまりのこと。

□ **feedback** ➡ 生徒の言語活動の評価を即座に生徒に伝えること。

□ **information-gap** ➡ **対話者の間に情報のずれをつくり、そのずれを埋めなければ解決できない課題を設定する。自分のもたない情報を相手から引き出し、また相手のもたない情報を相手に伝えるという情報交換が行われる**。情報の格差がコミュニケーションを生み出すことになる。

□ **interaction** ➡ **2人またはそれ以上の人が、相互に交流し合う言葉のやり取りのこと**。

□ **read and look up** ➡ **音読の練習に用いられる。一度教科書の1文を見てから、顔を上げ、教科書を見ずに、その文をいう音読練習**。文を暗記することで、読みからスピーキングにつなげることが目的である。

□ **nonverbal communication** ➡ 非言語による情報伝達のこと。例えば、**身振り、顔の表情、視線の動き、相手との距離の取り方、声の出し方**など。

□ **phonics** ➡ 音素とアルファベットの結びつきを教えることで読む能力を高めようとする方法。綴りと発音の規制。例えばcの後にa, o, uがつくとcat, cot, cutのようにcは[k]と発音されるが、cの後にeやiがつくと、century, cityのようにcは[s]と発音される。

□ **task** ➡ 目的をもったコミュニカティブな活動をさせるための作業。

□ **Lesson Plan Design and Treatment of the Contents** ➡ **指導計画の作成と内容の取扱い**のこと。

3 発音

重要度 ★

黙字（発音しない文字）を含む単語

□ cが黙字：muscle ／ tが黙字：fasten, wrestle, chestnut

□ bが黙字：climber, debt ／ gが黙字：foreign, designer

□ kが黙字：know, knight, knock ／ sが黙字：island

□ dが黙字：handkerchief, handsome ／ hが黙字：hour, honest, rhythm

ポイント 英語教育に必要な専門用語の確認をしておくこと

05 語義・熟語・連語

頻出度 **B**

●中学英語への円滑な接続を考慮すること。
●基本的な文法用語の説明を英語でできるようにしておく必要がある。

1 語義

重要度 ★★

用語の英語説明

□ **transitive verb（他動詞） ➡ a verb which takes an object（目的語をとる動詞）**

□ **collocation（連語）** ➡ the way in which some words are often used together, or a particular combination of words（複数の語を結び合わせて単語と同様に用いられる言語表現）

□ **skimming（速読の方法、大意把握読み）** ➡ a type of rapid reading which is used when the reader wants to get the main idea or ideas from a passage.（速読の方法で、読者が文章から大意を把握したいときに用いる読み方）

2 熟語

出題 富山・京都・京都市　重要度 ★★★

適切な動詞を選ぶ

□ **Can you make sense of what this writer says?** ➡ 筆者の言うことが**分かり**ますか。

□ **I hope that Tom will soon get over his illness.** ➡ 早くトムの病気が**治り**ますように。

□ **When you go abroad, you'd better keep in mind that tipping is necessary.** ➡ 外国へ行く際には、チップが必要なことを**覚えて**おいたほうがいいですよ。

□ **Jack hasn't turned up yet though he promised to.** ➡ ジャックは約束したのにまだ**現れ**ない。

□ **He wouldn't give in to any other boy in argument.** ➡ 彼は討論ではどの少年にも**負け**なかった。

☐ **It stands to reason that eating too much can ruin your health.** ➡ 食べ過ぎが健康を害すことは**当然である**。

前置詞を選ぶ

☐ I'll finish the work **in** a week. ➡ 1週間**すれば**その仕事を終えるでしょう。

☐ I'll finish the work **within** a week. ➡ 1週間**以内**にその仕事を終えるでしょう。

☐ He came here **during** your absence. ➡ 彼はあなたの留守**中**にここに来た。

☐ I stayed there **through** the summer vacation. ➡ 私は夏休みの**間ずっと**そこに滞在した。＊**through は特定の期間中の継続の意味を強調する**。

☐ Don't speak ill of a man **behind** his back. ➡ **陰で**人の悪口を言うな。

☐ He was punished **for** telling lies. ➡ 彼は嘘をついた**ため**、罰せられた。

☐ He died **of** cancer. ➡ 彼はがん**で**死んだ。(**直接的死因**)

☐ He died **from** the wound. ➡ 彼は傷が**もとで**死んだ。(**間接的死因**)

☐ It's too warm **for** May. ➡ 5月**にしては**暖かすぎる。(**～のわりには**)

☐ We talk **over** a cup of tea. ➡ お茶を飲み**ながら**話をする。

☐ He gave a lecture **on** modern architecture. ➡ 彼は現代建築に**ついて**講演した。

☐ This task is **beyond** me. ➡ この仕事は私の力**ではできない**。(**及ばない**)

連語

☐ He bought the land **with a view to** building a summer house. ➡ 彼は夏の別荘を建てる**目的で**その土地を購入した。

☐ I'm **looking forward to** seeing you again. ➡ またお会いするのを**楽しみにしています**。

☐ She cried and laughed **at the same time**. ➡ 彼女は**同時に**泣いて笑った。

☐ He is **taking care of** his grandmother. ➡ 彼は祖母の**世話をしている**。

☐ I haven't seen you **for a long time**. ➡ **長い間**あなたにお会いしていません。

☐ He decided to **do his best** for the next exam. ➡ 彼は次の試験に**最善を尽くす**決心をした。

☐ She writes me a letter **once in a while**. ➡ 彼女は私に**ときどき**手紙をくれる。

☐ We were waiting for her **day by day**. ➡ 我々は**来る日も来る日も**彼女を待っていた。

ポイント 簡単な動詞ほど熟語に必要なので辞書で確認しよう

06 文法①

頻出度 A

●文の主要素である主語、述語動詞、目的語、補語を確実にとらえることができるようにしよう。
●関係代名詞・関係副詞、比較表現もきちんと理解しておこう。

1 主語と動詞　重要度 ★★

be 動詞の現在形の適切なものを選ぶ

□ Neither you nor **he is** at fault for the accident. ➡「君も彼も事故の責任はない」。neither A nor B「A も B もどちらも〜でない」や either A or B「A か B かどちらか」の場合、**動詞は B のほうに合わせる。**

□ **He** as well as I **is** going to school. ➡「彼も私と同様に学校へ行く」。A as well as B では**動詞は A に合わせる。**

□ The rich **are** not always happy. ➡「金持ちは必ずしも幸福ではない」。the rich は the rich people を意味する。the poor は the poor people の意味。

□ Fifteen years **is** old for a cat. ➡「15歳といえば猫にとっては年寄りだ」。Fifteen years と複数表現であっても、1つの単位と見なされる。他に Three months **is** too long to wait.「3か月は待つには長すぎる」。

□ It is **you** Jack who **have to** work hard. ➡「ジャック、仕事に励まねばならないのはあなたですよ」。Jack は相手への呼びかけ。It is you は強調表現。

2 関係代名詞　重要度 ★★

適切な関係詞を選ぶ

□ This is the very reason **that** I want to ask him. ➡「これこそが私が彼に尋ねたいと思っている理由だ」。先行詞に **the very がつくとき**関係代名詞は that が使われる。**the only, the first, the last** がつくときも同様。

□ Mr. Ito, **whom** I was working for, was a very kind person. ➡「私は伊藤さんのところで働いていたが、彼は非常に親切な人だった」

□ This is what I want to tell you for the time being. ➡「これは現在私が言いたいことだ」。**what には先行詞が含まれる。**先行詞を用いると what は

使えず、This is the thing which I want to tell you ～となる。

3 関係副詞 重要度 ★★

☐ That is how your father and mother came to know each other. ➡「あなたの両親はそのようにして知り合ったのだ」。**how は先行詞なし**で使われる。

☐ Do you remember the place where we first met? ➡「我々が初めて会った場所を覚えていますか」

☐ That is the reason why he lives here. ➡「それが彼がここに住む理由だ」

4 比較 重要度 ★★

原級比較

☐ A girl of 15 is often as tall as her mother. ➡「女の子も15歳になると母親くらいの背になることはよくある」

☐ The U.S. is 25 times as large as Japan in size. ➡「アメリカの面積は日本の25倍だ」

比較級

☐ He is more wise than clever. ➡「彼は頭が良いというよりも賢い」。**同一の人や物の異なった性質、状態を比較**するときは、**-er のつく比較級ではなく more** を使う。

☐ He is no younger than I am. ➡「彼は私より決して若くない」

最上級

☐ She is far the best player on the team. ➡「彼女はチームで最も素晴らしい選手だ」。**最上級を強めるときは far, by far, much** がある。

☐ The lake is deepest at this point. ➡「湖はこの地点が最も深い」。**同一の人や物について「最も」という場合、定冠詞 the はつけない**。

比較級⇔最上級

☐ Nothing is more precious than time. ➡「時間ほど貴重なものはない」

☐ Time is the most precious thing of all. ➡ 同上

原級⇔最上級

☐ No other girl in the class is as tall as Mary. ➡「メリーはクラスで最も背の高い女の子だ」

☐ Mary is the tallest girl in the class. ➡ 同上

ポイント 原級、比較級、最上級の書き換えができるようにしよう

07 文法②

●仮定法に関しては読解、文法ともに欠かせない。
●通常の条件節との違いを理解して対応しよう。

1 仮定法　重要度 ★★

話者が心の中で考えた内容を述べるときに用いる形で、**事実と反対のこと、実現の可能性の乏しいことを仮定、想像**するときに用いる。

仮定法過去

□**現在の事実と反対の仮定、実現不可能な願望をあらわす**

If ＋主語＋動詞の過去形…、主語＋ [would / should / could / might] ＋動詞の原形。「もし…なら、[～するのだが、～できるのだが、～かもしれないのだが]→「もしも今日晴れていれば、彼は来るのだが」→ If it **were** fine today, he **would come**.

□太陽がなかったら、何者も生存できない。➡ **But for** the sun, nothing could live.(But for はif節相当語句)**If it were not for** the sun, nothing could live. と同じ意味。

□もう勉強を始めるべきときですよ。➡ **It's high time** you **began** to study.

仮定法過去の慣用表現で「もう～すべき時間ですよ」の意味になる。

仮定法過去完了

□**過去の事実と反対の仮定、実現しなかった願望をあらわす**

If ＋主語＋動詞の過去完了形…、主語＋ [would have / should have / could have / might have] ＋動詞の完了形。「もし…していたら、[～したのだが、～できたのだが、～したかもしれないのだが]→「もしも昨日晴れていれば、彼は来たでしょうに」→ If it **had been** fine yesterday, he **would have come**.

□あなたの助けがあったなら、私は成功したでしょうに。➡ **With** your assistance, I would have succeeded.(With はif節相当語句)If I had had your assistance, I would have succeeded. と同じ意味。

□**参考**「もし今日蒸し暑くなったら、買い物には出かけない」➡ **If it**

becomes hot and humid today, I won't go out for shopping. 直説法の文。

2 準動詞

重要度 ★★

不定詞

□女優になることが彼女の夢だった。➡ To become an actress was her dream. 不定詞の名詞用法。「〜なることは」と文の主語になっている。

□私にできることは彼にやさしくすることだけです。➡ All I can do is to be kind to him. 名詞用法、文の補語になっている。

□何か冷たいものが飲みたい。➡ I want something cold to drink. 不定詞の形容詞用法。something cold を修飾する。

□私は空港に友人を迎えに行った。➡ I went to pick my friend up at the airport. 目的をあらわす副詞用法。

□私は夜遅くに誰かが家に入る物音を聞いた。➡ I heard someone come in late at night. 主語＋知覚動詞[see, hear, feel, watch など]、使役動詞も動詞の原形を用いる。[make, have, let]＋目的語＋動詞の原形

分詞

□彼はちょうどそのとき自分の名前が**呼ばれる**のを耳にした。➡ He heard his name called at the moment. 主語＋動詞＋目的語＋過去分詞

□彼を**待たせないように**すぐに行きなさい。➡ You must go at once **not to keep him** waiting. 主語＋動詞＋目的語＋現在分詞

□祖父は農業を**しているので**、朝早起きしなければならない。➡ Being a farmer, my grandfather has to get up early in the morning. 分詞構文。分詞を用いて時、理由、付帯状況をあらわす。接続詞を用いると、本文は As my grandfather is a farmer, he has to get up early in the morning. と書き換えられる。主節と分詞構文の主語が同じため、分詞構文の主語は省ける。

□彼女のアクセント**から判断すると**、彼女はロンドン生まれに違いない。➡ Judging from her accent, she must be from London. 主節の主語と関係なく、独立して使用できる慣用表現。

動名詞

□次に何が起こるか分からない。➡ There is no telling what will happen next. 動名詞を含む慣用表現。There is no 〜 ing = It is impossible to 〜

□父を説得しようとしてもむだである。➡ It's no use trying to persuade my father.

ポイント 不定詞や分詞、動名詞を使う構文を復習しよう

08 英会話

●英会話は最頻出の問題である。
●空欄補充や応答文を選択する問題が多いので、会話独自の言い回しを理解していこう。

1 教室で使われる表現

出題 千葉・愛媛・熊本　重要度 ★★★

□この前の**復習をしましょう**。何を勉強しましたか。➡ **Let's review** the last class. Do you remember what you learned?

□前回配ったプリントを**出して**、**声に出して読んで**みましょう。➡ **Take out** the handout given in the last class and **read it aloud**.

□**この that の意味**が分かりますか。➡ Do you understand **the meaning of this 'that'**?

□**6つのグループに分かれて**、このゲームをやってみましょう。➡ **Let's divide the class into six groups** to play this game.

□宿題を来週の火曜日に**提出して**ください。➡ Make sure you **turn in** your homework next Tuesday.

□**前に出てきて**、黒板に書かれた絵について説明してください。➡ **Come to the front** and explain the picture drawn on the blackboard.

2 適切な対応

出題 千葉・愛媛・熊本　重要度 ★★★

□空欄に意味が通るように文を入れなさい。

A：Excuse me. Can you tell me where the city hall is?

B：**Turn right at** the third corner and **go straight on**. **You can't miss it.**

A：(**Is it far from here?**)

B：No, it's only about ten minutes' walk.

訳／A「すみませんが、市役所はどこにあるか教えてください」。B「3番目の角を右にまがり、まっすぐ行ってください。すぐに分かりますよ」。A「**ここから遠いですか**」。B「いいえ、歩いて10分ほどです」

You can't miss it. は「見つかりますよ」の意味。

□次の会話を正しく並べ替えなさい。

(ア)If I were you, I'd visit Asakusa-area. You can enjoy many shops there.

(イ)What should I see while I'm in Tokyo?

(ウ)Thanks. I'll do that.

答／**(イ)→(ア)→(ウ)**

訳／(イ)東京にいる間、何を見ればいいでしょう。(ア)私があなただったら浅草に行きますね。お店がたくさんあるので楽しめますよ。(ウ)ありがとう。そうしてみます。

□次の会話文と質問を読み、答えを英語で書きなさい。

Tom：Ken, have you seen the new French movie recently?

Ken：No, but I'd like to. Let's go sometime when you're free.

Tom：**How about** tomorrow afternoon?

Ken：OK, but I'll have to get **someone to cover for me** at work.

Question：What does Ken need to do before he can see the movie tomorrow?

答／ **He has to find someone to work for him**.「彼の代わりに働いてくれる人をさがす必要がある」

訳／トム「ケン、最近新しいフランス映画見た？」。ケン「まだだよ、でも見たいね。君が空いているときいつか行こうよ」。トム「明日の午後は？」。ケン「いいよ、でも**僕の代わりに働いてくれる人**をさがさなきゃ」

□次の会話文の空欄に適当な語句を入れなさい。

A：Hello, **this is** Miller speaking. **May I speak to** Mr. Suzuki?

B：Sorry, he is out now. Could you spell your name, please?

A：Well, M I L L E R, Miller.

B：Thank you.(**Shall I take your message?**)

A：No thank you. I think I can **text** him later.

B：All right. I'll tell him **there was a call from you**.

訳／ A「もしもし、ミラーです。鈴木さんと**お話しできますか**」。B「申し訳ありませんが、ただ今外出中です。お名前のスペルをお願いします」。A「ええ、M I L L E R、ミラーです」。B「ありがとうございます。**伝言を承りましょうか**」。A「結構です。後で彼に**メールする**と思います」。B「分かりました。**お電話があったこと**を伝えておきます」

ポイント 電話は声だけの対応なので、英語表現はしっかり覚えよう

09 長文読解

頻出度 A

●自治体によって問題文の長さや難易度は異なる。
●毎日あるいは長時間演習をつむ必要はないが、定期的に英文に触れて読むことへの違和感をなくすように心がけよう。

1 長文読解 出題 宮城・千葉・京都・和歌山・鹿児島 重要度 ★★

□次の英文を和訳しなさい。

Some Australian businesses are increasingly **concerned over** the decline in the number of Australians who are competent in an Asian language.

訳／オーストラリア実業界の中は、アジア言語のできるオーストラリア人が減少していること**を心配する**ものが多くなっている。

□要旨を日本語でまとめなさい。

The age of retirement may rise **in the near future**, and younger generations may be asked to **contribute** more to **pension schemes**, in order to fund an **expected state pension shortfall**. The United Kingdom is not alone in facing a **state pension deficit**, with other developed nations such as the United States and Japan expecting a crisis, as **lower birthrates** and higher **life-expectancy** mean that there are fewer and fewer people of working age contributing to an increasing number of **retirees**.

答／**近い将来**、英国、米国、日本などは、低出生率や高齢化、労働人口の減少で、年金危機が予測される。

訳／近い将来、退職年齢は上昇し、若者世代は**起こりうる国民年金の不足**を埋めるため、**年金制度**にさらに多くの**拠出をする**よう求められることになろう。英国だけが、**国民年金不足**に直面しているのではなく、米国や日本などの先進国も危機を予期している、それは**低出生率**と高齢化する**平均余命**が、**退職者**数に労働人口がますます追いつけなくなるからだ。

2 空欄補充・文章整序 出題 宮城・千葉・京都・和歌山・鹿児島 重要度 ★★

□空欄に適切な語句を入れなさい。

A new study by researchers at the University of Leeds in the UK suggests that "（1）" **does not necessarily equal** "（2）". While most sleep research has typically focused on quantity, the Leeds researchers focused on the quality of sleep achieved over the entire night. Using a combination of innovative （3） and **computer analysis**, the team was able to gauge sleep quality more accurately **than ever before**.

ア testing methods　イ **not waking up**　ウ good sleep

答／(1)イ、(2)ウ、(3)ア

訳／英国リーズ大学研究者による新研究では、「**起きないこと**」が**必ずしも**「良い睡眠」**と同じでない**ことが示唆されている。睡眠に関する研究の多くは、典型的に量に焦点をあてているが、リーズ大学研究者は、一晩通して得られた睡眠の質に焦点をあてる。斬新なテスト方法と**コンピュータ分析**を組み合わせ、チームは**以前よりも**正確に睡眠の質を測定することができるようになった。

□次の文章を正しく並べ替えなさい。

(ア)They were minor spectacles, causing cameras to flash and a number of fingers to point. /(イ)There is no doubt that Japan has become more internationally-minded since the days of the economic "bubble" some decades ago. /(ウ)**Just being a foreigner** in Japan gave you a status similar to that of a Hollywood movie star. /(エ)In those days foreigners were rare commodities in Japan, especially any place outside of Tokyo or Osaka.

解説／(ア)の They が誰を指すかがカギ。(イ)の文には代名詞など、指示語が使用されていないので冒頭文の可能性が大きい。(ウ)では「映画スターのような扱い」になることが述べられ、これに至る根拠が(ア)の内容に示されている。(エ)の **In those days**「**当時**」は(イ)の**バブル期**を指すので、(イ)→(エ)の順序になる。(ア)の They は(エ)の foreigners を指す。したがって答は**(イ)→(エ)→(ア)→(ウ)**となる。

訳／(イ)何十年前のバブル経済以降、日本がさらに国際感覚のある国になったことに疑いはない。(エ)当時日本で外国人は、特に東京や大阪以外の場所では稀なものだった。(ア)彼らはそれほど目立たないが、フラッシュをたかれ、写真を撮られたり、指を指されたりした。(ウ)日本では**外国人というだけで**、ハリウッドの映画スターのような地位が与えられた。

ポイント 主語、動詞や接続語に着目した読みが大切である

10 英作文・ことわざ

日付

頻出度 B

●教材指導に関する英作文を出題する自治体もある。
●英文を書くポイントをまとめておく必要がある。

1 英作文

出題 奈良　重要度 ★★

□次の英文を読み、質問に対する考えを英語で書きなさい。

As an English teacher, how would you advise the students who **are not confident in** their pronunciation?「英語教師として、発音に**自信のない**生徒にどうアドバイスするか」

解答例／ For instance, I will have them read an English text and **have their voices recorded**. After they **compare** their pronunciation **with** the pronunciation by a native speaker, they may realize their mistakes and will try to correct the pronunciation. **The more** they try to check them, **the more** they know how to pronounce them properly. They will be more active and they are sure to become confident in their pronunciation.

「例えば、彼らにテキストを読んでもらい**声を録音してもらう**。彼らの発音とネイティブの発音とを**比べ**たら、生徒は自分の間違いに気付き改めようとする。チェック**すればするほど**正しい発音の仕方が分かる。彼らは活発になり、発音に自信がつくはずだ」

カッコ内の語を日本文に合うように並べ替える

□物事は決して思う通りにうまく運ばないものです。

Things never (as, to, expect, smoothly, as we, go, them).

答／ **go as smoothly as we expect them to**

□その計画については別に反対は出ないでしょう。

There will be (the plan, to, nothing, against, be, said).

答／ **nothing to be said against the plan**

□彼がここへ来ても来なくてもわたしには関係がない。

(me, doesn't, whether, matter, to, it) he comes here or not.

答／It doesn't matter to me whether

2 用語説明

重要度 ★

外国人に分かるように説明する

□防災訓練 ➡ It is called a fire drill. Schools in Japan have prepared this drill **as one of the contents of the curriculum**. Japan is a country with a lot of earthquakes, so **school authorities** are very responsible for the students to learn **what it is to conduct by themselves** on all occasions.
「ファイア・ドリル[防災訓練]という(an emergency drill, an evacuation drill なども用いる)。日本ではこの訓練を**カリキュラムの１つ**として準備している。日本は地震が頻発する国なので、**学校当局**は生徒たちに対して、どんな場合でも**生徒自身がどう行動すべきか**を学習させる責任がある」

3 ことわざ

重要度 ★★

ことわざの英語説明

□ **All** the glitters is **not** gold.「光るもの必ずしも金ならず」➡ Some things are **not as valuable as they appear to be**.

□ **Easy come**, easy go.「悪銭身につかず」➡ What we get easily by an illegal means is likely to leave us soon.

□ **Out of sight**, out of mind.「去るもの日々に疎し」➡ We are likely to forget someone who is away from us and cannot be seen for a long time.

□ **Spare** the rod **and** spoil the child.「かわいい子には旅をさせよ」➡ If you don't discipline your child, you will ruin his character.

キーワードに注意

□ **A word is enough** to the wise.「一を聞いて十を知る」

□ **All things come** to those who wait.「待てば海路の日和あり」

□ As a man **sows**, so he shall **reap**.「自業自得」

□ A friend **in need** is a friend indeed.「困ったときの友こそ真の友」

□ **Better safe** than sorry.「用心に越したことなし」

□ **Easier said** than done.「言うは易し、行うは難し」

□ Many a little **makes** a mickle.「ちりも積もれば山となる」

□ There is no **royal road to** learning.「学問に王道なし」

ポイント ことわざの表現方法が英語と日本語によって異なる点に着目する

01 学習指導要領① 目標

日付 ／

頻出度 A

●外国語活動が中学年に移行した経緯を理解する。
●3つの柱を含めた重要語句を中心に暗記していく。

1 外国語活動設置に至る経緯 出題 北海道・埼玉・熊本 重要度 ★★

□平成10年改訂の小学校学習指導要領 ➡ 総則の第3「総合的な学習の時間の取扱い」で示されている学習活動の中に、「国際理解に関する学習の一環としての外国語会話等を行うときは……小学校段階にふさわしい体験的な学習が行われるようにすること」と規定された。

□**平成20年1月中央教育審議会**は、当時小学校の外国語活動は、各学校においての取り組み方にばらつきがあったことから、**外国語活動の新設を答申**。

□**平成20年改訂の学習指導要領 ➡「外国語活動」を新設。**

□**第5学年及び第6学年で行われていた「外国語活動」が令和2年度から第3学年及び第4学年に移行し、新たに第5学年・第6学年では外国語が教科になった。**

2 外国語活動の目標 出題 北海道・埼玉・熊本 重要度 ★★★

外国語によるコミュニケーション**における見方・考え方を働かせ**※1**、外国語による聞くこと、話すことの言語活動を通して**※2**、**コミュニケーション**を図る素地となる資質・能力**※3**を次のとおり育成することを目指す。**

(1)**外国語を通して、言語や文化について体験的に理解を深め、日本語と外国語との音声の違い等に気付く**とともに、**外国語の音声や基本的な表現に慣れ親しむ**ようにする。

(2)**身近で簡単な事柄について、外国語で聞いたり話したりして自分の考えや気持ちなどを伝え合う力の素地**を養う。

(3)**外国語を通して、言語やその背景にある文化に対する理解を深め、相手に配**慮しながら、**主体的に外国語を用いて**コミュニケーション**を図ろうとする態**度を養う。

□**教育課程上の位置付け ➡ 第3学年及び第4学年において、各々年間35単位時間(1単位時間は45分)を確保。**原則として英語**を取り扱う。**

□**目標の要点** ➡ ※1、2の活動を体験することで、中学校、高等学校等における外国語科の学習につながる、※3の**コミュニケーションの素地となる資質・能力**を養うこととし、小学校高学年の外国語との連携を図った。目標の中では、具体的に3つの育成方法を示し、**言語や文化についての体験的理解、自分の考えや気持ちなどを伝え合う力の素地、主体的に外国語を用いてコミュニケーションを図ろうとする態度の育成**に重点を置いた。外国語活動の目標は、学年ごとに示すのではなく、より弾力的な指導ができるよう、2学年間を通した目標とした。理論的な理解を伴う中学校英語では、英語を苦手とする生徒が増えているため、小学校時代にできるだけ多くの英語の体験学習が必要とされる。

3 各言語の目標

出題 北海道・埼玉・熊本　重要度 ★★★

□**新たに三領域の設定** ➡ **英語学習の特質を踏まえ、聞くこと、話すこと[やり取り]、話すこと[発表]の3つの領域別に設定する目標の実現**を目指した指導。**資質・能力を一体的に育成**するとともに、**その過程を通して、資質・能力を育成**する。

□**聞くこと** ➡ ア　**ゆっくりはっきりと話された**際に、**自分のことや身の回りの物をあらわす簡単な語句を聞き取れる**ようにする。／イ　**身近で簡単な事柄に関する基本的な表現の意味が分かる**ようにする。／ウ　**文字の読み方が発音されるのを聞いた際に、どの文字であるかが分かる**ようにする。

□**話すこと[やり取り]** ➡ ア　**基本的な表現を用いて挨拶、感謝、簡単な指示をしたり、それに応じたり**する。／イ　**動作を交えながら、自分の考えや気持ちなどを簡単な語句や基本的な表現を用いて伝え合う**ようにする。／ウ　**サポートを受けて、自分や相手のこと及び身の回りの物に関する事柄について、簡単な語句や基本的な表現を用いて質問したり答えたり**するようにする。

□**話すこと[発表]** ➡ ア　**身の回りの物について、人前で実物などを見せながら、簡単な語句や基本的な表現を用いて話す**ようにする。／イ　**自分のことについて、基本的表現を用いて話す**ようにする。／ウ　**日常生活に関する身近で簡単な事柄について、考えや気持ちを基本的表現を用いて話す**ようにする。

ポイント コミュニケーションを図る素地となる資質・能力を育成

02 学習指導要領② 内容

日付 ／

頻出度 A

●言語活動に関する3つの内容を理解する。
●身近な事柄を中心として外国語に慣れ親しむ姿勢を養うことを常に意識しておく。

1 外国語活動の内容

出題 北海道・埼玉・熊本　重要度 ★★★

□**内容の構成** ➡ ２学年間を通じて達成される内容を示している。

［知識及び技能］
（１）英語の特徴等に関する事項
　実際に英語を用いた**言語活動を通して**、次の事項を**体験的**に身に付けることができるよう指導する。
　ア　言語を用いて**主体的にコミュニケーションを図ること**の楽しさや大切さを知ること。
　イ　**日本と外国の言語や文化**について理解すること。
　（ア）**英語の音声やリズム**などに慣れ親しむとともに、**日本語との違い**を知り、言葉の面白さや豊かさに気付くこと。
　（イ）**日本と外国との生活や習慣、行事などの違い**を知り、多様な考え方があることに気付くこと。
　（ウ）異なる**文化をもつ人々との交流**などを体験し、文化等に対する理解を深めること。
［思考力、判断力、表現力等］
（２）**情報を整理しながら考えなどを形成し、英語で表現したり、伝え合ったり**することに関する事項
　具体的な課題等を設定し、コミュニケーションを行う目的や場面、状況などに応じて、情報や考えなどを表現することを通して、次の事項を身に付けることができるよう指導する。
　ア　**自分のことや身近で簡単な事柄**について、**簡単な語句や基本的な表現**を使って、**相手に配慮**しながら、伝え合うこと。
　イ　身近で簡単な事柄について、自分の考えや気持ちなどが伝わるよう、工夫して質問をしたり質問に答えたりすること。

□**言語活動に関する事項**

領域	言語活動
ア　聞くこと	(ア)**身近で簡単な事柄に関する話を聞いておおよその内容が分かる**活動。 (イ)**身近な人や身の回りの物に関する簡単な語句や表現を聞いて、イラストや写真などと結びつける。** (ウ)**文字が発音されるのを聞いて、活字体の文字と結ぶ。**
イ　話すこと [やり取り]	(ア)**知り合いと簡単な挨拶**や、**感謝、指示、依頼をして、それに応じる**活動。 (イ)**動作を交え、気持ちや考えなどを伝え合う**活動。 (ウ)**自分や相手の好みなど**について、**簡単な質問をしたり質問に答えたりする**活動。
ウ　話すこと [発表]	(ア)**身の回りの物の数や形状について、人前で実物やイラスト、写真を見せながら話す**活動。 (イ)**自分の好き嫌いや欲しい物など**について、**人前で実物などを見せながら話す**活動。 (ウ)**時刻、曜日、場所など、日常生活に関する事柄について、実物などを見せながら考えなどを話す**活動。

□**言語の働きに関する事項** ➡ 言語活動を行うに当たり、(ア)児童の身近な暮らしに関わる場面(家庭での生活、学校での学習や活動、地域の行事、子どもの遊びなど)、(イ)特有の表現がよく使われる場面(挨拶、自己紹介、買い物、食事、道案内など)

□**言語の働きの例**

(ア)**コミュニケーションを円滑にする**	**挨拶をする、相づちを打つ**　など
(イ)**気持ち**を伝える	**礼を言う、褒める**　など
(ウ)**事実・情報**を伝える	**説明する**、答える　など
(エ)**考えや意図**を伝える	**申し出る**、意見を言う　など
(オ)**相手の行動を促す**	質問する、**依頼する**、命令する　など

□コミュニケーションの楽しさ ➡ 3つの領域にバランスよく触れ、児童が喜ぶだけの楽しい外国語活動ではなく、児童同士、教師と児童など、**相互のコミュニケーションの楽しさ**を体験する。

「聞くこと」「話すこと」を中心に外国語に慣れ親しむことが大切

03 指導計画の作成と立案

日付 ／

頻出度 A

●コミュニケーションにおいて3つの領域を充実させることを意識して計画を組み立てていく。
●身近な話題から世界に話を広げていけるような内容を心がける。

1 指導計画の作成

出題 北海道・埼玉・熊本　重要度 ★★★

指導計画の作成と内容の取扱いの要点

□**第５学年及び第６学年並びに中学校及び高等学校における指導との接続に留意。**

□**児童の主体的・対話的で深い学びの実現 ➡ 具体的な課題等を設定し、児童が外国語によるコミュニケーションにおける見方・考え方を働かせながら、コミュニケーションの目的や場面、状況などを意識して活動を行う。英語の音声や語彙、表現などの知識を、３つの領域における実際のコミュニケーションにおいて活用する学習の充実を図る。**

□**学年ごとの目標 ➡** ２学年間を通じて外国語活動の目標の実現を図る。

□**言語活動を行う際の注意 ➡** 英語を初めて学習することに配慮し、簡単な語句や基本的表現を用いて、**友達との関わりを大切にした体験的な言語活動**を行うこと。

□**言語活動で扱う教材 ➡** 児童の興味・関心に合ったもの、国語科、音楽科、図画工作科など、他教科で児童が学習したことを活用したり、**学校行事で扱う内容と関連付けたりする**など工夫する。また道徳科などとの関連を考慮しながら指導する。

□**外国語や外国の文化と我が国の文化への理解 ➡** 我が国の文化、外国の文化に対する関心を高め、理解を深めようとする態度を養う。

□**障がいのある児童への配慮 ➡** 学習活動を行う場合に生じる困難さに応じた**指導内容や指導方法の工夫を計画的、組織的に行う**こと。

□**言語や文化について ➡ 体験的な理解を図ることとし、指導内容が必要以上に細部になったり、形式的になったりしないようにする。**機械的な語句や文の暗記や、知識として理解させることなどは、興味を失わせかねないので、留意する。

指導計画の作成に当たっての配慮事項

□外国語活動においては、**英語を取り扱うことを原則とすること ➡ 現在の状況では、英語が広くコミュニケーション手段として用いられていることを踏まえている**。

□**授業の実施** ➡ 学級担任の教師、外国語の堪能な地域の人々や ALT 等のネイティブ・スピーカーを活用する。

□**視聴覚教材の活用 ➡ 児童**、**学校**、**地域の実態を考慮**する。

内容の取扱いについての配慮事項

□**身近なコミュニケーションの場面設定** ➡ 取り扱う表現や単語は、地域の実情や児童の実態を踏まえる。【例】**特有表現が使われる場面**:「挨拶」「自己紹介」「買い物」など/**身近な暮らしに関わる場面**:「家庭での生活」「学校での学習や活動」「地域の行事」「子供の遊び」など。

□**音声中心の体験** ➡ アルファベットなどの**文字や単語指導については児童の学習負担に配慮**する。

□**言葉によらないコミュニケーション ➡ ジェスチャー**や**表情**を用いる。

□**日本語や日本文化への理解 ➡ 世界の人々との相互理解**、尊重、協調しながら交流を行う。

2 年間指導計画の構成要素 出題 北海道・埼玉・熊本 重要度 ★★★

指導計画の立案

□**活動計画 ➡ 第3学年では、外国語を初めて学習することに配慮し、身近な表現を用いて**児童の日常生活、学校生活に関わる活動を中心にした**体験的コミュニケーション活動**を行う。**第4学年では、第3学年の学習の基礎の上に、国際理解に関わる活動を行う。文部科学省発行の「英語ノート」「Hi, friends!」**や、他の学校の例などを参考にして計画を立案する。

□**日々の活動案の作成 ➡ 導入**:**歌、ビンゴ、クイズ、絵本の読み聞かせ**などで、取り上げる内容や表現を紹介する。**展開**:**具体的な物を示したり、ジェスチャーを使ったりして、児童の理解を助ける**。本時の表現(授業中に学習した表現)を使いリズミカルに行う。**真似、記憶、発話する活動へと**、段階的に進める。**まとめ**:**次回の活動を楽しみにできるような工夫**をする。

評価

□**評価方法** ➡ 外国語活動は教科ではなく、体験としての活動なので、**数値による評価は行わず、文章によるコメントをつける**。

ポイント 3年生は身近な話題を、4年生は世界へ視野を広げよう

外国語活動

04 ティームティーチング

日付 ／

頻出度 B

●学級担任として具体的な指導方法が求められる分野であることを理解しよう。
●ALTとも連携し、児童が外国語に触れる機会を増やすように心がける。

1 ティームティーチングの意義　重要度 ★★★

□**学級担任の役割** ➡ 担任は児童の興味・関心を知り、一人一人の状況を把握している。また担任すべてが「英語」が得意というわけではないが、**優れた指導力を生かして外国語活動の主導的立場にある必要がある。校舎内の案内図や掲示物に英語も取り入れるなど、児童が英語に触れる機会を増やす工夫をする。**

□**ＡＬＴ（外国語指導助手）の役割** ➡ 国際理解教育を目指すためには**外国人との交流の機会**が不可欠。

□**地域人材の協力** ➡ 外国生活経験者、英語に堪能な人材など、地域に住む日本人指導者の協力。

□**ティームティーチング（ＴＴ）の打ち合わせ** ➡ 授業前に、**それぞれの役割分担について打ち合わせ**を行う。**活動計画に基づき、学級に適した単元計画を作成。使用教材の確認**などを行う。

□**授業中の留意事項** ➡ 説明のすべてをＡＬＴに任せてしまうのではなく、**学級担任は児童の様子に注意しながら、児童の理解を助けるためにＡＬＴに代わって説明を繰り返したりする。**ＡＬＴの英語をすぐに訳さずに、児童にヒントを与えたりする。

教室英語　Classroom English

□**授業の始めに** ➡ Here are some rules. Watch me. Listen to me. No talking in Japanese.

□**挨拶** ➡ Good morning. Hello, everyone. How are you? How is the weather today?

□**はげまし** ➡ Don' t be shy! Don' t give up. Nice try! Good luck! Do your best.

□**指示** ➡ Stand up. Sit down. Let' s have pair work. Put everything away. Stand up and face each other. Raise your hand(s). Put your hand(s) down.

「話すこと」と「聞くこと」が活動の中心。ジェスチャーもＯＫ

2 英語ノート

重要度 ★★

□英語ノートの特色 ➡ 教科書ではないので、その通りの順番で進める必要はない。全部学習しなければならないという義務感はもたないようにする。

「英語ノートⅠ」の内容

内　容	例
1. 世界の「こんにちは」を知ろう	Hello. Nice to meet you. Thank you. Good-bye.
2. ジェスチャーをしよう	How are you? I'm happy. I'm hungry.
3. 数で遊ぼう	One, two, three……twenty. How many? See you.
4. 自己紹介をしよう	My name is ……Do you like dogs? Yes, I do. No, I don't. I like cats.
5. いろいろな衣装を知ろう	I have a white T-shirt and a blue cap.
6. 外来語を知ろう	What do you want? Hamburger, please.
7. クイズ大会をしよう	What's this? It's a pencil. What's that?
8. 時間割をつくろう	I study science on Monday. What do you study on Wednesday?
9. ランチメニューをつくろう	What would you like? I'd like curry and rice. Here you are. Thank you. You're welcome.

「英語ノートⅡ」の内容

内　容	例
1. アルファベットで遊ぼう	A, B, C……X, Y, Z（大文字） （The Alphabet Song を歌う）
2. いろいろな文字があることを知ろう	a, b, c……x, y, z（小文字） What's this? It's a supermarket.
3. 友達の誕生日を知ろう	When is your birthday? My birthday is July (the) fifth. January, February……
4. できることを紹介しよう	Can you swim? Yes, I can. No, I can't.
5. 道案内をしよう	Excuse me. Where is the post office? Go straight. Turn left. Stop. Thank you.
6. 行ってみたい国を紹介しよう	Where do you want to go? I want to go to Italy. Because I like pizza.
7. 自分の一日を紹介しよう	What time do you get up? I get up at 7:00. I eat breakfast at 7:30. I go to school at 8:00.
8. オリジナルの劇をつくろう	Help me. What's the matter?
9. 将来の夢を紹介しよう	What do you want to be? I want to be a singer. Because I like songs.

ポイント 担任は教育のプロ。自信をもって関わろう

05 他教科との関連指導

日付 ／

頻出度 B

●特に道徳科との関連に注意する。
●他教科の学習成果を外国語活動に生かす方法への理解を深めておく。

1 他教科との連携

重要度 ★★

教　科	学習活動の例
国語科	外国語での読み聞かせ：児童が知っている内容の絵本など。 **外来語と日本語：語源である外国語との違いに気付かせる。** 世界の言葉：**異なる音声や表現を通して、言葉の大切さに気付かせる。**
音楽科	**リズムをとる**：外国語の**歌やチャンツなどの音声やリズム**に生かされる。
図画工作科	**絵や立体に表現する発表活動（show and tell）**：児童の制作物を、発表活動で他の児童に外国語を用いて紹介する。
社会科	地域行事：グループごとに調べて学習。クラスで発表。 世界の国々：**習慣や文化の違いを調べるなど。**
保健体育科	グループ分けや応援のときに外国語を用いる。
家庭科	**世界の服装、料理、生活習慣**：服装の特徴や、世界の料理の調理方法、習慣などを外国語で紹介する。
特別活動	交流活動、ＶＴＲ学校紹介：**インターネットを通じて他の小学校と交流。**

道徳科、総合的な学習の時間などとの関連

□**小学校学習指導要領第３章「特別の教科　道徳」第3の1** ➡「各学校においては、**道徳教育の全体計画に基づき**、各教科、**外国語活動**、**総合的な学習の時間及び特別活動との関連を考慮しながら**、**道徳科の年間指導計画を作成するものとする**」

□小学校学習指導要領第４章「外国語活動」第３「指導計画の作成と内容の取扱い」の２ ➡ **「道徳科などとの関連を考慮しながら、……外国語活動の特質に応じて適切な指導をすること」**

□小学校学習指導要領第５章「総合的な学習の時間」第３の２（８）➡「**国際理解に関する学習**を行う際には、……**諸外国の生活や文化などを体験**したり調査したりするなどの学習活動が行われるようにすること」

2 小学校第５学年、第６学年「外国語」科への連携 重要度 ★★

外国語活動と外国語科の比較

項　目	外国語活動	小学校外国語科
学習方法	**楽しく体験学習**	**英語の文構造への気付き**
活動のあり方	学習への動機付け	英語を学習するように指導する
評価方法	数値による評価はせず、行動観察、発表観察等	教科として指導し、結果を評価
文字の扱い	**文字は音声によるコミュニケーションの補助**、児童の学習負担に配慮	**発音と綴りの関係**を学習、段階的に文字を書くことへの学習を行う
達成目標	聞くこと、話すこと[やり取り]、話すこと[発表]の**３つの領域、コミュニケーションを図る素地**	聞くこと、話すこと[やり取り]、話すこと[発表]、読むこと、書くことの**５つの領域、コミュニケーションを図る基礎**

中学での授業内容への連携

□**小学校での学習 ➡ 中学では外国語で伝え合う対話的な言語活動を重視し、授業を外国語で行うことを基本とする。**

□**コミュニケーションの場面設定活動** ➡ 既習事項を活用させ、**過度の反復学習にならないようにする。**生徒の学習意欲の減退につながらないよう中学英語においても他者とのコミュニケーションを楽しみながら、興味・関心に合った内容、指導方法を選択する。

□**小学校・中学校の学びを接続させる** ➡ 児童生徒の主体的な発信力を高めるため、語彙、表現などを繰り返し学習。

□**「英語ノート」や「Hi, friends!」の検討** ➡ 指導計画の作成に当たっては、**小学校・中学校でカリキュラム作成において連携を図る。**

全員が参加して、楽しい雰囲気の活動にしよう

ポイント 身体を動かして体験的に学ぶのが外国語活動

01 特別の教科　道徳（学習指導要領）

頻出度 **A**

●特別の教科　道徳が教科化された経緯を理解する。
●道徳教育の4つの視点をしっかり理解する。

1 特別の教科　道徳設置新設に至る経緯　重要度 ★★★

□平成26（2014）年10月に出された中央教育審議会初等中等教育分科会教育課程部会答申「道徳に係る教育課程の改善等について」に基づいて、平成27（2015）年３月に小学校学習指導要領の一部改正がなされ、「道徳の時間」に代わり、**「特別の教科　道徳（道徳科）」が新設**された。それに伴って小学校学習指導要領第３章「道徳」が「特別の教科　道徳」と変更され、内容も大幅に改訂された。

□小学校での道徳科は、現行の学習指導要領の全面実施に先駆け、**平成30（2018）年度から完全実施**されている。

2 特別の教科　道徳の目標（第１）　重要度 ★★★

第１章総則の第１の２の（２）に示す道徳教育の目標に基づき、よりよく生きるための基盤となる**道徳性を養う**ため、道徳的諸価値についての理解を基に、**自己を見つめ、物事を多面的・多角的に考え、自己の生き方についての考えを深める学習**を通して、道徳的な判断力、心情、実践意欲と態度を育てる。

3 道徳教育の４つの視点　出題 茨城　重要度 ★★★

A 主として自分自身に関すること

□**善悪の判断、自律、自由と責任**

学年	内容
第１・２学年	**よいことと悪いこととの区別**をし、よいと思うことを進んで行うこと。
第３・４学年	**正しいと判断**したことは、自信をもって行うこと。
第５・６学年	**自由**を大切にし、**自律的**に判断し、**責任のある行動をすること**。

□正直、誠実

第1・2学年	うそをついたりごまかしをしたりしないで、**素直に伸び伸びと生活すること**。
第3・4学年	**過ちは素直に改め**、正直に明るい心で生活すること。
第5・6学年	**誠実**に、明るい心で生活すること。

□節度、節制

第1・2学年	**健康**や**安全に気を付け**、物や金銭を大切にし、身の回りを整え、わがままをしないで、規則正しい生活をすること。
第3・4学年	自分でできることは自分でやり、安全に気を付け、**よく考えて行動**し、節度のある生活をすること。
第5・6学年	安全に気を付けることや、**生活習慣の大切さについて理解し、自分の生活を見直し**、節度を守り**節制**に心掛けること。

□個性の伸長

第1・2学年	**自分の特徴に気付く**こと。
第3・4学年	自分の特徴に気付き、長所を伸ばすこと。
第5・6学年	自分の特徴を知って、**短所**を改め**長所**を伸ばすこと。

□希望と勇気、努力と強い意志

第1・2学年	自分のやるべき勉強や仕事をしっかりと行うこと。
第3・4学年	**自分でやろうと決めた目標**に向かって、強い**意志**をもち、粘り強くやり抜くこと。
第5・6学年	**より高い目標を立て、希望と勇気をもち**、困難があってもくじけずに努力して物事をやり抜くこと。

□真理の探究

第5・6学年	真理を大切にし、物事を探究しようとする心をもつこと。

B 主として人とのかかわりに関すること

□親切、思いやり

第1・2学年	身近にいる人に温かい心で接し、親切にすること。
第3・4学年	**相手のことを思いやり**、進んで親切にすること。
第5・6学年	誰に対しても思いやりの心をもち、**相手の立場に立って**親切にすること。

□感謝

第1・2学年	家族など**日頃世話になっている人々に感謝**すること。
第3・4学年	家族など**生活を支えてくれている人々**や現在の生活を築いてくれた**高齢者**に、尊敬と感謝の気持ちをもって接すること。
第5・6学年	日々の生活が家族や過去からの多くの人々の**支え合いや助け合い**で成り立っていることに感謝し、それに応えること。

ポイント 総則の学校教育における道徳教育と区別しよう

□礼儀

第1・2学年	**気持ちのよい挨拶、言葉遣い、動作**などを心掛けて、明るく接すること。
第3・4学年	**礼儀**の大切さを知り、誰に対しても**真心**をもって接すること。
第5・6学年	**時と場**をわきまえて、**礼儀正しく**真心をもって接すること。

□友情、信頼

第1・2学年	**友達と仲よくし**、助け合うこと。
第3・4学年	**友達と互いに理解**し、**信頼**し、助け合うこと。
第5・6学年	友達と互いに信頼し、学び合って**友情**を深め、異性についても理解しながら、**人間関係を築いていくこと**。

□相互理解、寛容

第3・4学年	自分の考えや意見を相手に伝えるとともに、相手のことを理解し、**自分と異なる意見も大切にする**こと。
第5・6学年	自分の考えや意見を相手に伝えるとともに、**謙虚な心**をもち、**広い心で自分と異なる意見や立場を尊重する**こと。

C 主として集団や社会とのかかわりに関すること

□規則の尊重

第1・2学年	約束やきまりを守り、みんなが使う物を大切にすること。
第3・4学年	**約束や社会のきまりの意義を理解**し、それらを守ること。
第5・6学年	法やきまりの意義を理解した上で進んでそれらを守り、**自他の権利を大切にし、義務を果たすこと**。

□公正、公平、社会正義

第1・2学年	**自分の好き嫌いにとらわれない**で接すること。
第3・4学年	**誰に対しても分け隔てをせず**、公正、公平な態度で接すること。
第5・6学年	**誰に対しても差別をすることや偏見をもつことなく**、公正、**公平**な態度で接し、**正義の実現に努めること**。

□勤労、公共の精神

第1・2学年	働くことのよさを知り、みんなのために働くこと。
第3・4学年	働くことの大切さを知り、進んでみんなのために働くこと。
第5・6学年	働くことや**社会に奉仕**することの充実感を味わうとともに、その意義を理解し、**公共**のために役に立つことをすること。

□家族愛、家庭生活の充実

第1・2学年	父母、祖父母を敬愛し、**進んで家の手伝いなどをして**、家族の役に立つこと。
第3・4学年	父母、祖父母を敬愛し、**家族みんなで協力し合って**楽しい家庭をつくること。
第5・6学年	父母、祖父母を敬愛し、**家族の幸せを求めて**、進んで役に立つことをすること。

□よりよい学校生活、集団生活の充実

第1・2学年	先生を敬愛し、学校の人々に親しんで、学級や学校の生活を楽しくすること。
第3・4学年	先生や学校の人々を敬愛し、**みんなで協力し合って**楽しい学級や学校をつくること。
第5・6学年	先生や学校の人々を敬愛し、みんなで協力し合ってよりよい学級や学校をつくるとともに、**様々な集団の中での自分の役割を自覚して集団生活の充実に努める**こと。

□伝統と文化の尊重、国や郷土を愛する態度

第1・2学年	我が国や郷土の文化と生活に親しみ、**愛着**をもつこと。
第3・4学年	我が国や郷土の伝統と文化を大切にし、**国や郷土を愛する心をもつ**こと。
第5・6学年	我が国や郷土の伝統と文化を大切にし、**先人の努力を知り**、国や郷土を愛する心をもつこと。

□国際理解、国際親善

第1・2学年	他国の人々や文化に親しむこと。
第3・4学年	他国の人々や文化に親しみ、**関心をもつ**こと。
第5・6学年	他国の人々や文化について理解し、**日本人**としての自覚をもって**国際親善**に努めること。

D 主として生命や自然、崇高なものとのかかわりに関すること

□生命の尊さ

第1・2学年	**生きることのすばらしさ**を知り、生命を大切にすること。
第3・4学年	**生命の尊さ**を知り、生命あるものを大切にすること。
第5・6学年	生命が多くの生命のつながりの中にあるかけがえのないものであることを理解し、生命を**尊重**すること。

□自然愛護

第1・2学年	身近な自然に親しみ、動植物に優しい心で接すること。
第3・4学年	自然のすばらしさや**不思議さ**を感じ取り、自然や動植物を大切にすること。
第5・6学年	自然の偉大さを知り、**自然環境**を大切にすること。

□感動、畏敬の念

第1・2学年	**美しいものに触れ、すがすがしい心をもつ**こと。
第3・4学年	美しいものや気高いものに感動する心をもつこと。
第5・6学年	美しいものや気高いものに感動する心や**人間の力を超えたものに対する畏敬の念**をもつこと。

□よりよく生きる喜び

第5・6学年	**よりよく生きようとする**人間の強さや気高さを理解し、人間として生きる喜びを感じること。

ポイント 各項目の2学年ごとの違いに注目しよう

02 特別の教科　道徳（指導計画の作成と内容の取扱い）

日付　／

頻出度 **B**

●計画の作成については、外国語活動などとの関連を意識する。
●内容（第2）の指導の配慮事項に特に注意しておこう。

1 指導計画の作成

出題 岡山　重要度 ★★

□各学校においては、道徳教育の全体計画に基づき、各教科、**外国語活動**、総合的な学習の時間及び**特別活動**との関連を考慮しながら、道徳科の**年間指導計画**を作成するものとする。

□作成に当たっては、相当する各学年においてすべて取り上げることとする。その際、児童や学校の実態に応じ、**2学年間を見通した重点的な指導や内容項目間の関連を密にした指導**、**1つの内容項目を複数の時間で扱う指導**を取り入れるなどの工夫を行うものとする。

2 内容（第2）の指導の配慮事項

出題 岡山　重要度 ★★★

□校長や教頭などの参加、他の教師との協力的な指導などについて工夫し、**道徳教育推進教師**を中心とした指導体制を充実すること。

□**道徳科が学校の教育活動全体を通じて行う道徳教育の要としての役割を果たす**ことができるよう、計画的・発展的な指導を行うこと。

□各教科、**外国語活動、総合的な学習の時間及び特別活動**における道徳教育としては取り扱う機会が十分でない内容項目に関わる指導を補うことや、児童や学校の実態等を踏まえて指導をより一層深めること、内容項目の相互の関連をとらえ直したり発展させたりすることに留意すること。

□児童が自ら道徳性を養う中で、**自らを振り返って成長を実感したり、これからの課題や目標を見付けたりする**ことができるよう工夫すること。

□道徳性を養うことの意義について、児童**自らが考え、理解し、主体的に学習に取り組む**ことができるようにすること。

□児童が多様な感じ方や考え方に接する中で、考えを深め、判断し、表現する力などを育むことができるよう、自分の考えを基に話し合ったり書いたりするなどの言語活動を充実すること。

□児童の発達の段階や特性等を考慮し、指導のねらいに即して、**問題解決的な学習**、**道徳的行為に関する体験的な学習**等を適切に取り入れるなど、指導方法を工夫すること。

□特別活動等における多様な実践活動や体験活動も道徳科の授業に生かすようにすること。

□児童の**発達**の段階や特性等を考慮し、内容(第2)との関連を踏まえつつ、**情報モラル**に関する指導を充実すること。

□**社会の持続可能な発展などの現代的な課題**の取扱いにも留意し、**身近な社会的課題**を自分との関係において考え、それらの解決に寄与しようとする意欲や態度を育てるよう努めること。

□**道徳科の授業を公開**したり、授業の実施や**地域教材の開発や活用**などに家庭や地域の人々、各分野の専門家等の積極的な参加や協力を得たりするなど、**家庭や地域社会との共通理解**を深め、相互の連携を図ること。

3 教材

出題 岡山　重要度 ★★

□**児童の発達の段階や特性、地域の実情等を考慮**し、多様な教材の活用に努めること。

□生命の尊厳、自然、伝統と文化、**先人の伝記**、スポーツ、情報化への対応等の現代的な課題などを題材とし、児童が**問題意識**をもって多面的・多角的に考えたり、感動を覚えたりするような充実した教材の開発や活用を行うこと。

□教材については、**教育基本法や学校教育法その他の法令に従い**、適切と判断されるものであること。

□児童の発達の段階に即し、**ねらい**を達成するのにふさわしいものであること。

□人間尊重の精神にかなうものであって、**悩みや葛藤等の心の揺れ、人間関係の理解等の課題**も含め、児童が深く考えることができ、人間としてよりよく生きる喜びや勇気を与えられるものであること。

□多様な見方や考え方のできる事柄を取り扱う場合には、**特定の見方や考え方に偏った取扱いがなされていないもの**であること。

4 評価

出題 岡山　重要度 ★★★

□**児童の学習状況や道徳性に係る成長の様子を継続的に把握**し、指導に生かすよう努める必要がある。

□**数値**などによる評価は行わないものとする。

ポイント 道徳科の具体的な実践の部分なので注意しよう

01 総合的な学習の時間（学習指導要領）

頻出度 **B**

●目標については穴埋め問題に対応できるようにしておこう。
●他教科との関連に注意しておこう。

1 目標（第1） 出題 京都市・島根・岡山・熊本・沖縄 重要度 ★★

探究的な見方・考え方を働かせ、**横断的・総合的**な学習を行うことを通して、よりよく**課題を解決**し、**自己の生き方**を考えていくための**資質・能力**を次のとおり育成することを目指す。

（１）探究的な学習の過程において、課題の解決に必要な知識及び技能を身に付け、課題に関わる概念を形成し、**探究的な学習のよさを理解**するようにする。

（２）**実社会**や**実生活**の中から問いを見いだし、**自分で課題を立て、情報を集め、整理・分析して、まとめ・表現する**ことができるようにする。

（３）探究的な学習に**主体的・協働的**に取り組むとともに、互いのよさを生かしながら、**積極的に社会に参画しようとする態度**を養う。

目標の構成要素

□**総合的な学習の時間に固有な見方・考え方**を働かせて、横断的・総合的な学習を行うことを通して、**よりよく課題を解決し、自己の生き方を考えていくための資質・能力を育成する**という、総合的な学習の時間の特質を踏まえた学習過程の在り方。

□下の３項目は、（１）は**知識及び技能**、（２）は**思考力**、**判断力**、**表現力等**、（３）は**学びに向かう力**、**人間性等**を示している。

2 各学校において定める目標及び内容（第2） 出題 京都市・島根・岡山・熊本・沖縄 重要度 ★★

各学校において定める目標

□**各学校において、各学校の総合的な学習の時間の目標を定める。**

□「探究的な見方・考え方を働かせ、横断的・総合的な学習を行うことを通して」「よりよく課題を解決し、自己の生き方を考えていくための資質・能力を育成することを目指す」という、**目標（第１）に示された2つの基本的な考え方を踏まえる。**

□ **育成を目指す資質・能力**については、**「育成すべき資質・能力の3つの柱」**である「知識及び技能」「思考力、判断力、表現力等」「学びに向かう力、人間性等」のそれぞれについて、目標(第1)の趣旨を踏まえる。

□**各学校において、各学校の総合的な学習の時間の内容を定める。**

各学校において定める目標及び内容の取扱い

□各学校において定める**目標**については、**各学校における教育目標を踏まえ、総合的な学習の時間を通して育成を目指す資質・能力を示すこと。**

□各学校において定める**目標及び内容**については、他教科等の目標及び内容との違いに留意しつつ、**他教科等で育成を目指す資質・能力との関連を重視**すること。

□各学校において定める**目標及び内容**については、**日常生活や社会との関わりを重視**すること。

□各学校において定める内容については、**目標を実現するにふさわしい探究課題**、探究課題の解決を通して育成を目指す具体的な資質・能力を示すこと。

□目標を実現するにふさわしい探究課題については、学校の実態に応じて、**現代的な諸課題に対応する横断的・総合的な課題、地域や学校の特色に応じた課題、児童の興味・関心に基づく課題**などを踏まえて設定すること。

□**探究課題の解決を通して育成を目指す具体的な資質・能力**については、「知識及び技能」「思考力、判断力、表現力等」「学びに向かう力、人間性等」の3点に配慮する。

□知識及び技能については、**他教科等及び総合的な学習の時間で習得する知識及び技能が相互に関連**付けられ、**社会の中で生きて働くものとして形成**されるようにすること。

□**思考力、判断力、表現力**等については、**探究的な学習の過程において発揮され、未知の状況において活用**できるものとして身に付けられるようにすること。

□思考力、判断力、表現力等の育成については、課題の解決に向けて行われる横断的・総合的な学習や探究的な学習において、①**課題の設定**、②**情報の収集**、③**整理・分析**、④**まとめ・表現**の**探究的な学習の過程が繰り返され、連続することによって実現される。**

□**学びに向かう力、人間性**等については、**自分自身に関すること及び他者や社会との関わりに関すること**の両方の視点を踏まえること。

ポイント 各学校において定める目標と内容が重要である

□各学校において育成を目指す「**学びに向かう力**、**人間性等**」を設定するに当たっては、従来、各学校が定めることとされてきた**自分自身に関すること**と**他者や社会との関わりに関すること**を参考に、両者のつながりを検討することも大切になる。

□目標を実現するにふさわしい探究課題及び探究課題の解決を通して育成を目指す具体的な資質・能力については、**教科等を超えたすべての学習の基盤となる資質・能力が育まれ**、**活用される**ものとなるよう配慮すること。

3 指導計画の作成と内容の取扱い(第3) 出題 京都市・島根・岡山・熊本・沖縄 重要度 ★★

指導計画の作成

□年間や、単元など内容や時間のまとまりを見通して、その中で育む資質・能力の育成に向けて、**児童の主体的・対話的で深い学びの実現**を図るようにすること。

□児童や学校、地域の実態等に応じて、児童が探究的な見方·考え方を働かせ、**教科等の枠を超えた横断的・総合的な学習や児童の興味・関心等に基づく学習を行うなど創意工夫を生かした教育活動**の充実を図ること。

□**全体計画**及び**年間指導計画**の作成に当たっては、学校における全教育活動との関連の下に、目標及び内容、学習活動、指導方法や指導体制、学習の評価の計画などを示すこと。

□他教科等及び総合的な学習の時間で身に付けた資質・能力を相互に**関連付け**、学習や生活において生かし、それらが総合的に働くようにすること。

□**言語能力**、**情報活用能力**など、すべての学習の基盤となる資質・能力を重視すること。

□他教科等の目標及び内容との違いに留意しつつ、目標(第1)並びに**各学校において定める目標及び内容を踏まえた適切な学習活動を行う**こと。

□各学校における総合的な学習の時間の**名称**については、**各学校において適切に定める**こと。

□**障がいのある児童**などについては、**学習活動を行う場合に生じる困難さ**に応じた指導内容や指導方法の工夫を**計画的、組織的に行うこと**。

□**道徳科**などとの関連を考慮しながら、**総合的な学習の時間の特質**に応じて適切な指導をすること。

各学校において定める内容の取扱い

- □各学校において定める目標及び内容に基づき、児童の学習状況に応じて教師が適切な指導を行うこと。
- □探究的な学習の過程においては、**他者と協働して課題を解決しようとする学習活動や、言語により分析し、まとめたり表現したりするなどの学習活動**が行われるようにすること。
- □**比較する、分類する、関連付けるなどの考えるための技法**が活用されるようにすること。
- □探究的な学習の過程においては、コンピュータや情報通信ネットワークなどを適切かつ効果的に活用して、**情報を収集・整理・発信するなどの学習活動**が行われるよう工夫すること。
- □コンピュータを用いる場合、コンピュータで文字を入力するなどの学習の基盤として必要となる情報手段の基本的な操作を習得し、**情報や情報手段を主体的に選択し活用できるよう配慮する**こと。
- □**社会体験、体験活動、観察・実験、見学や調査、発表や討論などの学習活動**を積極的に取り入れること。
- □体験活動については、目標（第１）並びに各学校において定める目標及び内容を踏まえ、探究的な学習の過程に適切に位置付けること。
- □**グループ学習**や**異年齢集団**による学習などの**多様な学習形態**、地域の人々の協力も得つつ、**全教師が一体となって指導に当たるなどの指導体制について工夫を行う**こと。
- □**学校図書館の活用**、他の学校との連携、社会教育施設や社会教育関係団体等の**各種団体との連携**、**地域の教材**や**学習環境の積極的な活用**などの工夫を行うこと。
- □**国際理解**に関する学習を行う際には、探究的な学習に取り組むことを通して、**諸外国の生活や文化などを体験したり調査したりするなどの学習活動**が行われるようにすること。
- □**情報**に関する学習を行う際には、探究的な学習に取り組むことを通して、**情報を収集・整理・発信したり、情報が日常生活や社会に与える影響を考えたりするなどの学習活動**が行われるようにすること。
- □情報の学習において、プログラミングを体験しながら**論理的思考力**を身に付けるための学習活動を行う場合には、**プログラミングを体験することが、探究的な学習の過程に適切に位置付くようにする**こと。

ポイント 他教科との関係に注目しておこう

01 特別活動（学習指導要領）

日付 ／

頻出度 B

●目標については穴埋め問題に対応できるようにしておこう。
●特別活動は、年齢が異なる児童同士で行うものである点がポイントである。

1 目標（第1）暗記　重要度 ★★

集団や社会の形成者としての見方・考え方を働かせ、様々な集団活動に**自主的、実践的**に取り組み、互いのよさや可能性を発揮しながら集団や自己の生活上の課題を解決することを通して、次のとおり資質・能力を育成することを目指す。
（1）多様な他者と協働する様々な**集団活動**の意義や活動を行う上で必要となることについて理解し、行動の仕方を身に付けるようにする。
（2）**集団や自己の生活、人間関係の課題**を見いだし、解決するために話し合い、合意形成を図ったり、意思決定したりすることができるようにする。
（3）自主的、実践的な集団活動を通して身に付けたことを生かして、**集団や社会における生活**及び**人間関係**をよりよく形成するとともに、**自己の生き方**についての考えを深め、自己実現を図ろうとする態度を養う。

2 各活動・学校行事の目標及び内容〔学級活動〕　重要度 ★★

目標

□**学級や学校での生活**をよりよくするための課題を見いだし、解決するために話し合い、**合意形成**し、役割を分担して協力して実践したり、**学級での話合いを生かして自己の課題の解決及び将来の生き方を描くために意思決定して実践したりする**ことに、**自主的、実践的に取り組む。**

内容

□**学級や学校における生活づくりへの参画**
学級や学校における**生活上**の諸問題の解決／学級内の**組織**づくりや**役割**の自覚／学校における**多様**な集団の生活の向上

□**日常の生活や学習への適応と自己の成長及び健康安全**
基本的な**生活習慣**の形成／よりよい**人間関係**の形成／**心身**ともに健康で**安全**な生活態度の形成／**食育**の観点を踏まえた学校給食と望ましい**食習慣**の形成

□一人一人のキャリア形成と自己実現

現在や将来に希望や目標をもって生きる意欲や態度の形成／社会参画意識の醸成や働くことの意義の理解／主体的な学習態度の形成と学校図書館等の活用

内容の取扱い

□**第１学年及び第２学年** ➡ 話合いの進め方に沿って、自分の意見を発表したり、他者の意見をよく聞いたりして、**合意形成して実践することのよさを理解**すること。基本的な生活習慣や、約束**やきまりを守ることの大切さを理解**して行動し、生活をよくするための目標を決めて実行すること。

□**第３学年及び第４学年** ➡ 理由を明確にして考えを伝えたり、自分と異なる意見も受け入れたりしながら、**集団としての目標や活動内容について合意形成を図り**、**実践**すること。**自分のよさや役割を自覚**し、よく考えて行動するなど節度ある生活を送ること。

□**第５学年及び第６学年** ➡ 相手の思いを受け止めて聞いたり、相手の立場や考え方を理解したりして、**多様な意見のよさを積極的に生かして合意形成を図り**、**実践**すること。高い目標をもって粘り強く努力し、自他のよさを伸ばし合うようにすること。

3 各活動・学校行事の目標及び内容〔児童会活動〕 重要度 ★★

目標

□**異年齢の児童同士で協力**し、**学校生活の充実と向上を図る**ための諸問題の解決に向けて、計画を立て役割を分担し、協力して運営することに自主的、実践的に取り組む。

内容

□児童会の組織づくりと児童会活動の計画や運営 ➡ 児童が主体的に組織をつくり、役割を分担し、計画を立て、学校生活の課題を見いだし解決するために話し合い、合意形成を図り実践すること。

□異年齢集団による交流 ➡ 児童会が計画や運営を行う集会等の活動において、**学年や学級が異なる児童**と共に楽しく触れ合い、交流を図ること。

□学校行事への協力 ➡ 学校行事の特質に応じて、児童会の組織を活用して、計画の一部を担当したり、運営に協力したりすること。

内容の取扱い

□児童会の計画や運営は、主として高学年の児童が行うこと。

ポイント 特別活動は異年齢の児童同士で行うことに注目する

□**学校の全児童が主体的に活動に参加**できるものとなるよう配慮すること。

4 各活動・学校行事の目標及び内容〔クラブ活動〕 重要度 ★★

目標

□**異年齢の児童同士で協力し、共通の興味・関心を追求する集団活動**の計画を立てて運営することに自主的、実践的に取り組むことを通して、**個性**の伸長を図る。

内容

□**クラブの組織づくりとクラブ活動の計画や運営** ➡ 児童が活動計画を立て、役割を分担し、協力して運営に当たること。

□**クラブを楽しむ活動** ➡ 異なる学年の児童と協力し、**創意工夫を生かしながら共通の興味・関心を追求**すること。

□**クラブの成果の発表** ➡ 活動の成果について、クラブの成員の発意・発想を生かし、協力して全校の児童や**地域**の人々に**発表**すること。

5 各活動・学校行事の目標及び内容〔学校行事〕 重要度 ★★★

目標

□**全校または学年の児童で協力**し、よりよい学校生活を築くための体験的な活動を通して、**集団への所属感や連帯感を深め、公共の精神を養う**。

内容

□**儀式的行事**／**文化的行事**／**健康安全・体育的行事**／**遠足・集団宿泊的行事**／**勤労生産・奉仕的行事**

内容の取扱い

□児童や学校、地域の実態に応じて、行事及びその内容を重点化するとともに、**各行事の趣旨を生かした上で、行事間の関連や統合を図るなど精選して実施**すること。

□実施に当たっては、自然体験や社会体験などの体験活動を充実するとともに、体験活動を通して気付いたことなどを**振り返り、まとめたり、発表し合ったりするなど**の**事後**の活動を充実すること。

6 指導計画の作成と内容の取扱い（第３） 重要度 ★★★

指導計画の作成

□特別活動の各活動及び**学校行事**を見通して、その中で育む資質・能力の育成に向けて、**児童の主体的・対話的で深い学び**の実現を図るようにすること。

□各学校においては**特別活動の全体計画や各活動及び学校行事の年間指導計画**を作成すること。

□**学級活動における児童の自発的、自治的な活動**を中心として、各活動と学校行事を相互に関連付けながら、個々の児童についての理解を深め、教師と児童、児童相互の信頼関係を育み、**学級経営の充実**を図ること。

□低学年においては、他教科等との関連を積極的に図り、指導の効果を高めるようにするとともに、**幼稚園教育要領**等に示す幼児期の終わりまでに育ってほしい姿との関連を考慮すること。特に、小学校入学当初においては、生活科を中心とした関連的な指導や、**弾力的な時間割の設定**を行うなどの工夫をすること。

□**障がい**のある児童などについては、学習活動を行う場合に生じる困難さに応じた指導内容や指導方法の工夫を計画的、組織的に行うこと。

内容の取扱い

□学級活動、**児童会活動**及び**クラブ活動**の指導については、指導内容の特質に応じて、教師の適切な指導の下に、**児童の自発的、自治的な活動**が効果的に展開されるようにすること。

□児童及び学校の実態などを踏まえ、**各学年において取り上げる指導内容の重点化**を図るとともに、**必要に応じて、内容間の関連や統合**を図ったり、他の内容を加えたりすることができること。

□**学校生活への適応や人間関係の形成**などについては、主に**集団の場面で必要な指導や援助を行うガイダンス**と、個々の児童の多様な実態を踏まえ、一人一人が抱える課題に個別に対応した指導を行う**カウンセリング**(教育相談を含む)の双方の趣旨を踏まえて指導を行うこと。

□**異年齢集団による交流を重視**するとともに、**幼児、高齢者、障がいのある人々**などとの交流や対話、障がいのある幼児児童生徒との交流及び共同学習の機会を通して、協働することや、他者の役に立ったり社会に貢献したりすることの喜びを得られる活動を充実すること。

国旗・国家

□入学式や卒業式などにおいては、その意義を踏まえ、**国旗**を掲揚するとともに、**国歌**を斉唱するよう**指導するものとする**。

ポイント 指導計画関係は重要項目である

各教科以外からの出題について

冒頭の「出題傾向と対策」でも触れておきましたが、自治体によっては、学校教育法施行規則第50条に規定する**各教科(国語・社会・算数・理科・生活・音楽・図画工作・家庭・体育)以外の、他の領域から出題**するところもあります。つまり、**「特別な教科　道徳」「外国語活動」「総合的な学習の時間」「特別活動」からの出題**があるということです。

平成29年3月新小学校学習指導要領の告示に伴い、学校教育法施行規則の一部を改正する省令が制定され、**教科に「外国語」が加わりました**ので、中学年の「外国語活動」と併せて、**今後「英語」の出題数がさらに増える**ものと思われます。英語に関する出題に関しては「出題傾向と対策」で、出題の教科型の後に「(外)」として示しておきました。旧学習指導要領時の試験では、「聞くこと」「話すこと」を狙いとして、児童が簡単な自己紹介ができるように教師が指導している事例を出題していましたが、学習指導要領改訂後の試験では、会話文を完成させる問題など、英語運用力を問う問題も比重を増しています。もちろん**「外国語活動」と教科「外国語」の目標や内容を比較しておくことも重要**です。

また、**「総合的な学習の時間」からの出題**も目立ちます。ただ、この「総合的な学習の時間」からの出題は、そのほとんどが**小学校学習指導要領**の「第５章　総合的な学習の時間」の**「第１　目標」**や**「第３　指導計画の作成と内容の取扱い」**、あるいは**「解説」**の一部分の**空欄補充問題**で、その難度も決して高いものではありません。他の**「特別な教科　道徳」**や**「特別活動」からの出題も同様のパターン**が多く、その対策としては、**とにかく小学校学習指導要領を、「解説」と照らし合わせつつ、暗記するくらいまでに読み込んでおく**ということにつきます。

ただ、注意したいのは「特別な教科　道徳」や「特別活動」は「小学校全科」での扱いは軽いものとなっているものの、**「教職教養」では重要な出題分野**となっていることです。特に「特別な教科　道徳」などは**実践的な指導の取り組み**も含めて、その理念や意義をも確実におさえておくようにする必要があります。**「特別活動」における国旗・国歌の扱い**の記述なども、十分な配慮が必要です。

「実力チェック問題」は、各自治体で出題される本試験の対策用に作られています。

※各自治体によって出題形式や出題傾向は異なります。

本試験対策 実力チェック問題

※解答 P.356

《国　語》

1 **次の小学校学習指導要領「国語」に関する記述のうち、最も正しいものはどれか答えよ。**

① 平成20年告示版で教科目標に盛り込まれていた「伝え合う力を高める」という文言は、平成29年告示版では削除されている。

② 国語科の内容は、「話すこと」「聞くこと」「読むこと」「書くこと」と「伝統的な言語文化と国語の特質に関する事項」の領域で構成されている。

③ 書写に関する指導のうち、毛筆に関しては第５・６学年において、それぞれ年間50単位時間程度指導することとなっている。

④ 漢字については、「学年別漢字配当表」漢字を当該学年で読み、前学年までの配当漢字を文や文章中で使えるようにすることなどとなっている。

⑤ ローマ字は全学年にわたって指導し、第３学年以降ではローマ字による読み書きができるように指導することとなっている。

2 **次の熟語の読み方とその意味とが正しい組み合わせであるものはどれか答えよ。**

① 掣肘ーせいちゅうー傍(はた)から干渉して自由に行動させないこと

② 領袖ーりょうしゅうー大きな団体の長となるべき人物

③ 範疇ーはんとうー同じ種類のものの所属する部類・部門の意

④ 慫慂ーじゅうようーかたわらから誘いすすめること

⑤ 慚愧ーぜんきー恥じ入ること

3 **次の①～⑤の文中の助動詞「れる」「られる」の用法のうち、１つだけ他と異なる用法のものはどれか答えよ。**

① 母との買い物で荷物をもつようにいわ<u>れる</u>。

② 高校生時代のことがしきりに思い出さ<u>れる</u>。

③ 私はどんなときでもすぐに寝<u>られる</u>。

④ 教師を目指すのは高校の恩師に勧め<u>られ</u>たからだ。

⑤ 窓から美しい眺めが見<u>られる</u>。

4 **文語定型詩とはどのような詩のことか、説明せよ。**

5 次の日本文学史に関する組み合わせが最も妥当であるものを選べ。

① 紀貫之—平安時代—『土佐日記』—女流日記文学
② 吉田兼好—鎌倉初期—『方丈記』—隠者文学
③ 島崎藤村—明治時代—『破戒』—浪漫主義
④ 谷崎潤一郎—大正時代—『すみだ川』—耽美派
⑤ 太宰治—昭和時代—『津軽』—無頼派

6 次はある学校に電話したAと、その電話を受けた学校の職員Bとの会話である。①～⑤のうち１つだけ正しい敬語表現のものはどれか答えよ。

① A：「Aと申します。校長先生様はおられますか？」
② B：「申し訳ありませんが、校長先生は只今外出されています」
③ A：「何時ごろ、お戻りになりますか？」
④ B：「夕方の４時に戻られる予定になっています」
⑤ A：「では、その頃にまた電話します」

7 小学生に読書指導をする際の留意点を30字程度で述べよ。

《社　会》

8 次の小学校学習指導要領「社会」に関する記述のうち、最も正しいものはどれか答えよ。

① 従前の「社会生活についての理解」という教科目標の一節は、平成29年の改訂版では削除され、そのかわり、「公民としての資質・能力の基礎」という文言が入った。
② 第５学年では我が国の国土や産業にかかわる内容を学習するが、その中で近隣諸国も取り上げ、国旗についても指導することになっている。
③ 第６学年では我が国の歴史について学習することになっているが、そこでは神話や、平和教育の観点から戦争は扱わないことになっている。
④ 各学年の学習を通じて、小学校修了までに47都道府県の位置・名称・県庁所在地名を確実に身に付け、活用できるようにすることとなっている。
⑤ 博物館や郷土資料館などの施設の利用を図りつつ、体験学習の一環として身近な遺跡などの発掘調査を行うことが望ましいとされている。

9 社会科の学習で「取り上げるべき人物」42名のうちの５名を挙げよ。

10 次の江戸幕府における政策に関する記述のうち、最も妥当なものはどれか答えよ。

① 老中松平定信が裕福な大名や旗本から強制的に上米を実施したり、目安箱を廃止したりしたため、禁門の変が起こった。

② 徳川吉宗は、享保の改革において、長崎貿易を奨励する海舶互市新例を発布し、株仲間を奨励して商業の活性化をはかった。

③ 老中水野忠邦は、流通の独占を防ぐため株仲間を解散し、江戸在住の農民を帰郷させる人返しの法を実施するなど、天保の改革を行った。

④ 島原・天草一揆を鎮圧した徳川綱吉は、キリスト教の禁止を強化し、ポルトガル船の来航を禁止し、蝦夷地には異国警固番役を置いた。

⑤ 老中田沼意次は寛政の改革において、旗本と御家人の借金の帳消しを行う相対済し令を実施し、困窮に苦しむ武士を救済した。

11 次の地理に関する記述について、空欄に適切な語句を入れよ。

A （ ① ）の構造平野に形成される地形で、硬層と軟層が交互に重なる丘陵状の地形を（ ② ）地形といい、フランスの（ ③ ）盆地やイギリスの（ ④ ）盆地などが有名である。

B 山地の谷に海水が浸入してできた複雑な海岸を（ ⑤ ）海岸といい、我が国では東北の（ ⑥ ）、福井県の（ ⑦ ）、三重県東部の（ ⑧ ）が有名である。

C 暖かい（ ⑨ ）風と暖流の（ ⑩ ）海流の影響を受け、西ヨーロッパは穏やかな（ ⑪ ）気候に属している。

D マレーシアは（ ⑫ ）政策でめざましい工業化を果たし、ベトナムは（ ⑬ ）政策で市場経済を導入し、世界的なコーヒー豆の生産高を達成した。

E オランダは国土の４分の１を（ ⑭ ）が占め、ロッテルダムにはEU共同港の（ ⑮ ）がある。

12 日本国憲法に関する次の文中の空欄に当てはまる語句を入れよ。

憲法が定める基本的人権のうち、思想・良心の自由は、その（ ① ）にとどまる限り、絶対的に保障される。また、自己の従事する職業を選択する権利を（ ② ）というが、（ ② ）には、選択した職業を遂行していく（ ③ ）が含まれる。憲法28条の労働基本権は、（ ④ ）、（ ⑤ ）、（ ⑥ ）の労働三権を定めている。

国会の権能のうち、予算案については、（　⑦　）が先に審議することとなっている。また、憲法の改正については、国会の発議の他、（　⑧　）を行うことが憲法上定められている。

13 **次の文章の内容に該当する国際的な経済の枠組みとして、最も妥当なものはどれか答えよ。**

アジア太平洋地域諸国間の発展に向けた経済協力のための協議体で、日本やアメリカなどが参加しており、1989年に発足した。

① USMCA
② EU
③ APEC
④ OECD
⑤ FAO

14 **財政と金融に関する記述として、最も妥当なものはどれか答えよ。**

① 政府が景気に応じて、裁量的に財政政策を実施することをビルト・イン・スタビライザーという。
② フィスカル・ポリシーとは、景気調整を自動的に行うことをいい、財政制度に内蔵されている。
③ 好況期における金融政策として、日本銀行は買いオペレーションを行う。
④ 日本銀行は、不況期には、支払準備率を引き下げる金融政策を行う。
⑤ 日本銀行が、有価証券の売買を通じて市中の通貨量を変化させ、景気の調整を行うことを支払準備率操作という。

《算　数》

15 **以下は小学校学習指導要領「算数」の目標(1)～(3)である。空欄に適語を入れよ。**

(1) （　①　）などについての基礎的・基本的な概念や性質などを理解するとともに、（　②　）を数理的に処理する技能を身に付けるようにする。
(2) （　②　）を数理的に捉え見通しをもち筋道を立てて考察する力、基礎的・基本的な数量や図形の性質などを見いだし統合的・発展的に考察する力、（　③　）を用いて事象を簡潔・明瞭・的確にあらわしたり目的に応じて柔軟にあらわしたりする力を養う。
(3) 数学的活動の（　④　）や数学のよさに気付き、学習を振り返ってよりよく問題解決しようとする態度、算数で学んだことを(　⑤　)や学習に活用しようとする態度を養う。

16 次の算数科に関わる記述のうち、正しいものはどれか答えよ。

① 算数は、数と計算・図形・測定・データの活用の４領域で構成される。
② 現代的な計算法という観点から、そろばんについては全く指導しない。
③ 第３学年では万の位を扱うが、分数についてはまだ扱わない。
④ 必要な場面でコンピュータなどは活用するが、暗算による学習指導は行わない。
⑤ 小学校段階では、難解であるために縮図や拡大図については指導しない。

17 次の問いに答えなさい。また(　)には適した数字、記号を入れよ。

A　$1.125\times\left(\frac{1}{15}\right)^2$を計算せよ。

B　６で割ると５余り、10で割ると９余る２桁の正の整数のうち、最も小さい数は(　①　)で、最も大きい数は(　②　)である。

C　$(x^2+2x)^2-2(x^2+2x)-3$を因数分解せよ。

D　$x=\sqrt{5}+2$、$y=\sqrt{13}$ であるとき、大小関係はx(　③　)yである。

E　$\frac{1}{2-\sqrt{3}}$ を有理化せよ。

F　$x+\frac{1}{x}=3$のとき、$x^2+\frac{1}{x^2}$の値を求めよ。

G　1〜100までの整数のうち３または４で割り切れる整数はいくつあるか。

H　方程式$3x^2+8x-3=0$を解け。

I　直線$y=2x$に対して、垂直に交わる直線の傾きは(　④　)である。

J　$y=x^2+x-2$は、$x=$(　⑤　)のとき最小値(　⑥　)をとる。

18 リンゴ、ミカン、なしを合計８個買うとき、その買い方は何通りあるか答えよ。ただし、リンゴ、ミカン、なしはそれぞれ１個以上は買い、お金及び商品は十分にあるものとする。

19 次の文章を読み、後の問いに答えよ。

１周1000mの池の周りをＡ君とＢ君が同じ地点から同時に反対方向へ出発したところ、Ａ君が３周、Ｂ君が２周したところで初めてスタート地点ですれ違った。

A　2人が最初にすれ違うのは、A君が出発してから何mのところか。

B　スタート地点で初めてすれ違うまでに2人は何回すれ違ったか。ただし、スタート地点でのすれ違いは回数に数えない。

20 次のような、ある規則性をもって並んでいる数列の、10番目の数はいくつか。

1, 3, 7, 13, ……

21 次の文章を読み、後の問いに答えよ。

$y=x^2$と$y=x+2$の交点をA、Bとする。

A　A、B及び原点Oを結んでできる△OABの面積を求めよ。

B　$y=x^2$上の点C(1, 1)とA、Bを結んでできる△ABCの面積を求めよ。

22 次の斜線部の面積を求めよ。ただし、点O_1、O_2は円の中心である。また、半径は2つとも6cmであり、円周率は3.14、$\sqrt{3}=1.73$として計算すること。

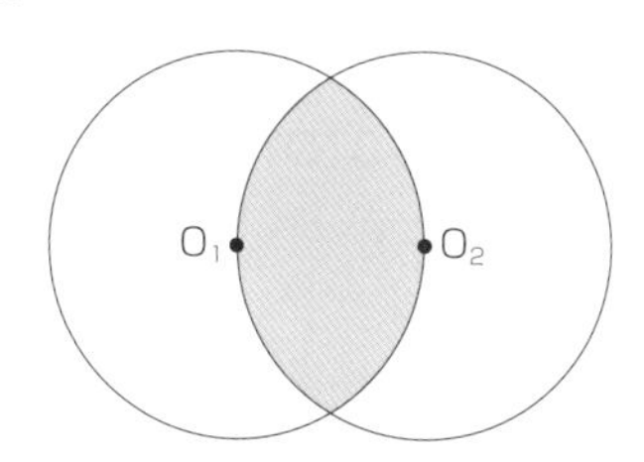

《理　科》

23 以下は小学校学習指導要領「理科」の目標である。空欄に適語を入れよ。

（　①　）に親しみ、理科の見方・考え方を働かせ、見通しをもって（　②　）、（　③　）を行うことなどを通して、自然の事物・現象についての問題を（　④　）に解決するために必要な資質・能力を次のとおり育成することを目指す。

24 次の小学校学習指導要領「理科」の内容に関する文章の空欄に適語を入れよ。

小学校「理科」の内容区分は、「A（　①　）」と「B（　②　）」となっている。また、Aには第3学年で3種類以上、第4～6学年で各2種類以上行う（　③　）を位置づけている。

25 次の小学校学習指導要領「理科」に関する記述のうち、最も正しいものはどれか答えよ。

① 電気に関しては各学年で扱うが、そのうち、電気の利用は第5学年で、電流の働きは第6学年で扱うことになっている。

② 小学校で扱う具体的な臓器としては、肺・胃・小腸・大腸・肝臓・腎臓が挙げられるが、心臓については構造が複雑なので取り扱わない。

③ 第6学年では水溶液の性質として、酸性・アルカリ性・中性などについての学習を行う。

④ 第5学年で学習する動物の成長のうち、母体内の成長については受精から誕生までを扱うこととなっている。

⑤ 月と太陽についての学習では、地球から見た月や太陽だけではなく、月から見た太陽の位置関係などについても学習する。

26 小学校学習指導要領解説「理科」において事故防止の観点から、「毒物及び劇物取締法により劇物に指定されている薬品」として示されている薬品の名称を挙げよ。

27 次のような電気回路において、後の問いに答えよ。ただし、抵抗R_1＝1[Ω]、R_2＝2[Ω]、R_3＝3[Ω]とする。

A R_1を流れる電流が6[A]のとき、R_3を流れる電流を求めよ。

B 回路全体を流れる電流を求めよ。

C 電池の起電力(電圧)はいくらか。ただし、電池の内部抵抗は無視する。

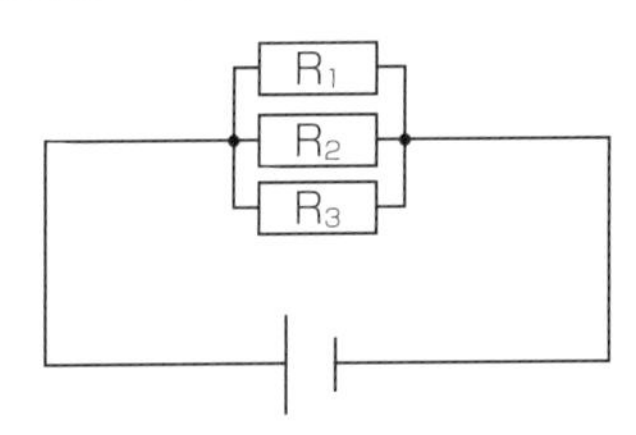

28 化学反応に関する次の記述のうち、最も妥当なものはどれか答えよ。

① メタンと酸素を完全燃焼させると、水素と二酸化炭素が生じる。

② 塩酸と水酸化ナトリウム水溶液を中和すると、ナトリウム単体と塩素単体ができる。

③ 酢酸水溶液に赤色リトマス紙を付着させると、リトマス紙は青色に変わる。

④ スチールウールを燃焼させると、その質量は増加する。

⑤ 白金を希硫酸の中に入れると、白金から水素が生じる。

29 単子葉類と双子葉類の性質を分けた次の表のうち、空欄①、③に入る語句を以下の語群から選べ。

	単子葉類	双子葉類
維管束	①	②
葉脈のつくり	③	④

[語群]

ア　網目のようになっている　　イ　平行になっている

ウ　全体的に散らばる　　エ　輪の形に並ぶ

30 ヒトの体に関する次の記述のうち、最も妥当なものはどれか答えよ。

① アミラーゼは肝臓でつくられ、胆汁と一緒に十二指腸で分泌される脂肪分解酵素である。

② 腎臓の働きは不要物をろ過した後に尿素をつくることである。

③ 吸収した酸素は血液中の赤血球によって運ばれる。

④ 血液が酸素を最も多く含んでいるのは、左心室を出たときである。

⑤ 血小板は、体内に侵入してきた異物に対して防御を行う。

31 天候に関する次の記述のうち、最も妥当なものはどれか答えよ。

① 温暖前線が通過した後は、その地域では穏やかな雨が降る。

② 6月には日本列島に閉塞前線と呼ばれる梅雨前線が雨期をもたらす。

③ 高気圧とは、1気圧より高い気圧のことを指す。

④ 台風は温帯低気圧のうち、風速が約17m／ｓに達したものを指す。

⑤ 日本の夏は小笠原気団が発達し、南高北低の気圧配置をつくる。

32 月と地球の関係において次の問いに答えよ。

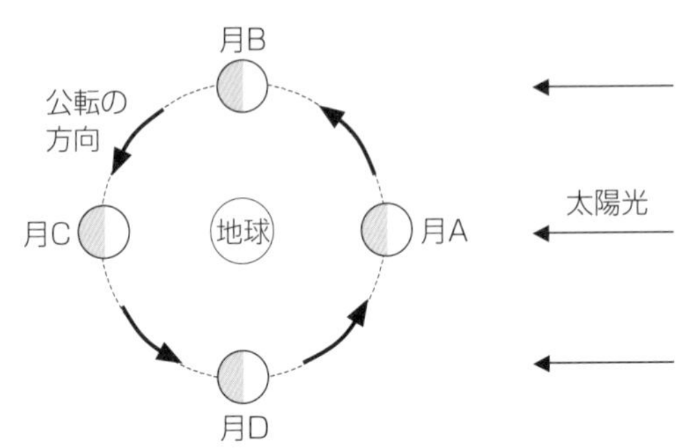

A 下弦の月が見えるのは月A～Dのうちどの位置か答えよ。

B Cの位置の月から地球を見たとき、地球はどのような明るさで見えるか。

C 日食が起こるときの月の位置として最も妥当なのは月A～Dのうちどれか答えよ。

《生　活》

33 次の文の中で、昆虫の越冬として最も適切でないものはどれか答えよ。

① テントウムシは成虫のまま、木の皮の下や幹の隙間に入り込み冬を越す。

② スズムシは幼虫のまま、木の根元の土中で越冬する。

③ カブトムシは幼虫のまま、腐葉土など柔らかい土の中で冬を越す。

④ アゲハチョウはサナギのまま、木や幹、枝などにくっついて冬を越す。

⑤ キリギリスは卵のまま、土の中で越冬する。

34 次の文の中で、最も適切なものはどれか答えよ。

① イタヤカエデ、イチョウ、カツラの葉は秋になると黄色に色づく。

② サツマイモの苗の植え付けは３月中旬までに行うと６月に収穫できる。

③ メダカは涼しい場所を好むので、水温は15℃以下に保つ。

④ 生活の授業では、植物栽培と動物飼育のうち１つを選択できる。

⑤ 伝統行事は宗教に関連することが多いので、学習の素材にはできない。

《音　楽》

35 **以下は小学校学習指導要領「音楽」の目標である。空欄に適語を入れよ。**

（　①　）及び（　②　）の活動を通して、音楽的な（　③　）・（　④　）を働かせ、（　⑤　）や（　⑥　）の中の音や音楽と豊かに関わる資質・能力を次のとおり育成することを目指す。

36 **小学校学習指導要領「音楽」に記載の「音符、休符、記号や用語」の内容の正誤を判断せよ。**

① 全音符と二分音符は学ぶが、全休符と二分休符は取り扱わない。
② 反復記号については、ダカーポやダルセーニョも取り扱う。
③ 速度記号については、メトロノーム記号のみ取り扱う。
④ 強弱記号については、dim.（ディミヌエンド）も取り扱う。
⑤ ff（フォルティッシモ）や pp（ピアニッシモ）は取り扱う。

37 **①～⑤の（　　）に適切な言葉を入れよ。**

A　第1学年の共通教材「うみ」や第2学年の「春がきた」は大楽節1つで構成されている（　①　）形式の音楽だ。
B　半音上げる記号として使われるシャープは（　②　）と書く。
C　リコーダーにはバロック式と（　③　）式がある。
D　混声四部合唱はソプラノ、アルト、テノール、（　④　）で構成される。
E　楽器には擦って音を出す擦弦楽器と、弾いて音を出す（　⑤　）がある。

38 **下の楽譜はどの順に演奏するか、その順番を書け。**

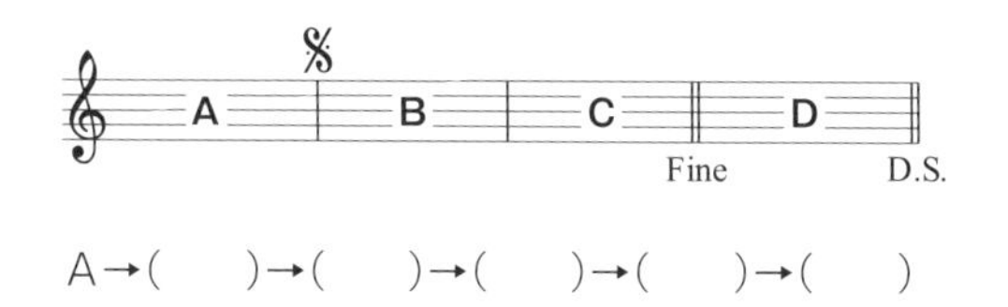

A→（　　）→（　　）→（　　）→（　　）→（　　）

39 **下の問いについて50字程度で説明せよ。**

小学校学習指導要領「音楽」ではハ長調やイ短調の楽譜を見て演奏することが求められている。なぜだと考えられるか、その理由を簡単に述べよ。

40 それぞれの歌と作曲家を正しく組み合わせよ。

①浜辺の歌　②赤とんぼ　③荒城の月　④花の街　⑤夏の思い出

ア山田耕筰　**イ**滝廉太郎　**ウ**中田喜直　**エ**成田為三　**オ**團伊玖磨

41 ①～⑤の説明文に当てはまる音楽家名を書け。

① 18世紀前半のドイツの作曲家。オルガン奏者としても有名。「ブランデンブルク協奏曲」「マタイ受難曲」などが知られる。

② 19世紀前半に活躍したポーランド出身の作曲家。「ピアノの詩人」と呼ばれる。「軍隊ポロネーズ」や「幻想ポロネーズ」などが知られる。

③ 19世紀初めに活躍したオーストリアの作曲家。ゲーテの詩による「魔王」(リート)やピアノ五重奏曲「ます」などが代表作。

④ 20世紀初めに活躍したイギリスの作曲家。管弦楽組曲「惑星」は7曲からなるが、「地球」はない。

⑤ 19世紀後半に活躍したロシアの作曲家。バレエ音楽の「白鳥の湖」や「くるみ割り人形」「眠りの森の美女」はよく知られる。

《図画工作》

42 焼き物の工程として、最も妥当なものはどれか答えよ。

① 成形→絵付け→乾燥→素焼き→乾燥→施釉→本焼き

② 成形→素焼き→乾燥→絵付け→施釉→乾燥→本焼き

③ 成形→施釉→乾燥→絵付け→素焼き→乾燥→本焼き

④ 成形→乾燥→素焼き→絵付け→施釉→乾燥→本焼き

⑤ 成形→素焼き→乾燥→施釉→乾燥→絵付け→本焼き

43 次の色彩に関する記述について、空欄に適切な語句を入れよ。

色の三要素とは(　①　)・(　②　)・(　③　)である。しかし、無彩色には(　①　)しかない。有彩色を(　③　)の似ている順番に並べた輪を(　③　)環という。その向かい合った位置にある色を(　④　)という。

マゼンタ・シアン・黄を(　⑤　)といい、これら三色を混ぜると(　⑥　)になる。また赤・青・緑を(　⑦　)といい、三色混ぜると(　⑧　)になる。

44 **児童に次の描画をさせる場合、どのような点に注意して指導すべきか、簡潔に述べよ。**

A　クロッキー

B　デッサン

45 **用具の使い方や特徴として、最も妥当なものはどれか答えよ。**

①　縦びきは刃が細かく、切るときは40度ほど傾け、木の繊維に直角になるように切る。

②　電動糸のこで切るときは手で刃の近くを押さえ、曲線を切るときは板を必ず回しながら切る。

③　紙やすりは番号が大きいほど、目が粗くなる。

④　彫刻刀には４種類あるが、平刀は太い線や広い面を彫るのに使い、切出しは鋭い線を彫るのに使う。

⑤　片面が平面で、もう片方が丸みを帯びたかなづちを「箱屋かなづち」という。

《家　庭》

46 **次の文の中から最も正しいものはどれか答えよ。**

①　レーヨンは洗濯に強く、しわになりにくく、アルカリに強い。

②　麻は吸湿性があり、染色性もよいが、しわになりやすい。

③　綿は引っ張りや摩擦に強く、洗濯で収縮しない。

④　絹はアルカリや熱に弱く、アイロンの適温は100℃以下である。

⑤　毛は保温性に優れているが、吸湿性が弱い。

47 **次の文の空欄に当てはまる語句や数字の正しい組み合わせはどれか答えよ。**

玄米は（　①　）に多く（　②　）を含んでいるが、精米の過程でほとんど失われてしまう。

米を炊くときに適した水量は、１人分80ｇの米の量に対し、水は（　③　）mL、すなわち米の体積の（　④　）倍である。

	①	②	③	④
A	胚乳	ビタミンB_1	120	1.2
B	胚芽	ビタミンB_2	150	1.5

C	胚乳	ビタミンA	150	1.5
D	胚芽	ビタミンB_1	120	1.2
E	胚乳	ビタミンB_2	150	1.5

48 次の文の中で、最も適切でないものはどれか答えよ。

① 十分な明るさとしての採光を得るために、学校の教室の窓面積は床面積の5分の1以上とされている。

② 部屋の照明は目的にあった明るさが大切であり、ＪＩＳ照度基準によると、勉強や読書の手元の照度は500～1000ルクスが適当とされる。

③ カロテンは緑黄色野菜に多く含まれ、炒めるよりもゆでた方が体内への吸収がよい。

④ 無機質は身体の組織を構成し、生理機能の調節をする栄養素で、カルシウム、鉄、亜鉛などがある。

⑤ ミシン縫いのとき縫い目がとぶのは、布に対して針と糸が合っていない場合や針の付け方が間違っていることが考えられる。

《体　育》

49 以下は小学校学習指導要領「体育」の目標である。空欄に適語を入れよ。

体育や保健の(　①　)を働かせ、課題を見付け、その解決に向けた学習過程を通して、(　②　)捉え、生涯にわたって心身の健康を保持増進し(　③　)を実現するための資質・能力を次のとおり育成することを目指す。

50 次のうち、第3・4学年の目標として最も正しいものはどれか答えよ。

① 各種の運動に積極的に取り組み、約束を守り助け合って運動をしたり、仲間の考えや取組を認めたり、場や用具の安全に留意したりし、自己の最善を尽くして運動をする態度を養う。

② 自己の運動や身近な生活における健康の課題を見付け、その解決のための方法や活動を工夫するとともに、考えたことを他者に伝える力を養う。

③ 各種の運動遊びの楽しさに触れ、その行い方を知るとともに、基本的な動きを身に付けるようにする。

④ 各種の運動の楽しさや喜びを味わい、その行い方及び心の健康やけがの防止、病気の予防について理解する。

⑤　各種の運動遊びに進んで取り組み、きまりを守り誰とでも仲よく運動をしたり、健康・安全に留意したりし、意欲的に運動をする態度を養う。

51 **次の図は、各学年で取り扱う内容を示したものである。表中の空欄に当てはまる語句を記せ。**

学年	1・2	3・4	5・6
領域	体つくりの運動遊び	（　①　）	
	器械・器具を使っての運動遊び	器械運動	
	走・跳の運動遊び	走・跳の運動	（　②　）
	水遊び	水泳運動	
	（　③　）		ボール運動
	表現リズム遊び	（　④　）	
		（　⑤　）	

52 **次の文章のうち、小学校学習指導要領に照らして、最も妥当なものはどれか答えよ。**

①　第5・6学年のボールゲームの指導に当たっては、正規のルールやコートの広さを守ることが大切である。

②　第3・4学年の走・跳の運動では、かけっことリレーを扱うが、ハードル走は扱わない。

③　内容の構成を低・中・高学年の3段階で示したのは、各学年での運動の取り上げ方に弾力性をもたせることができるようにしたものである。

④　水泳の指導は、学校の実情に合わせて柔軟な取扱いをすべきものなので、プールなど水泳場が確保できない場合は、まったく扱わなくてよい。

⑤　第5・6学年の体つくり運動は、体ほぐし運動と多様な動きをつくる運動で構成されている。

53 **次の空欄に当てはまる語句を記せ。**

A　リレーのバトンパスは屋外競技の場合、(　①　)mの(　②　)でしなければならない。

B　攻撃側の1人に対し、守備側の1人がマークする形を(　③　)、守備範囲を決めてゾーンを形成する形を(　④　)という。

《外国語》

54 次の小学校学習指導要領「外国語」の目標の空欄に適語を入れよ。

外国語によるコミュニケーションにおける見方・(　①　)を働かせ、外国語による聞くこと、読むこと、話すこと、書くことの言語活動を通して、コミュニケーションを図る(　②　)となる(　③　)・能力を次のとおり育成することを目指す。

(1)外国語の音声や文字、語彙、(　④　)、(　⑤　)、言語の働きなどについて、日本語と外国語との違いに気付き、これらの知識を理解するとともに、読むこと、書くことに慣れ親しみ、聞くこと、読むこと、話すこと、書くことによる実際のコミュニケーションにおいて活用できる基礎的な技能を身に付けるようにする。(以下略)

55 次の小学校学習指導要領「外国語」に関する記述のうち、最も正しいものはどれか答えよ。

① インターネットを利用して時事問題等を簡潔にまとめて発表することができるようにする。

② 自分の身近なことであれば、2分以内のスピーチをすることができるようにする。

③ 初対面の人や知り合いと挨拶をしたり、指示や依頼をして応じたりすることができるようにする。

④ 小学校の「外国語」では900語程度の単語の習得が望まれる。

⑤ 第5学年では話すことを中心に、第6学年では読むことを中心に授業を行う。

56 語群から適語を選び、空欄に入れよ。

① Nothing is so precious thing(　　)time.
② If I(　　)his address then, I could have visited him.
③ Three years(　　)too long to wait.
④ Mary(　　)on an air of innocence.
⑤ Would you kindly(　　)over my writing?

語群：as, than, knew, had known, is, are,
put, set, spread, look, see, watch

57 次の会話文の空欄に入ることわざとして、最も適切なものを選べ。

Bob：Haven't you finished your report yet, Tom? You have to hand in the report to Mr. Williams by tomorrow, I think.
Tom：Well, I have almost finished it, but I'm taking a lot of time to make sure it's absolutely perfect.
Bob：I express my respect for your persistence.
Tom：Thank you, Bob. I believe that (　　).
Bob：That's true!

① out of sight, out of mind
② easier said than done
③ it's no use crying over split milk
④ a word is enough to the wise
⑤ slow and steady wins the race

58 日本文に合うようにカッコ内を並べ替えて正しい英文にせよ。

① 彼女は我々が考えていた以上にやさしかった。
She was(her, than, more, we, to be, gentle, thought).
② 学者としてトムは父親にははるかに及ばない。
As a scholar, Tom is(his, father, far, from, beneath).
③ 公園を散歩していたとき、よい考えが頭に浮かんだ。
While I was walking in the park,(good, my, a, mind, crossed, idea).

《外国語活動》

59 次の中で最も妥当なものはどれか答えよ。

① 必ず外国人講師が中心となって外国語活動を行う。
② 授業中は、すべて外国語で行うことが求められる。
③ 学級担任は児童の様子に注意しながら、外国人講師を支える。
④ 外国語の歌は音感が大切なので、音楽科教員に任せる。
⑤ 他の小学校との交流を図るときは、必ず外国人講師を交える。

60 次の中で最も妥当なものはどれか答えよ。

① 答えるときは“Stand up.”といって、必ず起立させる。
② 文法などの知識はできるだけ正確に使えるようにさせる。
③ ５年生のうちからアルファベットを書く練習をさせる必要がある。
④ 英語ノートは順番に従って学習することが求められる。
⑤ 児童には、“Don't give up.”など励ましの言葉をかける。

《道　徳》

61 次の中で最も妥当なものはどれか答えよ。

① 平成27年３月に小学校学習指導要領の一部改正がなされ、道徳科に代わり、道徳の時間が新設された。
② 小学校での道徳科の完全実施は、現行の学習指導要領の全面実施に先駆け、平成30年度から完全実施となった。
③ 道徳科は、校長や教頭などを中心とした指導体制を充実するように配慮する。
④ 各学校、道徳科の全体計画に基づき、道徳教育の年間指導計画を作成するものとする。
⑤ 道徳科の評価は、他の教科と同様に数値などによって評価を行う。

《総合的な学習の時間》

62 次の中で最も妥当なものはどれか答えよ。

① 学級活動や児童会活動、学校行事などを総称して総合的な学習の時間という。

② 総合的な学習の時間は、児童の主体的な学習を重要視するため、児童の学習状況に応じた教師の指導は必要ない。

③ 総合的な学習の時間の名称については、各学校単位で定めてはならない。

④ 各学校の総合的な学習の時間の目標は各学校が定める。

⑤ 各学校の総合的な学習の時間の内容は国が定める。

《特別活動》

63 次の中で最も妥当なものはどれか答えよ。

① 特別活動とは、特別の教科 道徳の時間で行う学習活動のことをいう。

② 児童会の計画や運営は、主として教師が行う。

③ クラブの組織づくりとクラブ活動の計画や運営は、児童が活動計画を立て、役割を分担し、協力して運営に当たる。

④ 各学校は各活動及び学校行事の年間指導計画を作成すれば、特別活動の全体計画は作成する必要はない。

⑤ 入学式や卒業式などにおいては、国旗を掲揚するように指導されているが、国歌斉唱は指導されていない。

本試験対策 実力チェック問題 解答

《国　語》

1 ④

2 ①　②の「領袖」は、「大きな団体の長」とは限らないので誤り。

3 ②

4 使用されている言葉が古語（平安時代語を基礎とする言語体系）であって、その形式が七五調、または五七調というような一定の音律に従ってつくられている詩のこと。

5 ⑤　①は「女流日記文学」が誤り。

6 ③　①は「校長先生様はおられますか？」ではなく「校長先生はいらっしゃいますか？」。②は「校長先生は只今外出されています」ではなく「校長は只今外出しております」。④は「戻られる」ではなく「戻る」。⑤は「電話します」ではなく「お電話をいたします」。正解の③も「お戻りになられますか」にすると誤りとなる（「お戻り」で敬意は含まれているので、それに「なられる」という尊敬を加えると過剰となる）。

7 さまざまに挙げることができるであろうが、以下のような留意が必要となる。

- 読書意欲を高め、読書活動の活発化が図れるようにする。
- 難解なものは避け、子どもの興味・関心に基づくものからの導入を図る。
- 各種の図書館の活用と、その際の必要な本の選定に関する指導。
- 人間形成のため、幅広く偏りのないような読書を勧める。

《社　会》

8 ②

9 61ページ（3　内容の取扱い）参照（このうちの５名）

10 ③

11 ①安定陸塊　②ケスタ　③パリ　④ロンドン　⑤リアス　⑥三陸海岸　⑦若狭湾　⑧志摩半島　⑨偏西　⑩北大西洋　⑪西岸海洋性　⑫ルックイースト　⑬ドイモイ　⑭ポルダー　⑮ユーロポート

12 ①内心　②職業選択の自由　③営業の自由　④団結権　⑤団体交渉権　⑥団体行動権（④～⑥順不同）　⑦衆議院　⑧国民投票

13 ③

14 ④

《算　数》

15 ①数量や図形　②日常の事象　③数学的な表現　④楽しさ　⑤生活

16 ①

17 A　0.005　$\frac{9}{8}\times\frac{1}{15}\times\frac{1}{15}$

B　①29　②89

C　$(x-1)(x+3)(x+1)^2$

D　③>

E　$2+\sqrt{3}$

F　7

G　50

H　$x=-3,\ \frac{1}{3}$

I　④$-\frac{1}{2}$

J　⑤$-\frac{1}{2}$　⑥$-\frac{9}{4}$

18 21通り

19 A　600m

B　4回

20 91

21 A　3

B　3

22 44.22cm^2（中心角60°のおうぎ形×2－正三角形の面積）×2

《理　科》

23 ①自然　②観察　③実験　④科学的

24 ①物質・エネルギー　②生命・地球　③ものづくり

25 ③

26 塩酸や水酸化ナトリウムなど

27 R_1、R_2、R_3を流れる電流をそれぞれI_1、I_2、I_3とする

A　2［A］　$I_1:I_2:I_3=\frac{1}{1}:\frac{1}{2}:\frac{1}{3}=6:3:2$

B　11［A］　$I_1+I_2+I_3=6+3+2=11$［A］

C　6［V］　$V=I_1R_1$

28 ④

29 ①ウ　③イ

30 ③

31 ⑤

32 A　月D

B　暗く見える（地球から月を見たときの新月のように見える）

C　月A

《生　活》

33 ②

34 ①

《音　楽》

35 ①表現　②鑑賞　③見方　④考え方　⑤生活　⑥社会

36 ①正　②誤　③正　④誤　⑤誤

37 ①一部　②♯　③ジャーマン　④バス　⑤撥弦楽器

38 A→(B)→(C)→(D)→(B)→(C)

39 ハ長調やイ短調の楽譜は調号がなく、キーボードで演奏する場合には黒鍵を弾かないで音階を演奏できる。

40 ①エ　②ア　③イ　④オ　⑤ウ

41 ①バッハ　②ショパン　③シューベルト　④ホルスト　⑤チャイコフスキー

《図画工作》

42 ④

43 ①明度　②彩度　③色相　④補色　⑤色の三原色　⑥黒　⑦光の三原色　⑧白

44 A　対象の形を大まかにとらえてすばやく描き、間違えても消さずにそのまま描くこと。

B　対象の形を大まかにとらえて描き、線だけでなく明暗をつけること。

45 ②

《家　庭》

46 ②

47 D

48 ③

《体　育》

49 ①　見方・考え方
②　心と体を一体として
③　豊かなスポーツライフ

50 ②

51 ①　体つくり運動
②　陸上運動
③　ゲーム
④　表現運動
⑤　保健

52 ③

53 ①30　②テークオーバーゾーン　③マンツーマンディフェンス　④ゾーンディフェンス

《外国語》

54 ①考え方　②基礎　③資質　④表現　⑤文構造

55 ③

56 ① than　② had known　③ is　④ put　⑤ look
[訳]①「時間ほど貴重なものはない」比較級を用いた表現。②「そのとき彼の住所を知っていたら、訪ねることができたのに」仮定法過去完了。③「3年は待つには長すぎる」Three years を1つの単位としてとらえているので be 動詞は is が用いられる。④「メリーは潔白を装っていた」put on an air of「装う、～のふりをする」の意味。put は原形、過去形、過去分詞形、すべて同形。⑤「私の書いたものに目を通していただけますか」look over「目を通す」の意味。

57 ⑤
[訳]ボブ「トム、まだレポート終わってないのかい。ウィリアムス先生に明日までに提出しなくてはいけないんだよね」。トム「そうだよ、ほとんど終わっているんだけど、完璧だと確認するために時間をかけているんだよ」。ボブ「君の粘り強さに敬意をあらわすよ」。トム「ありがとう、ボブ。僕は『ゆっくり着実にやれば競争に勝つ(急がば回れ)』を信じるよ」。ボブ「その通りだね」
[ことわざの訳]①去る者日々に疎し　②言うは易し、行うは難し　③覆水盆に返らず　④一を聞いて十を知る　⑤急がば回れ

58 ① She was(more gentle than we thought her to be).　② As a scholar, Tom is(far beneath from his father). ③ While I was walking in the park,(a good idea crossed my mind).

《外国語活動》

59 ③

60 ⑤

《道徳》

61 ②

《総合的な学習の時間》

62 ④

《特別活動》

63 ③

索引

あ行

か行

さ行

た行

な行

は行

ま行

や行

ら行

わ行

A～Z

編集協力：有限会社ヴュー企画
本文イラスト：高橋なおみ、宮本千弘
デザイン・DTP：有限会社プッシュ
企画・編集：成美堂出版編集部
(原田洋介・芳賀篤史)

MEMO

MEMO

■ **著者：LEC東京リーガルマインド(LEC)**

1979年、司法試験の受験指導機関として創立して以来、教員や国家公務員、地方公務員、警察官、消防官などの公務員試験をはじめ、司法書士、弁理士、行政書士、社会保険労務士、土地家屋調査士、不動産鑑定士、中小企業診断士、宅地建物取引士、公認会計士、税理士、日商簿記など各種資格・国家試験の受験指導を行う総合スクール。法人研修事業、雇用支援事業、教育出版事業、大学・大学院運営といった人材育成を中心とする多角的経営を行っている。現在、94資格・試験を取り扱い、全国に直営校30校、提携校19校(2024年7月1日現在)を展開しており、2019年には創立40周年を迎えた。

【LEC東京リーガルマインド】
〒164-0001 東京都中野区中野4-11-10 アーバンネット中野ビル
https://www.lec-jp.com/

LEC教員採用講座に関する最新情報は、
LEC公務員サイト　https://www.lec-jp.com/koumuin/　をご覧ください。

【監修】
統括：大野純一　傾向と対策・学習指導要領(総則他)・国語・社会：加藤賓和　算数・理科：志村信幸　音楽：清水澄子　図画工作：大野純一　生活・家庭・外国語・外国語活動：福岡智子　体育：森葉子　道徳・総合的な学習の時間・特別活動：白取尚広

本書に関する正誤等を含む最新情報は、下記のURLをご覧ください。
https://www.seibidoshuppan.co.jp/info/kyouinsaiyo-s2409

上記アドレスに掲載されていない箇所で、正誤についてお気づきの場合は、書名・発行日・質問事項・氏名・住所・FAX番号を明記の上、**成美堂出版**まで**郵送**または**FAX**でお問い合わせください。
※**電話でのお問い合わせはお受けできません。**
※本書の正誤に関する質問以外にはお答えできません。また、受験指導などは行っておりません。
※ご質問の到着確認後10日前後で、回答を普通郵便またはFAXで発送致します。
※ご質問の受付期限は、2025年の8月末日到着分までと致します。ご了承ください。

これだけ覚える 教員採用試験 小学校全科 '26年版

2024年10月20日発行

著　者　LEC(レック)東京(とうきょう)リーガルマインド
発行者　深見公子
発行所　成美堂出版
〒162-8445　東京都新宿区新小川町1-7
電話(03)5206-8151　FAX(03)5206-8159
印　刷　株式会社フクイン

ISBN978-4-415-23881-4
落丁・乱丁などの不良本はお取り替えします
定価はカバーに表示してあります